PERIGOSAS
PEDALADAS

COLEÇÃO HISTÓRIA AGORA

Volume 1
A USINA DA INJUSTIÇA
RICARDO TIEZZI

Volume 2
O DINHEIRO SUJO DA CORRUPÇÃO
RUI MARTINS

Volume 3
CPI DA PIRATARIA
LUIZ ANTONIO DE MEDEIROS

Volume 4
MEMORIAL DO ESCÂNDALO
GERSON CAMAROTTI E
BERNARDO DE LA PEÑA

Volume 5
A PRIVATARIA TUCANA
AMAURY RIBEIRO JR.

Volume 6
SANGUESSUGAS DO BRASIL
LÚCIO VAZ

Volume 7
A OUTRA HISTÓRIA DO MENSALÃO
PAULO MOREIRA LEITE

Volume 8
SEGREDOS DO CONCLAVE
GERSON CAMAROTTI

Volume 9
O PRÍNCIPE DA PRIVATARIA
PALMÉRIO DÓRIA

Volume 10
OPERAÇÃO BANQUEIRO
RUBENS VALENTE

Volume 11
O BRASIL PRIVATIZADO
ALOYSIO BIONDI

Volume 12
MASCARADOS
ESTHER SOLANO, BRUNO PAES MANSO
E WILLIAN NOVAES

Volume 13
A OUTRA HISTÓRIA DA LAVA-JATO
PAULO MOREIRA LEITE

Volume 14
PERIGOSAS PEDALADAS
JOÃO VILLAVERDE

João Villaverde

PERIGOSAS PEDALADAS

Os bastidores da crise que abalou o Brasil e levou ao fim o governo Dilma Rousseff

PREFÁCIO DE
Adriana Fernandes

GERAÇÃO

Copyright © 2016 by João Villaverde

1ª reimpressão — Dezembro de 2016

Grafia atualizada segundo o Acordo Ortográfico da Língua Portuguesa
de 1990, que entrou em vigor no Brasil em 2009

Editor e Publisher
Luiz Fernando Emediato

Diretora Editorial
Fernanda Emediato

Assistente Editorial
Adriana Carvalho

Capa e Projeto Gráfico
Alan Maia

Preparação de texto
Josias A. de Andrade

Revisão
Marcia Benjamim

DADOS INTERNACIONAIS DE CATALOGAÇÃO NA PUBLICAÇÃO (CIP)
(Câmara Brasileira do Livro, SP, Brasil)

Villaverde, João
  Perigosas pedaladas : os bastidores da crise
que abalou o Brasil e levou ao fim o governo
Dilma Rousseff / João Villaverde ; prefácio Adriana Fernandes.
-- São Paulo: Geração Editorial, 2016. -- (Coleção história agora)

  ISBN 978-85-8130-369-7

  1. Brasil - Política e governo 2. Crise
econômica 3. Impeachment - Brasil 4. Jornalismo
político 5. Rousseff, Dilma, 1947- I. Fernandes,
Adriana. II. Título.

16-08349   CDD: 070.44932

Índices para catálogo sistemático

1. Jornalismo político   070.44932

GERAÇÃO EDITORIAL

Rua Gomes Freire, 225 – Lapa
CEP: 05075-010 – São Paulo – SP
Telefax.: (+ 55 11) 3256-4444
E-mail: geracaoeditorial@geracaoeditorial.com.br
www.geracaoeditorial.com.br

Impresso no Brasil
Printed in Brazil

Dedico este livro à minha mãe, em sua memória, Nelita Villaverde Canabal de Almeida, ao meu pai, o guerreiro João Almeida, e à minha companheira, Bárbara Pombo, que sempre respondeu com um sorriso as minhas ansiedades.

"No dia a dia de um jornal, é sempre fascinante o sentimento de que informações trazidas à tona pelos repórteres e discutidas nas reuniões de pauta poderão influenciar rumos. Mas tal constatação se consolida algum tempo depois. A expressão 'contabilidade criativa' inicialmente ocupou uma singela chamada abaixo da dobra da primeira página de *O Estado de S. Paulo*, vindo posteriormente a se transformar no eixo principal do processo de *impeachment* da presidente Dilma."

Ricardo Gandour – *Jornalista, professor e pesquisador visitante na Columbia University*

* * *

"Pedaladas fiscais foram a faceta financeira de um triste ideário que grassou em Brasília: o fim justifica os meios. Villaverde, ao detalhar quando e como foram os dribles, dá pontapé no jogo que ainda não começou no Brasil: fechar as brechas. Não basta punir quem arrombou a porta, é fundamental aprovar novas leis e regras para que a porta não volte a ser arrombada, ao menos não do mesmo jeito. Mãos à obra."

José Roberto Afonso – *Economista e um dos formuladores da Lei de Responsabilidade Fiscal*

* * *

"Não há democracia sem o trabalho diligente de jornalistas como João Villaverde na investigação e análise dos atos do governo. Havia a suspeita de algo estranho no reino do Tesouro Nacional e os pagamentos de diversos programas estavam sendo feitos pelos bancos públicos sem o repasse da Fazenda. Ele e colegas trouxeram as "pedaladas" sigilosas à luz do dia, com as consequências que conhecemos e vivemos nos últimos anos. Uma história cujos bastidores econômicos ele pode contar melhor que ninguém, com a clareza de seu estilo e a credibilidade que conquistou."

Monica Waldvogel – *Jornalista e apresentadora da* Globo News

Sumário

PREFÁCIO (*Por Adriana Fernandes*) 9

APRESENTAÇÃO 13

INTRODUÇÃO 21

1. O ESTOPIM 29

2. CURTO-CIRCUITO NAS CONTAS PÚBLICAS 61

3. O ENIGMA DE QUATRO BILHÕES DE REAIS 77

4. PERIGOSAS PEDALADAS 95

5. GOVERNO SOB INVESTIGAÇÃO 159

6. O *IMPEACHMENT* 213

7. A POLÍTICA ECONÔMICA DO FUTURO 271

APÊNDICE/EPÍLOGO 303

POSFÁCIO (*Por Celso Rocha de Barros*) 313

AGRADECIMENTOS 321

ÍNDICE ONOMÁSTICO 324

Prefácio

Por Adriana Fernandes*

Muito antes de a presidente Dilma Rousseff ter sido afastada do cargo por crime de responsabilidade fiscal num traumático processo de *impeachment* que arrastou a economia brasileira para um longo ciclo de recessão econômica, as finanças públicas já estavam fora dos trilhos.

O uso das pedaladas fiscais — apelido dado pela imprensa à prática do governo de atrasar o repasse de dinheiro aos bancos públicos e ao FGTS — foi, portanto, a consequência da tentativa do governo de esconder a falimentar situação das contas públicas e não a causa principal do seu descontrole. Resultado de anos seguidos de práticas sucessivas de contabilidade criativa e uso dos bancos públicos para alimentar o crescimento econômico que, ao final, não chegou. E que acabaram levando as finanças da União, Estados e Municípios a um quadro de déficits gigantescos e a uma trajetória explosiva da dívida pública.

Problemas que só começarão a ser revertidos (na melhor das hipóteses) se as reformas chegarem e o Brasil retomar a rota do crescimento.

No centro da crise política que abalou o Brasil, as pedaladas começaram a chamar a atenção no início de 2014, quando a redução dos gastos de benefícios sociais acendeu a luz amarela dos especialistas em Previdência. Os economistas não entendiam como as despesas federais com o abono salarial e com o seguro-desemprego caíam, apesar das condições econômicas apontarem para o aumento desses gastos.

Algo de muito estranho estava acontecendo. Principal articulador das pedaladas, Arno Augustin, então secretário do Tesouro, insistia em responder que a queda era um movimento de controle das despesas que refletia, ao contrário do que suspeitavam os analistas, uma evolução mais favorável do resultado das contas do governo federal.

O fio que começou a desvendar publicamente o escândalo fiscal, que já naquele momento trazia desconforto para as áreas técnicas do Tesouro e do Banco Central, foi a reportagem do jornal *O Estado de S. Paulo*, publicada em julho de 2014, revelando a existência de uma estranha conta paralela de um banco privado com R$ 4 bilhões em créditos da União.

Essa conta estava justamente relacionada a atrasos nos repasses aos bancos para o pagamento de benefícios sociais. Foi a primeira vez que o termo pedaladas veio a público, associado aos atrasos dos repasses que ajudavam a maquiar as contas em meio às eleições presidenciais de 2014.

Até então, a expressão era pouco conhecida e usada quando técnicos queriam explicar que despesas dos ministérios que deveriam ser pagas até o último dia do mês tinham o desembolso transferido de fato para o primeiro dia do mês seguinte.

É bom que fique claro que "pedalar" as despesas dessa forma mais simples era uma prática orçamentária antiga na Esplanada dos Ministérios, principalmente na virada de ano. O que saiu do controle e ganhou proporções inimagináveis foi a extensão das pedaladas, com a movimentação de bilhões de reais em atrasos de benefícios sociais e pagamentos de subsídios devidos pelo Tesouro. Não só na Caixa, mas também no Banco do Brasil, BNDES e FGTS.

Como pela legislação brasileira um banco público não pode financiar o Tesouro, a base de sustentação para as investigações do Tribunal de Contas da União se consolidou com um pedido do Ministério Público ao tribunal.

É preciso lembrar também que, inicialmente, muitos se omitiram. Não só os técnicos e autoridades do governo, que sabiam da evolução rápida do problema, como também os órgãos de controle.

Já em 2009, os especialistas em política fiscal e a mídia vinham denunciando as práticas fiscais indevidas, como o uso de receitas extraordinárias, empréstimos fora do orçamento e despesas postergadas. Os próprios técnicos do Tesouro Nacional alertaram em um movimento de rebelião interna, sufocado por Augustin.

Antes de o TCU abrir as diligências para investigação, os fiscais do Banco Central detectaram o problema na Caixa, no final de 2013. Mantida em sigilo, a fiscalização cobrou providências da direção do banco estatal, que por temor de punições da autoridade reguladora, pediu uma câmara de arbitragem à Advocacia-Geral da União (AGU) com o Tesouro.

A brecha no atraso dos repasses foi transformada em verdadeira escala industrial em 2014. Tanto é assim que ao fim de 2015, com as pedaladas já condenadas pelo TCU, o Tesouro foi obrigado a quitar R$ 72,4 bilhões desses atrasos que ainda restavam.

Não deixa de ser desconcertante que as famosas pedaladas matinais da presidente Dilma Rousseff nos arredores do Palácio da Alvorada tenham sido confundidas por algum tempo com as pedaladas nas contas públicas.

Este livro do jornalista João Villaverde, com quem trabalhei em inúmeras reportagens que ajudaram a traçar o caminho secreto das pedaladas, é uma grande oportunidade para o leitor conhecer em detalhes esse processo que ao final levou ao *impeachment* da presidente Dilma.

Um enredo contado com detalhes e apresentação de documentos até então não conhecidos do público de um momento único da história econômica brasileira.

HISTÓRIA AGORA

Passada a correção das pedaladas, é hora também de ação e reversão da crise. É preciso mudar as leis, fechar as lacunas que levaram ao caos fiscal. É também preciso evitar que os mesmos erros voltem a ser cometidos. Não basta punir quem arrombou a porta, mas impedir que ela volte a ser arrombada.

A credibilidade da política fiscal não foi retomada com o *impeachment*. Será necessário abrir caminho para reformas profundas.

Boa leitura!

---

* **Adriana Fernandes** é jornalista especializada em assuntos econômicos e trabalha em Brasília desde 1995. Repórter especial do *Broadcast*, serviço de tempo real da Agência Estado, ela é também colunista do jornal *O Estado de S. Paulo*.

Apresentação

Depois que a presidente Dilma Rousseff sofreu o *impeachment* pelo Congresso Nacional em 31 de agosto de 2016, as "pedaladas fiscais" entraram para a história brasileira e um capítulo da política foi encerrado. Desde então começou a batalha da historiografia, isto é, como as pedaladas e o *impeachment* serão registrados na história nacional.

O exemplo mais famoso desse embate entre a história e a historiografia é o de 1964. Os militares e civis que chegaram ao poder em 31 de março daquele ano imediatamente passaram a denominar aquele movimento de "revolução", e assim se esforçaram para que o termo ganhasse a historiografia brasileira. Por décadas, jornais, revistas e até livros escolares tratavam a queda de João Goulart como revolução. O que ocorreu naquele ano, no entanto, foi um golpe de Estado que terminou iniciando um período de sangrenta ditadura comandada pelos militares e, hoje, esse entendimento é incontestável. Neste sentido, Getúlio Vargas foi bem-sucedido: sua chegada ao poder federal no fim de 1930, no lugar do presidente eleito Júlio Prestes, não passou à história como golpe, mas como "Revolução de 1930", apesar do enorme esforço de comunicação movido pelas forças contrárias a Getúlio durante os primeiros anos daquela década, incluindo jornais e revistas. Mesmo em vida, Getúlio viu a batalha historiográfica pender para seu lado.

A ex-presidente Dilma Rousseff vem, desde meados de 2015, defendendo a tese de que seu afastamento por causa das "pedaladas fiscais" seria um golpe. Ela repetiu a ideia em sua defesa final, feita pessoalmente, na tribuna do Senado nas catorze horas de sessão que fizeram parte do julgamento de seu *impeachment*. O outro lado, encarnado na figura do presidente Michel Temer e naqueles que ascenderam com ele, defende ideia diametralmente oposta: aponta que todos os ritos processuais do *impeachment*, previstos em leis e na Constituição, foram seguidos à risca no Congresso e que o Judiciário, quando procurado, entendeu o mesmo. Ao final, Dilma foi afastada pela maioria dos oitenta e um senadores em sessão comandada pelo então presidente do STF.

Quando seu mandato foi interrompido, em maio, e depois em definitivo pelo *impeachment* de agosto, Dilma Rousseff encontrava-se desgastada por uma série de fatores: erros graves de seu primeiro mandato (cujo custo começou a ser pago já no início de 2015 com o aumento da inflação após a liberação de todos os preços antes controlados pelo governo e pelo início de uma aguda recessão); pela vitória eleitoral extremamente apertada na reeleição (o que deixou acesa a oposição, disposta a apoiar todas as manifestações de rua); pela falta de habilidade dela em lidar com o Congresso Nacional e com o PMDB em particular; pelas revelações da Operação Lava-Jato sobre desvios de recursos públicos realizados por integrantes do PT e de partidos de sua base aliada, incluindo o PMDB que fizera parte direta do governo Dilma desde o início; e pressionada pelo então presidente da Câmara dos Deputados, Eduardo Cunha, do PMDB do Rio de Janeiro, diretamente envolvido na operação da Polícia Federal e do Ministério Público Federal. Finalmente, Dilma também passou a sofrer pressão do próprio vice-presidente que acompanhara desde a primeira eleição. Temer passou a maior parte dos 112 dias entre sua posse interina e sua posse definitiva fazendo cálculos e movimentos políticos para que o afastamento de sua antiga aliada se consumasse. Este é o jogo político, e ele será contemplado nos capítulos finais do livro, mas principalmente no posfácio desta obra, assinado pelo sociólogo Celso Rocha de Barros, doutor pela Universidade de Oxford (Inglaterra) e a quem agradeço por ter aceitado o convite para contribuir para este livro. No fundo, as pedaladas e os decretos orçamentários terminaram sendo a base formal para que o afastamento de uma presidente altamente impopular fosse efetivado, tal como o Fiat Elba para Fernando Collor vinte e quatro anos antes.

Por um lado, o país pôde discutir pela primeira vez os limites da responsabilidade fiscal e da gestão das finanças públicas. Avanços na burocracia, na fiscalização e no controle foram feitos. Também as questões fiscais, orçamentárias e de endividamento público passaram por um aumento da transparência, num processo ainda não de todo concluído. Por outro lado, práticas contábeis contestáveis continuaram a regra nos Estados e Municípios. Também a dura crise econômica, com aumento do desemprego e da inflação combinados com a recessão e a desindustrialização, forçam um debate que ainda não foi feito da forma devida no país, sobre como a política econômica deve se comportar em períodos de vacas gordas e em fases de vacas magras. O cego debate ideológico contaminado pelo radicalismo político inerente a um processo de *impeachment* torna tudo mais difícil.

Atos do Tesouro Nacional e do Ministério da Fazenda seriam suficientes para justificar o afastamento de Dilma da presidência da República? É neste momento que a discussão se torna política: juristas gabaritados defendem opiniões radicalmente contrárias. Os decretos, por outro lado, foram assinados pela própria presidente. Mas também não foram por seus antecessores e também por Temer enquanto vice? Toda essa discussão faz parte do presente trabalho,

HISTÓRIA AGORA

embora o objetivo aqui seja outro. Determinar se o *impeachment* foi um golpe ou um processo legal faz parte de outra disputa historiográfica que ainda será travada.

A batalha aqui é diferente: importa-nos discutir o que foram as pedaladas fiscais — quem esteve por trás e suas motivações e quem as investigou e seus argumentos. Não pretendo (e nem poderia) esgotar o tema. Outros livros sobre o assunto ou relacionados a ele certamente virão à tona nos próximos anos, assinados por outros jornalistas e também economistas e juristas, além dos próprios protagonistas, como a ex-presidente e ex-ministros, o que tornará ainda melhor o debate que aqui se inicia.

Este livro nasceu ainda no começo de 2015, antes das "pedaladas fiscais" serem condenadas pelo Tribunal de Contas da União (TCU) no primeiro julgamento. Meu contato original com a editora ocorreu em março daquele ano. Mas a história ainda se desenrolava, nos campos econômicos e jurídicos, somente sendo encerrada nessas searas em dezembro daquele ano, quando o governo decidiu pagar tudo o que ainda estava pendurado junto ao Banco do Brasil, ao BNDES, ao FGTS e à Caixa. As principais manobras, com os programas obrigatórios (Bolsa Família, Seguro-Desemprego e Abono Salarial) pagos mensalmente pela Caixa, já tinham sido corrigidas no fim de 2014, após a conclusão do ciclo eleitoral. Foi também em dezembro de 2015 que o processo de *impeachment* foi aberto na Câmara dos Deputados, quando então o tema foi definitivamente capturado pela política. O livro começou a ser escrito naquele momento, em Brasília, mas foi o período como pesquisador visitante na School of International and Public Affairs (SIPA) na Universidade de Columbia, que permitiu que a obra efetivamente ganhasse vida. O retorno ao Brasil, no fim de julho, garantiu que a fase final do processo fosse acompanhada da capital federal.

Perigosas Pedaladas é um livro de jornalismo. Espero aqui responder ao leitor perguntas sobre fatos — e sobre fatos apenas. O que foram as pedaladas? Elas já tinham sido praticadas no passado por outros presidentes? Como as contas públicas foram manipuladas? Por que isso ocorreu? Quem fez isso? Quem sabia o que estava acontecendo? Como elas foram investigadas e por quem?

Para tentar responder essas e outras perguntas foi preciso estar mergulhado nesses assuntos nos momentos em que eles se desenrolaram nos gabinetes do poder federal em Brasília, nos anos entre 2012 e 2015. As anotações e horas de gravações de entrevistas conduzidas no calor do momento foram novamente consultadas, uma a uma. Leis, extensos relatórios técnicos e acórdãos do TCU, pareceres do Ministério Público de Contas, atas de conselhos de estatais e balanços econômicos, além de peças formais de defesa do governo e de autoridades foram revisitados.

Às entrevistas do passado foram somadas novas: autoridades e técnicos do governo Dilma (e alguns que continuaram na gestão Michel Temer), além de especialistas em ciência política e economia foram entrevistados exclusivamente para o livro, alguns deles pela primeira vez. Nem todos aceitaram falar publicamente, ou *em on*, no jargão jornalístico. Algumas feridas não cicatrizaram entre muitos que integravam o governo naquele período. Quando imprescindível para a narrativa, esses depoimentos foram incorporados e o sigilo da fonte, mantido. A maior parte dos protagonistas dessa história, bem como personagens de segundo e terceiro planos, deram depoimentos para a obra.

Novos documentos foram descobertos e estão aqui revelados pela primeira vez. Vistos em perspectiva, esses achados permitem compreender melhor todo o processo. A história que se segue tem começo, meio e fim. A linguagem é eminentemente jornalística, ainda que em momentos pontuais a voz narrativa passe para a primeira pessoa. Essa obra é resultado final de meu esforço de compreensão sobre um pedaço importante e ainda muito recente de nossa história econômica, política e jurídica.

HISTÓRIA AGORA

O livro está dividido em uma introdução e sete capítulos. No primeiro, o leitor será apresentado aos principais personagens por trás da história recente da política econômica. São analisados os condicionantes externos e internos que permitiram que o presidente Luiz Inácio Lula da Silva concluísse seu mandato com um forte crescimento econômico, alta geração de emprego e a eleição de sua candidata, Dilma, que manteve e deu ainda mais força aos principais artífices da política econômica, notadamente Guido Mantega e Arno Augustin. Seria impossível esgotar o tema de formação dos partidos de esquerda durante a "década perdida de 1980", o pragmatismo de Lula em seu primeiro mandato e a inflexão desenvolvimentista depois da explosão do "mensalão" em 2005 e 2006. Meu esforço aqui foi trazer ao primeiro plano os principais pontos para contextualização do governo Dilma Rousseff, que formalmente começou em 1º de janeiro de 2011, mas que efetivamente ganhou personalidade própria a partir do fim daquele ano.

No segundo capítulo é detalhado o balão de ensaio da principal manobra praticada nas contas públicas: a engenharia financeira montada em segredo pelo Tesouro Nacional para permitir que uma das principais bandeiras do primeiro mandato de Dilma se viabilizasse — a redução da conta de luz para consumidores domésticos e empresas.

No terceiro capítulo, o leitor será apresentado ao enigma de R$ 4 bilhões. Foi o primeiro buraco a se abrir no casco da política econômica em pleno ano eleitoral. Ali, entra em cena o Banco Central, o último ator que depois protagonizaria a história principal.

No quarto capítulo está a história que provavelmente instigou o leitor a abrir este livro. Todas as autoridades federais da política econômica entram, de uma vez só, numa crise de grandes proporções: Tesouro Nacional, Ministério da Fazenda, Banco Central, Caixa Econômica Federal, Banco do Brasil, BNDES e Advocacia-Geral da União (AGU). Aqui trazemos não só a reconstituição dos fatos, mas também ingredientes novos, como tensas reuniões entre integrantes da cúpula do governo.

O quinto capítulo narra a investigação. As seguidas reportagens na imprensa sobre problemas nas contas públicas e as pedaladas fiscais fizeram ligar o sinal de alerta do Ministério Público de Contas e geraram uma inspeção geral na equipe econômica por parte dos auditores do Tribunal de Contas da União. Terminada a investigação é que o tema começa a ser, pouco a pouco, capturado pela política. Nesse momento, o Brasil já está todo tomado por flamas políticas e a crise econômica.

O sexto capítulo traz o processo de *impeachment*, mas a discussão aqui foi da ótica do processo em si e os limites da Lei dos Crimes de Responsabilidade, a chamada Lei do *Impeachment*. Com a baixa popularidade da presidente, os líderes do PMDB, partido que fazia parte da base de apoio à Dilma desde a primeira eleição, se uniram a parlamentares da oposição e de movimentos contrários ao governo e aproveitaram as pedaladas fiscais para impulsionar o processo de *impeachment*, que terminou em 31 de agosto de 2016.

No sétimo capítulo, a política econômica do futuro. O enredo se amarra quando toda a crise é olhada em perspectiva e um debate sobre os limites da ideologia na formulação da política econômica é apresentado. O foco final é quanto aos anos vindouros, a partir de 2017. Depois, um pequeno apêndice para o leitor que desejar leitura complementar e por fim o posfácio de Celso Rocha de Barros.

Espero que este livro sirva para melhorar nossa compreensão sobre problemas que há muito julgávamos superados. O Brasil voltou a conviver com uma elevada e cara dívida pública, que pode se aproximar ou mesmo superar a impressionante marca de 100% do Produto Interno Bruto (PIB) nos próximos anos, patamar semelhante ao de Espanha, Ucrânia e Itália, países que sofreram crises graves recentemente e que estão há mais de uma década paralisados. O crescimento econômico deu lugar à recessão, e um mercado de trabalho

HISTÓRIA AGORA

mais duro se impõe, com demissões, queda de salários e aumento da jornada daqueles que continuam empregados. O Estado — federal, estadual e municipal — está em crise aguda e à esquerda e à direita surgem propostas de toda sorte com soluções radicalmente distintas. Anos atrás esse cenário parecia quase impossível no país que crescia forte, tinha inflação controlada e sediaria a Copa das Confederações, a Copa do Mundo e os Jogos Olímpicos.

No caso das pedaladas e seus danos legais e econômicos, no entanto, não havia surpresa. Aqueles que deram vida às manobras já sabiam, de antemão, que aquilo era ilegal. E esta é a primeira revelação do livro que agora se encontra nas mãos do leitor.

Desde que foram revelados os atrasos propositais no repasse de dinheiro do Tesouro à Caixa, forçando a instituição pública a usar recursos próprios para continuar pagando em dia programas obrigatórios do governo, as autoridades da equipe econômica negavam que aquela prática poderia infringir a lei. Até em discussões internas, em 2013 e 2014, isso era propagado. No entanto, alguns dos principais autores do enredo já sabiam, desde 2009, exatamente o perigo envolvido, ainda que a manobra nem sequer tivesse sido pensada naquele momento.

Assim começa a nossa história.

Introdução

"Fazer jornalismo é produzir memória."
Geneton Moraes Neto, jornalista brasileiro (1956-2016).

Eram trinta e cinco homens e mulheres reunidos na mesa comprida que ocupava quase todo o espaço disponível da sala 433, no quarto andar da sede do Ministério do Trabalho e Emprego, no lado sul da Esplanada dos Ministérios em Brasília. Entre eles estavam autoridades do governo federal, empresários da indústria, comércio e serviços e líderes sindicais das maiores centrais do país. As cadeiras de madeira antiga faziam barulho e algumas, como a da cabeceira, ocupada pelo presidente daquele colegiado, decoravam a sala desde a fundação da capital. Café e água gelada eram servidos por três garçons que se revezavam no abastecimento de cada um dos integrantes da mesa. O encontro, marcado para as 14 horas, iria começar com o habitual atraso de 30 minutos. Os aparelhos de ar-condicionado estavam ligados desde o início da manhã para reduzir o calor naquele começo de estiagem em Brasília. Era terça-feira, 19 de maio de 2009, e estava para começar mais uma reunião do conselho curador do Fundo de Garantia por Tempo de Serviço (FGTS).

Em pauta estavam, principalmente, os últimos detalhes técnicos do projeto de conversão em lei da medida provisória do presidente

Luiz Inácio Lula da Silva que criava o programa habitacional Minha Casa, Minha Vida. Essa política era a ponta de lança da estratégia do governo de combate aos efeitos da crise econômica mundial, que estourara nos Estados Unidos no fim do ano anterior e já se espalhava globalmente. O programa era também a grande aposta da ministra-chefe da Casa Civil, Dilma Rousseff, que tinha trabalhado na concepção da medida provisória com os técnicos do Ministério da Fazenda e do Tesouro Nacional, comandados por Guido Mantega e Arno Augustin, respectivamente. Apelidada de "mãe do PAC" e de "gerente" do governo Lula, a ministra da Casa Civil já era encarada naquele momento como a provável candidata do governo à eleição presidencial do ano seguinte.

A missão dos trinta e cinco integrantes do conselho curador do FGTS naquele encontro era aprovar a utilização de recursos do fundo para o financiamento de obras do Minha Casa, Minha Vida. Formado com recursos pagos pelas empresas aos trabalhadores com carteira assinada, o FGTS seria operado pela Caixa, que também ficaria responsável pelo acompanhamento dos projetos tocados pelas empresas de construção. O presidente do conselho era Carlos Lupi, ministro do Trabalho e presidente nacional do Partido Democrático Trabalhista (PDT), que teve entre seus fundadores trinta anos antes a economista Dilma Rousseff. Em 2000, ela trocou o PDT, o partido de seu ídolo Leonel Brizola, pelo Partido dos Trabalhadores (PT) comandado por Lula.

Depois de quarenta minutos de exposição sobre o programa Minha Casa, Minha Vida e o detalhamento do uso do FGTS, a palavra foi passada para o integrante que todos os demais trinta e quatro conselheiros queriam ouvir: o representante do Ministério da Fazenda, Marcus Pereira Aucélio. Ele ocupava o estratégico cargo de subsecretário de política fiscal do Tesouro Nacional, respondendo diretamente ao secretário, Arno Augustin, de quem era próximo. Aquele encontro do conselho curador do FGTS seria o penúltimo antes da sanção da lei que criou o Minha Casa, Minha Vida. Os conselheiros queriam saber se não havia risco legal para aquela operação antes de conceder o sinal verde.

"Nós procuramos a PGFN para dirimir qualquer dúvida sobre a legalidade da operação", disse Aucélio em referência à Procuradoria Geral da Fazenda Nacional (PGFN), responsável pela análise jurídica de questões tributárias e fiscais dentro do Ministério da Fazenda. "Procuramos a PGFN para saber se caso ocorresse um adiantamento de recursos do FGTS em nome do governo federal isso estaria ferindo a Lei de Responsabilidade Fiscal", continuou. Em seguida, ele mesmo deu a resposta: "A posição da PGFN foi que não. O FGTS é um fundo privado e as contas são apartadas da Caixa. A Lei de Responsabilidade veda que a Caixa, como instituição financeira, conceda esse adiantamento pela União".

Aucélio deixou claro ali que infração à LRF ocorreria somente se a Caixa, que é uma instituição pública controlada pelo governo, concedesse um adiantamento de recursos em nome do próprio governo. O FGTS, por ser um fundo de caráter privado, não teria esse problema.

"Sendo assim, a Caixa como agente operador do FGTS poderia perfeitamente emprestar, adiantar esses recursos e depois ser ressarcida sem ferir a Lei de Responsabilidade Fiscal", concluiu.

O parecer da PGFN citado por Aucélio na reunião era direto: "Ora, se as receitas do FGTS são privadas e não públicas e se esse Fundo não se confunde com a Caixa Econômica Federal, não há que se falar das vedações estabelecidas nos artigos 35 e 36 da Lei Complementar 101 (LRF)". Em seguida, os procuradores cravam que "não será a Caixa Econômica Federal que emprestará recursos à União, hipótese essa proibida pelo dispositivo transcrito (o artigo 36 da LRF)".[1]

---

[1] Parecer PGFN/CAF/nº 996/2009, de 19 de maio de 2009, assinado por Cláudio Teixeira da Silva, coordenador-geral substituto de Assuntos Financeiros, e aprovado no mesmo dia por Adriana Queiroz de Carvalho, procuradora-geral adjunta de consultoria fiscal e financeira. O parecer foi obtido pelo autor do livro por meio da Lei de Acesso à Informação em 31/05/2016. Depois, o parecer foi disponibilizado no *site* da PGFN.

HISTÓRIA AGORA

MINISTÉRIO DA FAZENDA
PROCURADORIA-GERAL DA FAZENDA NACIONAL

PARECER

PGFN/CAF/Nº 956 /2009

MINISTÉRIO DA FAZENDA
PROCURADORIA-GERAL DA FAZENDA NACIONAL

Nota nº 621/2009/GEFUP/COFIS/STN, de 15 de maio de 2009   5

4. Preliminarmente, importante deixar claro que as receitas do FGTS, os seus recursos, não se confundem com as receitas ou o patrimônio da Caixa Econômica Federal, empresa pública esta que, segundo o art. 4º da Lei nº 8.036, de 11 de maio de 1990, exerce o papel tão-somente de agente operador daquele fundo[1]. Tal entendimento ficou expresso no acórdão proferido pelo Pleno do Supremo Tribunal Federal nos autos da ADI-MC 2.556-2/DF, cujo Relator foi o Ministro Moreira Alves[2].

5. Ora, se as receitas do FGTS são privadas e não públicas e se esse Fundo não se confunde com a Caixa Econômica Federal, não há que se falar das vedações estabelecidas nos arts. 35 e 36 da Lei Complementar nº 101, de 4 de maio de 2000.

6. Com efeito, proíbe o art. 35 da Lei de Responsabilidade Fiscal a realização de operação de crédito entre entes da Federação. Na hipótese da consulta, o adiantamento de recursos seria patrocinado pelo FGTS, fundo privado, e após haveria o ressarcimento, pela União, do montante antecipado. Vê-se, pois, que juridicamente não existe forma de aplicar esse art. 35 ao caso examinado.

7. Já o art. 36 da Lei Complementar nº 101, de 4 de maio de 2000, veda a realização de *"operação de crédito entre uma instituição financeira estatal e o ente da Federação que a controle, na qualidade de beneficiário do empréstimo"*. Como antes dito, não será a Caixa Econômica Federal que emprestará recursos à União, hipótese essa proibida pelo dispositivo transcrito, mas será o FGTS que assumirá, em um primeiro momento, o pagamento da subvenção a ser concedida no âmbito do PNHU e do PNHR, para posterior ressarcimento pela União. Portanto, não se verifica, juridicamente, a possibilidade de o art. 36 ser aplicado à hipótese apreciada.

---

1. *"Art. 4º A gestão da aplicação do FGTS será efetuada pelo Ministério da Ação Social, cabendo à Caixa Econômica Federal (CEF) o papel de agente operador."*

2. *"(...) não integrando o produto da arrecadação delas* [das contribuições ao FGTS] *a receita pública, por ser ele recolhido pela Caixa Econômica Federal diretamente ao Fundo de Garantia por Tempo de Serviço (FGTS), para depois, com os recursos desse Fundo, que são vários, creditar nas contas vinculadas dos*

> À consideração superior.
> **COORDENAÇÃO GERAL DE ASSUNTOS FINANCEIROS**, em 19 de maio de 2009.
>
> **CLÁUDIO TEIXEIRA DA SILVA**
> Coordenador-Geral Substituto
>
> Aprovo. À Secretaria do Tesouro Nacional.
> **PROCURADORIA GERAL DA FAZENDA NACIONAL**, em 19 de maio de 2009.
>
> **ADRIANA QUEIROZ DE CARVALHO**
> Procuradora-Geral Adjunta de Consultoria Fiscal e Financeira

Essa era também a avaliação do próprio Tesouro Nacional. Dias antes, em 15 de maio, ao formular um pedido formal de esclarecimento à PGFN, o Tesouro afirmara claramente que "em nossa opinião, conflito haveria se a Caixa, na qualidade de agente financeiro, utilizasse de suas disponibilidades para antecipar recursos, em nome da União".[2]

MINISTÉRIO DA FAZENDA
PROCURADORIA-GERAL DA FAZENDA NACIONAL

Nota nº 621/2009/GEFUP/COFIS/STN, de 15 de maio de 2009   3

> 12. Entretanto, não há, a nosso ver, conflitos entre o adiantamento de recursos do FGTS para operacionalização do PMCMV e a LRF, pois tal Fundo tem personalidade jurídica e patrimônio próprios, e se constitui em uma entidade privada, sendo a CAIXA apenas um agente intermediário na operação. Em nossa opinião, conflito haveria se a Caixa, na qualidade de agente financeiro, utilizasse de suas disponibilidades para antecipar recursos, em nome da União.

---

[2] Nota nº 621/2009/GEFUP/COFIS/STN, de 15 de maio de 2009, obtida pelo autor.

HISTÓRIA AGORA

Na reunião do conselho do FGTS no dia 19, depois de Aucélio pediu a palavra o cearense Joaquim Lima de Oliveira, então vice-presidente de fundos do governo na Caixa Econômica Federal, instituição onde começou a trabalhar em 1979, aos vinte e dois anos de idade.

Ele reforçou o entendimento da PGFN relatado por Aucélio e disse ser aquela também a compreensão dele. "De acordo com a Lei de Responsabilidade Fiscal, os artigos 35 e 36 dizem que o ente controlado não pode emprestar dinheiro para a controladora, no caso a Caixa Econômica e o Tesouro Nacional", disse. Ele concluiu que os pareceres jurídicos feitos pelo Tesouro e pela PGFN estavam "perfeitos".[3]

Com as alterações feitas no texto da lei que estava para ser sancionada pelo governo, ficava claro que a Caixa funcionaria apenas como agente operador do FGTS; e o fundo, por pertencer a todos os trabalhadores com carteira assinada do Brasil, tem caráter privado e não público.

Estava claro para a PGFN, para o Tesouro e para a Caixa: crime de responsabilidade fiscal haveria somente se a Caixa adiantasse ou emprestasse recursos ao Tesouro Nacional, seu controlador.

A reunião terminou às 16 horas e 27 minutos, os conselheiros foram dispensados e Aucélio pegou o carro oficial do Ministério da Fazenda para retornar ao Tesouro, a cinco minutos de distância do Ministério do Trabalho. Encontrou seu chefe, Augustin, e num breve relato da reunião disse que tudo estava caminhando como desejado. O programa Minha Casa, Minha Vida efetivamente sairia do papel e nenhum questionamento jurídico poderia ser feito contra ele.

A recuperação da crise mundial foi rápida e forte. Em 2010, o Produto Interno Bruto (PIB) do Brasil cresceu 7,6%, a maior taxa em vinte e quatro anos, impulsionado pelo consumo das famílias, os investimentos da Petrobras em novas tecnologias para extração de petróleo da camada do pré-sal e pelos ramos dos serviços e da construção civil. A meta de contratação de casas estipulada por Dilma Rousseff

---

[3] Ata da 110ª reunião ordinária do Conselho Curador do FGTS, 19/05/2009, linha 574.

para o Minha Casa, Minha Vida seria atingida, e o programa seria de fato uma política pública de sucesso. Dilma seria eleita presidente da República, assumindo em 1º de janeiro de 2011. A equipe econômica do segundo mandato de Lula seria mantida, com Mantega, na Fazenda; e Augustin, no Tesouro Nacional, além de Luciano Coutinho no Banco Nacional de Desenvolvimento Econômico e Social (BNDES).

Com a incessante mudança de assuntos no país, os temas técnicos que fizeram parte da 110ª reunião do conselho curador do FGTS, realizada em maio de 2009, nem sequer seriam lembrados. Até o segundo semestre de 2013, quando, em segredo, o Tesouro Nacional colocou em operação uma delicada manobra fiscal que retomaria rigorosamente todos os pontos tratados naquela distante e esquecida reunião do conselho curador do FGTS, que nem cobertura de imprensa teve, em 2009.

As manobras eram as "pedaladas fiscais".

Reeleita presidente da República em outubro de 2014, Dilma passaria todo o primeiro ano de seu segundo mandato defendendo a legalidade das operações conduzidas pelo Tesouro. Escalado para defender o governo nos julgamentos do TCU estava o advogado Luís Inácio Adams, então o advogado-geral da União. Seis anos antes, Adams comandava a PGFN — justamente no período em que a procuradoria afirmou ao Tesouro Nacional de Arno Augustin e Marcus Aucélio que se a Caixa concedesse adiantamentos ao Tesouro estaria consumada uma infração da Lei de Responsabilidade Fiscal. O próprio Tesouro de Augustin sabia disso, como o documento de 2009 deixa claro. Nada disso, no entanto, veio a público durante toda a "crise das pedaladas".

Como num transe, o país saíra de uma situação de crescimento econômico, elevada formalização da mão de obra e controle das contas fiscais para a maior recessão em oitenta anos, a explosão da dívida pública e o afastamento da primeira mulher a chegar na presidência da República.

No meio do caminho uma enorme crise secreta que envolveu os principais atores da política econômica brasileira por três anos consecutivos.

CAPÍTULO 1.
O ESTOPIM

> "O passado nunca está morto.
> Não é sequer passado."
> William Faulkner, escritor americano e prêmio Nobel de Literatura.

Quando a presidente Dilma Rousseff subiu a rampa do Palácio do Planalto, em 1º de janeiro de 2011, o prestígio de seu secretário do Tesouro Nacional estava nas alturas. Companheiros de partido, de vivência no secretariado no governo do Rio Grande do Sul, e, principalmente, de ideias, Dilma e Arno Augustin tinham diante de si um cenário que exatamente trinta anos antes era possível apenas em sonhos.

Augustin estava a poucos meses de se tornar o mais longevo comandante do Tesouro Nacional da história. Dilma tinha sido eleita com boa margem de votos e entrava para a história como a primeira mulher a comandar o mais alto cargo público do país. Além de tudo, a economia brasileira tinha registrado no ano anterior a mais alta taxa de crescimento em vinte e quatro anos, ao atingir elevação de 7,6%. Por causa da rápida e forte recuperação depois do inevitável contágio da crise econômica mundial, que estourou nos Estados Unidos em 2008, o Brasil era reverenciado pela tradicional e conservadora revista britânica *The Economist* no fim de 2009, na mesma época em que ganhou o direito de sediar os eventos esportivos mais

HISTÓRIA AGORA

importantes do mundo. O governo Dilma, portanto, seria palco da Copa das Confederações, em 2013; e da Copa do Mundo, em 2014; e, de quebra, poderia também almejar em ser a presidente durante a realização dos Jogos Olímpicos do Rio de Janeiro, em 2016, caso ela fosse reeleita para um segundo mandato.

Para completar o quadro triunfal da transição entre Luiz Inácio Lula da Silva e Dilma, o secretário do Tesouro tinha sido até "disputado" em público. O governador eleito pelo Rio Grande do Sul, Tarso Genro (PT), chegou a declarar que Augustin seria seu secretário de Fazenda a partir de 2011. "Ele (Augustin) está fora de qualquer dúvida, porque o currículo técnico dele e o de prestação de serviço público são de primeira linha. O Arno efetivamente já está resolvido", disse Genro na ocasião.[4] Dias depois, Dilma bateu o pé e Augustin permaneceu no comando do Tesouro em Brasília.

Até o início do governo Dilma, a presença de Augustin era conhecida apenas na imprensa especializada e no mercado financeiro. Os economistas de bancos privados e corretoras, além de investidores internacionais e administradores de grandes fundos de *hedge*, já se ressentiam da perda de canal direto com o comando do Tesouro, que tinha sido mantido com os diferentes secretários ao longo das décadas de 1980, 1990 e 2000, incluindo o primeiro mandato de Lula.

Reservado, de poucas palavras com os funcionários da própria instituição Tesouro e pouco amigável com o mercado financeiro, Augustin rapidamente mudou essa dinâmica, quando assumiu o controle do órgão em 2007. Com a ascensão total de Dilma, o secretário tinha chegado ao topo, e sua ligação com a presidente da República fazia crer que o período que se iniciava em 2011 seria seu auge.

Com o nome do pai, Arno Hugo Augustin Filho nasceu em 17 de abril de 1960 em Carazinho, a 284 quilômetros de Porto Alegre, a

---

[4] "Tarso confirma Arno Augustin no comando da Fazenda", em *Zero Hora*, 08/11/2010, por Vivian Eichler. *http://zh.clicrbs.com.br/rs/noticias/noticia/2010/11/tarso-confirma-arno-augustin--no-comando-da-fazenda-3101839.html.*

PERIGOSAS PEDALADAS

capital do Rio Grande do Sul. Representante da classe média alta da cidade por causa dos negócios do pai, que cresceu no agronegócio local, Augustin se interessou pelo comunismo na adolescência.

Quando decidiu estudar economia, ele militava junto a pequenos grupos trotskistas, como são chamados os comunistas que defendem o pensamento de Leon Trotsky, um dos pais da Revolução Russa, de 1917, que terminaria perseguido e assassinado vinte e três anos depois no México por pistoleiros contratados pelo então líder da União Soviética, Josef Stalin. Diferente de Stalin, Trotsky defendia, em linhas gerais, a "revolução permanente" como a linha de ação mais próxima daquela inicialmente concebida por Karl Marx e Friedrich Engels em 1847 e 1848 com o Manifesto Comunista. Trotsky apostava na internacionalização do comunismo, e a revolução permanente era uma forma de fazer a experiência russa soviética se disseminar pelo mundo e também de manter a militância inflamada e, assim, com as condições de liderar essa luta em diversas frentes e fronteiras. Com a morte de Lênin, o pensamento comunista passou a ser uma divisão entre as linhas stalinista e trotskista — até hoje, em diversos países (inclusive no Brasil), os partidos e movimentos comunistas contam com esse racha ideológico.

Quando Augustin concluiu o curso de ciências econômicas da Universidade Federal do Rio Grande do Sul (UFRGS), em 1983, o quadro político nacional era radicalmente diferente de quando ingressara na faculdade.[5] Os anos de forte crescimento econômico

---

[5] Também na cultura o país tinha mudado muito. Entre 1979 e 1983 faleceram Vinicius de Moraes, Glauber Rocha, Elis Regina, Hélio Oiticica, Cartola e Clara Nunes. Uma mudança geracional estava a pleno vapor: entre os jovens brasileiros, a Bossa Nova e o samba que dominaram as duas décadas anteriores eram substituídos pelo *rock* de Barão Vermelho, Ultraje a Rigor, RPM, Paralamas do Sucesso, Ira!, Titãs, Plebe Rude e Legião Urbana, ao mesmo tempo em que o cinema brasileiro era superado pelos longas-metragens estrangeiros e também a televisão, antes presente apenas nas residências de famílias mais ricas, era agora popularizada e seu consumo disseminado. Até no futebol o debate era outro: depois do fracasso da seleção brasileira de Telê Santana na Copa de 1982, o país discutia se não era o momento de incorporar um estilo pragmático, focado em resultados, tal qual faziam os europeus.

HISTÓRIA AGORA

conduzidos pelo regime militar tinham ficado para trás com o início de uma grave crise que teria seu auge em 1982, quando o México faliu, levando consigo praticamente todas as nações latino-americanas — sendo Brasil e Argentina os mais afetados.

A fórmula de crescimento econômico brasileiro na década de 1970 tinha cobrado seu preço: após o primeiro choque do petróleo, no fim de 1973, os países integrantes da Organização de Países Exportadores de Petróleo (Opep) passaram a acumular dólares e, com isso, reinvestiam o dinheiro na economia americana. Entre 1973 e 1979, a economia do "petro-dólar" funcionou. O dinheiro era farto, e países pobres como o Brasil, conseguiram diversas linhas de crédito em moedas estrangeiras em grandes bancos internacionais, como o Citibank. Assim, empresas brasileiras, estatais e privadas, contraíram diversos empréstimos denominados em dólar para financiar seus investimentos.

Esse endividamento externo foi impulsionado tanto pelo movimento geopolítico do governo dos Estados Unidos em parceria com as instituições financeiras para contrabalançar a propaganda soviética na América do Sul durante a Guerra Fria,[6] como pelo desejo do governo militar brasileiro de tocar o que o próprio regime apelidou de "milagre econômico", que durou de 1967 a 1973.

A partir de 1974, o aumento do endividamento externo do governo e das empresas brasileiras serviu para prolongar o "estado de milagre econômico". O fim da ilusão foi duro e começou em 1979, quando todos os empréstimos tomados pelas várias empresas estatais e privadas passaram a ser corrigidos por taxas de juros muito elevadas. Em 1979, de uma só vez, a Opep promoveu o segundo "choque do petróleo" e os Estados Unidos iniciaram uma política de ajuste monetário, com saltos nas taxas de juros, que impactaram todos os empréstimos concedidos nos anos anteriores. Ao mesmo tempo, a

---

[6] SMITH, Peter. *The Talons of the Eagle*. Oxford University Press, 1996. p. 112.

PERIGOSAS PEDALADAS

balança comercial brasileira decaía, uma vez que os mercados externos estavam em recessão, diminuindo, assim, a entrada de dólares no Brasil. Desta forma, honrar os pagamentos dos empréstimos aos bancos credores — que eram em dólares e agora estavam com juros muito mais elevados — virou um processo penoso.

Da noite para o dia, o Brasil dos anos 1980 passou a falar de dívida externa, que sangrava a economia e estimulava o debate em todos os cursos de economia do país. Nas palavras do historiador e cientista político americano Russell C. Crandall, doutor pela Universidade John Hopkins:

> Os anos 1980 não foram gentis para a América Latina. A década passou a ser conhecida como a 'década perdida'. Em muitos casos, a inadimplência da dívida externa levou a profundas contrações econômicas, acompanhadas por desemprego e desalento, atingindo a verdadeira base desses países. Praticamente todos os países latino-americanos experimentaram recessões; a taxa de pobreza estourou; e, em alguns casos, a hiperinflação roubou a poupança que as pessoas conseguiram acumular nos anos anteriores.[7]

A crise brasileira, que começou no fim de 1981, somente seria resolvida na metade da década seguinte. Foram quinze anos recheados de debates sobre economia na televisão, de planos econômicos que soavam milagrosos, de temor a cada visita do Fundo Monetário Internacional (FMI) ou de um representante do banco americano Citibank no país. A relação de dependência brasileira foi tão grande, que o então vice-presidente do Citibank, Bill Rhodes, tinha uma sala própria para despachar, no décimo andar do Banco Central, em Brasília. Rhodes comandava, em nome de seu banco e das demais

---

[7] CRANDALL, Russell C. *The United States and Latin America after the Cold War*. Cambridge University Press, 2008. p. 92.

instituições financeiras privadas estrangeiras, uma forma de solucionar o pesado endividamento brasileiro, que era combinado com a escassez de dólares. Acordos desesperados e sucessivos foram fechados com o FMI e também com o chamado Clube de Paris.[8] Ao mesmo tempo, a taxa de inflação fugiu completamente do controle do governo.[9] Para combater a alta desenfreada e disseminada dos preços, diversos planos econômicos foram baixados como resposta, começando com o primeiro calote da dívida externa e a maxidesvalorização do cruzeiro aplicados por Antônio Delfim Netto em 1981-83 e, depois, tendo a série: Planos Cruzado e Cruzado II (1986), Plano Bresser (1987), Plano Verão (1989), Planos Collor (1990) e Collor II (1991). A maior parte deles envolvia a troca da moeda nacional (cruzeiro, cruzado, cruzado novo e cruzeiro real foram as moedas no período). Entre o segundo semestre de 1981 e o final de 1993, o Brasil viveu um período de recessões, hiperinflação, calotes na dívida externa, trocas de moeda e pacotes de socorro vindos do FMI que fizeram este longo período passar a história como a "década perdida". No meio disso tudo, uma nova Constituição foi discutida e promulgada (em 1988), e o país voltou a eleger diretamente governadores (a partir de 1982) e presidentes da República (a partir de 1989).

Foi um período fértil para o ressurgimento dos partidos políticos no Brasil. O último presidente militar, João Figueiredo, sancionou a Lei da Anistia, que permitiu o retorno de lideranças políticas exiladas, e em seguida promoveu uma reforma política que permitiu o ressurgimento dos partidos políticos, que tinham sido extintos pela própria ditadura. Até o início de 1980 havia apenas a Arena,

---

[8] O Clube de Paris é a instância tradicional de renegociação da dívida externa com as agências governamentais. Sem possuir regras formais ou membros fixos, o clube reúne representantes de governos que aceitam suas normas e procedimentos estabelecidos ao longo do tempo. O Clube de Paris é, tradicionalmente, presidido por um membro do Tesouro da França, que convoca os integrantes para discutir empréstimos e condições financeiras quando solicitado por um país devedor.

[9] Segundo o economista Edmar Bacha, a taxa de inflação aumentou 13 trilhões e 342 bilhões por cento entre dezembro de 1979 e julho de 1994, um dos maiores avanços da história das nações.

que sustentava o regime de exceção, e o Movimento Democrático Brasileiro (MDB), que fazia oposição institucional ao governo. O Partido Comunista, chamado "Partidão", existiu durante toda a ditadura militar, mas de forma clandestina. Foi do Partidão e de células independentes que saiu praticamente toda a geração que formou os partidos de esquerda no Brasil, a partir de 1980. O movimento sindical de esquerda, tendo Lula à frente, se uniu para formar o Partido dos Trabalhadores (PT) em São Paulo. Ao mesmo tempo, no Rio Grande do Sul e no Rio de Janeiro, os militantes da esquerda preferiram migrar para a alternativa de Leonel Brizola, a última liderança de esquerda que restava do período pré-golpe de 1964. Depois de perder a sigla histórica do PTB para a família de Getúlio Vargas, Brizola, ao lado de Darcy Ribeiro, fundou o Partido Democrático Trabalhista (PDT), em 1981.

Mineira de nascimento, a economista Dilma Rousseff morava e trabalhava no Rio Grande do Sul quando ajudou a fundar no estado o PDT, onde militaria por duas décadas. Depois de deixar a prisão, onde foi torturada por integrantes da ditadura militar por ter participado da luta armada contra o governo, Dilma tentou iniciar os estudos de economia, mas foi expulsa da faculdade em Minas Gerais por ser considerada "subversiva". Foi para Porto Alegre com seu segundo marido, Carlos Araújo, e juntos trabalharam pela eleição de Glenio Peres a vereador pelo MDB, em 1976. No ano seguinte, Dilma se formou em economia e foi trabalhar na Fundação de Economia e Estatística do governo gaúcho. O emprego também durou pouco: sua ligação com a esquerda comunista fez com que o governo a demitisse. Foi nesse contexto de dificuldades econômicas e constante perseguição política que, pouco depois, Dilma e o marido trabalharam na fundação do PDT no estado.

Diante de toda essa movimentação dos militantes de esquerda pelos diversos partidos que começavam a surgir, os trotskistas racharam. Uma parte foi para o PDT, de Brizola, enquanto outros permaneceram no Partido Comunista, enfim saído da ilegalidade. Mas um grupo sólido permaneceu sem partido. Tinham como núcleo o jornal *Em Tempo*, com sucursais em São Paulo, Belo Horizonte e Porto Alegre. O jornal tinha como objetivo "colocar na ordem do dia a luta e propaganda do socialismo".[10] Este grupo formou, em dezembro de 1979, a Democracia Socialista (DS). Imediatamente, grande parte de seus integrantes auxiliaram a fundação do PT e participaram das primeiras lutas políticas do partido de Lula, além da fundação do braço sindical, a Central Única dos Trabalhadores (CUT), em agosto de 1983.

Somente em 1986, quase sete anos depois de sua fundação, é que a DS passou a fazer parte institucional do PT, onde funciona desde então, como uma corrente interna do partido.

Como economista e militante trotskista, Augustin participou de debates partidários, já como integrante da DS, sobre qual seria a política econômica "ideal" para que o Brasil deixasse a grave crise dos anos 1980. Sua participação, no entanto, sempre foi discreta e restrita aos limites políticos do Rio Grande do Sul. Aos poucos, no entanto, sua formação acadêmica, sua incansável energia para debates políticos e econômicos dentro do PT e seu crescente controle da DS no estado fizeram com que ascendesse dentro do partido. Augustin era auditor público externo do Tribunal de Contas do Rio Grande do Sul quando recebeu o convite de Olívio Dutra, eleito prefeito de Porto Alegre pelo PT nas eleições de 1992, para assumir a secretaria de Fazenda, onde ficou até o fim do mandato, em janeiro de 1997. Quando Olívio Dutra venceu as eleições para governador do Rio Grande do Sul, em outubro de 1998, Augustin subiu mais um degrau na escala do poder público, assumindo então a secretaria de Fazenda do Estado entre janeiro de 1999 e dezembro de 2002. Teve

---

[10] *30 anos de* Em Tempo Raul Pont, 06/06/2007.
http://www.democraciasocialista.org.br/democraciasocialista/artigos/item?item_id=115832.

como adjunto no governo o economista Odir Tonellier, companheiro também da Democracia Socialista no estado.[11]

Tal qual Augustin com o PT, Dilma foi ganhando expressão em cargos públicos gaúchos pelo PDT. Tudo começou com sua participação ativa na campanha municipal de 1985, quando ajudou a eleger o pedetista Alceu Collares como prefeito de Porto Alegre. Vitorioso, Collares escolheu Dilma para comandar a secretaria de Fazenda do município, cargo que ocupou de 1986 a 1988. Sua gestão seria, décadas mais tarde, questionada. Durante as eleições presidenciais de 2010, Dilma foi chamada de "incapaz" na gestão econômica por Políbio Braga, que a sucedera na secretaria de Fazenda porto-alegrense. Ao participar da campanha televisiva do tucano José Serra, Braga disse ter herdado uma situação dramática nas finanças municipais, sem recursos nem sequer para pagar o funcionalismo. "Era a completa desordem", disse ele na ocasião.[12]

Collares deixou a prefeitura no fim de 1988 e imediatamente começou a trabalhar para um cargo mais alto. Naquele ano, o marido de Dilma, Carlos Araújo, foi lançado candidato à prefeitura pelo PDT, mas terminou em segundo lugar, perdendo para o petista Olívio Dutra. Anos depois, quando Collares foi eleito governador do Estado, Dilma chegou à presidência da Fundação de Economia e Estatística, de 1991 a 1993. Depois passou a chefiar a secretaria de Energia, Minas e Comunicações até o fim de 1994. No ano seguinte, quando o PDT deixou o poder local, Dilma voltou a estudar e se matriculou para doutorado em economia na Unicamp, berço da linha desenvolvimentista de pensamento, onde Luciano Coutinho liderava. Em 1998, o líder máximo do PDT, Leonel Brizola, saiu como

---

[11] Anos depois, quando declinou o convite de Tarso Genro para retornar à Secretaria de Fazenda do Rio Grande do Sul, Augustin indicou Tonellier para Tarso, que aceitou. Assim, de 1992 até 2014, sempre que o PT teve poder em Porto Alegre ou no estado, o comando econômico foi sempre exercido pela DS.

[12] CHADE, Jamil e INDJOV, Momchil. *Rousseff: A história de uma família búlgara marcada por um abandono, o comunismo e a presidência do Brasil.* São Paulo: Virgiliae, 2011. p. 153.

candidato a vice-presidente na chapa presidencial liderada por Lula, do PT. Ambos foram derrotados pelo tucano Fernando Henrique Cardoso, que se reelegeu. Aquele movimento, no entanto, iniciou o fim do antagonismo entre o PT e o PDT na esquerda. A aliança nacional entre Brizola e Lula também se repetiu no Rio Grande do Sul: o petista Olívio Dutra contou com o apoio do PDT para se eleger governador. Antes de tomar posse, Olívio convidou Dilma para retomar os trabalhos na secretaria estadual de Energia, Minas e Comunicações, e ela aceitou. Foi quando Dilma e Augustin começaram a trabalhar juntos pela primeira vez, já que ele fora escolhido para ser o secretário de Fazenda. No segundo ano de administração, em 2000, Dilma deixou o partido que ajudara a fundar, trocando o PDT pelo PT, onde foi recebida pela DS em virtude de seu pensamento econômico próximo da linha trotskista.

Durante os anos 1990, Dilma e Augustin acompanharam dos gabinetes econômicos do Poder Público gaúcho o fim da luta nacional contra a hiperinflação (o Plano Real, de 1994) e a chegada aos principais postos federais (Ministério da Fazenda, Tesouro Nacional e Banco Central) de economistas com uma visão de mundo completamente distinta da deles, durante o governo de FHC.

Apesar das sucessivas derrotas presidenciais de Lula, em 1989, 1994 e 1998, o PT foi ganhando musculatura nacional ao ponto de, a partir da década de 2000, almejar seriamente o ponto máximo do poder político brasileiro: a presidência da República. Ao mesmo tempo em que suavizara o discurso no campo político, Lula passou a contar com a baixa popularidade de FHC no final de seu mandato, fazendo o PT ficar ainda mais competitivo. Depois que o racionamento de energia, que popularmente passou a ser chamado de "apagão", foi anunciado, em março de 2001, a aceitação dos tucanos diminuiu muito. Associado a isso, as extensas campanhas movidas pelo PT e pela CUT desde 1999 pelo "Fora FHC" já tinham desgastado a imagem de um governo que, além do "apagão", entrava em ano eleitoral com um problema crescente de desemprego e baixo crescimento econômico.

A eleição de Luiz Inácio Lula da Silva em outubro de 2002 fez também parte de um movimento generalizado na América Latina naquele momento. O pêndulo da história tinha se movido para a esquerda.

Assim como entre o fim dos anos 1980 e o início da década de 1990 todos os países latino-americanos abraçaram as chamadas reformas neoliberais lideradas pelos Estados Unidos e organizadas no documento "Consenso de Washington" (1989-1990), uma década depois, eles foram, um a um, para pontos diametralmente opostos.

> Durante o fim da década de 1990 e o início dos anos 2000, o consenso que norteou as agressivas reformas pró-livre mercado das décadas anteriores começou a cair por terra. Muitos cidadãos latino-americanos, depois de olharem ao seu redor e perceberem níveis ainda elevados de pobreza e desemprego na região, culparam o chamado Consenso de Washington. Muitos latino-americanos responderam a essa frustração com o livre mercado jogando seu apoio político a candidatos e partidos enérgicos, ligados à esquerda, que prometiam um conjunto de programas mais gentis, políticas que não iriam sacrificar o bem-estar dos cidadãos pelos lucros de Wall Street ou os interesses da Casa Branca e da Secretaria de Tesouro dos Estados Unidos. Muitos líderes, então, chegaram ao poder na América Latina nessa onda populista.[13]

Segundo especialistas na relação entre os Estados Unidos e a América Latina, a mudança de abordagem do governo de George W. Bush, a partir de 2001, aumentou a velocidade das mudanças políticas

---

[13] CRANDALL, Russell C. *The United States and Latin America after the Cold War.* Cambridge University Press, 2008. p. 103.

HISTÓRIA AGORA

na região. Foram dois episódios fundamentais, em 2001 e em 2002, que ajudaram a sedimentar o caminho para a esquerda na região: a forma como os Estados Unidos trataram a crise da Argentina e, depois, o rápido apoio concedido pelo governo americano ao grupo que aplicou um golpe contra Hugo Chávez, na Venezuela.

Depois que o presidente Bill Clinton liderou grandes operações de resgate bilionárias do FMI para o México, em 1994, e para o Brasil, em 1998, toda a elite argentina e os investidores internacionais esperavam o mesmo em 2001, quando foi a vez da Argentina quebrar por motivos praticamente idênticos. Os três países — México, Brasil e Argentina — tinham as cotações de suas moedas mantidas fixas em relação ao dólar. Os três governos estavam prestes a aplicar violentas desvalorizações cambiais depois que seus bancos centrais já tinham queimado praticamente todas as reservas cambiais para manter a cotação fixa em anos eleitorais (1994, no México e 1998, no Brasil). Todos precisavam dos aportes bilionários do FMI para conseguir atravessar a desvalorização cambial sem desatar graves crises. Pacotes com bilhões de dólares do FMI foram direcionados ao México e ao Brasil, em políticas de resgate que contaram com apoio total do então presidente Bill Clinton. Era chegada a hora da Argentina, mas, diferente de seu antecessor, o presidente George W. Bush não atendeu com entusiasmo aos apelos dos *hermanos*. A Argentina quebrou em dezembro de 2001, levando a taxa de desemprego a 25% e a protestos populares generalizados, que culminaram com a morte de mais de uma dúzia de pessoas. Diante do caos generalizado, a Argentina elegeu Nestor Kirchner em 2003 e, com ele, uma nova postura em relação aos Estados Unidos e ao pensamento neoliberal foi inaugurada.

No meio da crise argentina, o último movimento: o apoio formal do governo Bush ao golpe malsucedido aplicado contra Hugo Chávez, eleito presidente da Venezuela em 1998. Esse movimento americano terminou elevando a popularidade de Chávez em seu país e na região

PERIGOSAS PEDALADAS

como um todo. Estava sedimentada a mudança política na região: além de Chávez e Kirchner, foram eleitos Evo Morales (Bolívia) e Rafael Corrêa (Equador), em 2005, e Tabaré Vásquez (Uruguai), em 2006. No México, o populista Lopez Obrador perdeu a eleição presidencial de 2006 por apenas 0,56% dos votos.

No Brasil, Lula foi eleito presidente e sua posse, em janeiro de 2003, significou a entrada no poder federal de toda a geração da esquerda formada na "década perdida" e que passara os anos 1990 em ferrenha oposição às chamadas reformas neoliberais aplicadas por FHC em consonância com os demais presidentes latino-americanos.

A vitória de Lula significou também a chegada ao poder de três economistas que, cada um à sua maneira, terminariam por comandar totalmente a política econômica do país poucos anos depois: Dilma Rousseff, Guido Mantega e Arno Augustin. Dilma e Augustin tinham semelhanças políticas e econômicas: defendiam o mesmo conjunto de ideias e também fizeram parte do governo de Olívio Dutra no Rio Grande do Sul. Já Mantega tinha sido o chefe dos programas econômicos de Lula nas eleições de 1989 e 1994, quando Lula apresentara um discurso mais à esquerda do que aquele que o levou à vitória em 2002. Nascido em 7 de abril de 1949 em Gênova, na Itália, mas trazido pela família ao Brasil ainda criança, Mantega era professor na Fundação Getulio Vargas (FGV) em São Paulo nos anos 1990 e no começo da década seguinte. Ele estava associado à linha de pensamento econômico desenvolvimentista, da qual faziam parte, entre outros nomes, os economistas Luciano Coutinho, Luiz Gonzaga Belluzzo e Aloizio Mercadante, da Unicamp.

Mantega, historicamente, defendeu um conjunto de propostas para a política econômica que afinal tinham muito mais proximidade com aquelas de Dilma e Augustin do que as que Lula efetivamente colocaria em prática nos seus primeiros anos como presidente da República. Os três chegariam a postos relevantes no poder federal

O começo do governo Lula

O dia a dia comandando o caixa estadual, com o relacionamento com empresários e sindicalistas locais, prefeitos gaúchos e, principalmente, com o governo federal, deu a Augustin o currículo que serviu para justificar sua entrada no governo Lula. Por pouco mais de um ano, entre 2003 e 2004, Augustin teve a primeira experiência em setor público fora do Rio Grande do Sul, quando virou secretário executivo-adjunto do Ministério da Fazenda, comandado por Antônio Palocci. Dilma foi escolhida para comandar o Ministério de Minas e Energia e Guido Mantega virou ministro do Planejamento.

O poder econômico, no entanto, estava com Palocci. O médico de Ribeirão Preto tinha carta branca de Lula para conduzir a economia. Colocou em cargos estratégicos da Fazenda economistas radicalmente contrários ao pensamento de Mantega, Augustin e Dilma. O secretário do Tesouro Nacional era Joaquim Levy, formado pela Universidade de Chicago (EUA), berço acadêmico do prêmio Nobel americano Milton Friedman, considerado pai intelectual do pensamento neoliberal, e o secretário de Política Econômica (SPE) era Marcos Lisboa, que servia quase como uma extensão da política adotada durante a gestão de FHC graças à sua linha de pesquisa. No Banco Central, Lula colocou no comando o banqueiro Henrique Meirelles, que meses antes tinha sido eleito deputado federal pelo PSDB. Meirelles agradava Palocci e, também, o economista Armínio Fraga, que tinha sido o presidente do BC durante todo o segundo mandato de FHC.

A palavra de ordem entre os industriais e os banqueiros privados, em São Paulo, e nos gabinetes econômicos do poder federal, em Brasília, passou a ser "sinergia". Era preciso estabelecer uma sinergia entre a política econômica de FHC e aquela defendida pelo PT. Palocci tinha sido o maior entusiasta da "Carta ao Povo Brasileiro", divulgada por Lula durante a campanha presidencial e que representava clara suavização da mensagem econômica apresentada por Lula nas campanhas anteriores. Com Palocci, a sinergia estava dada.

"Pouco antes das eleições, o presidente Fernando Henrique chamou os candidatos ao Palácio do Planalto para conversas em separado (...) Cada candidato levava dois assessores. Lula levou Antonio Palocci. Fernando Henrique era acompanhado do ministro da Fazenda. Como Armínio Fraga, então presidente do Banco Central, tinha tido as conversas iniciais, foi também. Ao fim da conversa do então presidente com o candidato, que em breve ganharia as eleições, Palocci pegou Armínio pelo braço e perguntou de forma suave:

— Onde você estará mais tarde? Quero conversar.

— Estou indo para o Rio.

— Então vou ao Rio também.

Os dois se encontraram no Rio. A conversa durou três horas. Ao fim, Armínio comentou, aliviado, dentro do governo:

— Está tudo bem. Esses caras não vão se atirar pela janela.

Várias conversas com Palocci depois, Armínio estava mais animado ainda com o grau de compromisso que o interlocutor demonstrava ter com a manutenção da estabilidade.

— Palocci, posso dizer que nós estamos conversando e o que você tem me dito?

Palocci concordou. Armínio foi ao FMI para repetir em inglês a frase que tinha incorporado: eles não vão se atirar pela janela. Queria dizer com isso que os vencedores não se comportariam de tal forma a trazer a inflação de volta. E que estavam decididos a respeitar os contratos, o câmbio flutuante, a Lei de Responsabilidade Fiscal."[14]

---

[14] LEITÃO, Miriam. *Saga Brasileira: a longa luta de um povo por sua moeda*. Editora Record, 2011. pp. 393 e 394.

HISTÓRIA AGORA

Logo de partida estava claro que Lula seria um presidente pragmático: convencido de que determinada política ou programa era necessária, o presidente dava o sinal verde. Um exemplo claro ocorreu logo em seu primeiro ano. Decidido a melhorar e a ampliar a transferência direta de renda para as camadas mais pobres da sociedade, Lula abriu seu governo com um programa que historicamente fazia parte das bandeiras do PT, que ganhou o nome de Fome Zero. Quando rapidamente percebeu que o programa sofria uma série de problemas para sua execução, Lula foi pragmático: autorizou sua substituição dentro da estrutura federal por um programa chamado Bolsa Família, lançado em outubro de 2003, e que tinha por trás de sua concepção técnicos ligados ao governo anterior. A partir daí o Bolsa Família receberia apoio total do governo tanto para aprimorar seu sistema de cadastro social quanto de acompanhamento dos beneficiários, passando pela consolidação de um espaço orçamentário para ele.

Foi outro exemplo de pragmatismo, mas desta vez dentro de uma ideologia mais próxima da direita, que produziu defecções no PT logo em seu primeiro ano. Palocci ganhara força rapidamente no mercado financeiro e no setor privado, e isso deu a ele ainda mais liberdade de atuação no Ministério da Fazenda. A ideia de reformar a Previdência Social, tanto dos servidores federais quanto dos trabalhadores no setor privado, fazia parte da cartilha defendida por economistas associados ao PSDB. Palocci bancou. Politicamente, o pragmatismo gerou fissuras. Um grupo de dissidentes fundou o Partido Socialismo e Liberdade (PSOL), liderados pela senadora Heloisa Helena (então integrante da Democracia Socialista dentro do PT em Alagoas), e outros petistas também deixaram o partido para rumar para o PDT. Além dessas defecções, o PPS, que tinha evoluído do Partidão e era comandado pelo deputado Roberto Freire, não só deixou a base de apoio do governo Lula como deixou a esquerda, passando a atuar na direita, junto à oposição liderada pelos tucanos e pelo PFL (que depois mudaria de nome, passando a se chamar Democratas e atender pela sigla DEM).

PERIGOSAS PEDALADAS

A discordância com a política econômica adotada no início da gestão Lula provocou mudanças de atuação não apenas entre os políticos, mas também — e principalmente — entre os economistas do PT. Mantega, que passou a ser o presidente do Banco Nacional de Desenvolvimento Econômico e Social (BNDES) em 2004, virou uma voz dissonante dentro do governo para as políticas de Palocci e Meirelles. Ele passou a aglutinar, dentro da estrutura federal, os petistas descontentes com o que era chamado de "política econômica tucana", adotada por Lula. Com Mantega foi trabalhar o economista carioca Nelson Barbosa.

Por sua vez, Dilma se encastelou no Ministério de Minas e Energia e construiu em torno de si um núcleo duro no setor elétrico, que a acompanharia pela década seguinte, formado principalmente pelos técnicos Márcio Zimmermann e Maurício Tolmasquim.

Já Augustin, depois de passar o primeiro ano do governo Lula como adjunto na secretaria executiva da Fazenda, sob Palocci, decidiu deixar Brasília e o governo. Voltou ao Rio Grande do Sul, onde assumiu a coordenação estadual da Democracia Social (DS).

A DS passaria a promover uma guerra interna no PT para alterar os rumos da política econômica do governo. No primeiro mandato de Lula, os integrantes da DS no poder federal estiveram somente ligados à área de reforma agrária e fundiária. Por causa da política de assentamentos e pela proximidade com o Movimento dos Trabalhadores Rurais Sem Terra (MST) e com o movimento sindical, notadamente a CUT, os integrantes da Democracia Socialista sempre tiveram uma base sólida para, de dentro do governo federal, continuar a defender as bandeiras internas da corrente petista. Defendiam a ruptura com o modelo de governabilidade centrada no Congresso Nacional e o rompimento com o grande capital e com o modo estabelecido por lideranças empresariais de fazer política.

Foi no segundo governo Lula, após a explosão do "mensalão", que um movimento mais consistente do presidente foi feito buscando movimentos mais à esquerda. Com o distanciamento de figuras caras ao campo majoritário petista, como José Dirceu e José Genoino, Lula esticou o braço para o movimento sindical e para o MST e, dentro do PT, para a DS. Além do desenvolvimento agrário, a tendência começou, aos poucos, a aumentar de tamanho na estrutura federal.

Exatamente um mês antes da revelação do esquema do "mensalão", Augustin assinou uma nota pública da DS voltada ao debate interno do PT sobre a conjuntura política e o quadro macroeconômico. O documento, chamado "Notas para a reflexão da militância", foi publicado no *site* do PT no dia 8 de abril de 2005. O texto deixava flagrantes as diferenças entre a DS e o campo majoritário do PT, que vivia o seu auge no governo federal. Rubricada por Augustin, a nota escancarava não só a visão econômica do grupo, mas também a linha política: era preciso romper com a noção de "governabilidade centrada no parlamento".[15] É importante ler essa nota hoje, porque ela deixa claro o modelo que, afinal, estava por vir nos anos seguintes:

> "Avaliamos que a manutenção de um padrão conservador na gestão macroeconômica, aliada a uma concepção de governabilidade centrada no parlamento e em alianças amplíssimas e contraditórias, condiciona e limita o conjunto da transição, desorganiza as relações do governo com sua base social histórica e com a intelectualidade progressista e democrática".[16]

O mensalão e o fim do "Paloccismo de continuidade"

Um mês depois, o cenário político nacional mudaria completamente. Em maio de 2005, o então presidente nacional do PTB, deputado Roberto Jefferson, revelou à jornalista Renata Lo Prete o

---

[15] Anos mais tarde essa seria justamente a linha adotada pelo governo Dilma Rousseff. (Nota do autor)

[16] "Notas para a reflexão da militância", documento da Democracia Social (DS) assinado por Arno Augustin, 08/04/2005.

esquema do "mensalão". Uma crise imediatamente tomou o Palácio do Planalto e o Congresso Nacional, onde duas comissões parlamentares de inquérito (CPIs) foram abertas, envolvendo ministros do governo, deputados e senadores, marqueteiros de campanha, lobistas e empresas estatais. Sob pressão, Lula se afastou da maior parte de seus braços direitos e viu pedidos de *impeachment* serem feitos no Congresso.

Com a queda de José Dirceu da Casa Civil, em outubro de 2005, Lula escolheu Dilma Rousseff para o cargo. Imediatamente, Lula deu a ela autonomia total para a condução dos assuntos de governo, além da presidência do conselho de administração da Petrobras.

Meses depois, quando o mensalão ainda não tinha sido totalmente superado, um novo escândalo derrubou o homem forte do governo, Antônio Palocci, em pleno ano eleitoral. Em 27 de março de 2006, Palocci deixava o governo e era substituído por Guido Mantega no Ministério da Fazenda. A missão de ambos, Dilma e Mantega, era basicamente a mesma: segurar o governo e a política econômica até o fim das eleições presidenciais. Lula terminou reeleito e com uma injeção de ânimo político. Dilma e Mantega foram mantidos e teriam ainda mais liberdade de atuação.

Em entrevista ao autor, o cientista político Celso Rocha de Barros, doutor em sociologia por Oxford (Inglaterra) e analista político do Banco Central, afirmou que o choque na esquerda causado pela opção econômica de Lula pelo chamado "Paloccismo" só seria superado após a longa crise do "mensalão", que tomou todo o segundo semestre de 2005 e o primeiro de 2006. "O controle do PT pelo grupo dirigente, com o Paloccismo, era bastante sólido. A coisa muda bastante com o mensalão", diz ele.

"Acho que esse é um dos pontos mais negligenciados nas análises sobre os governos petistas: não é só que houve acusações contra os principais dirigentes, é preciso lembrar também que esses dirigentes eram os líderes do campo moderado. A crise do Mensalão enfraqueceu o grupo, que saiu do episódio com suas principais lideranças presas ou tendo contra si acusações sérias. É até difícil lembrar como o discurso dentro do PT, pouco antes do Mensalão, estava mais centrista. Quando veio a crise, o PT cerrou fileiras e essa abertura diminuiu muito. A esquerda do partido saiu fortalecida, porque estava praticamente ausente das listas de acusados. Se os líderes do campo majoritário não tivessem ido para a cadeia, a chance de Dilma Rousseff ser candidata a presidente em 2010 era zero. Se Palocci não tivesse caído pela segunda vez, o primeiro mandato de Dilma seria outro. Uma coisa que me chama atenção, inclusive, é como alguns dos arquitetos da moderação petista, como José Dirceu, viraram o discurso à esquerda quando as acusações apareceram. O Mensalão desarmou o processo de moderação iniciado com a Carta ao Povo Brasileiro."[17]

Após o "mensalão" e a queda de Palocci, o governo começou a mudar e, pouco a pouco, o pragmatismo dos primeiros quatro anos passou a dar lugar a uma política com bases ideológicas mais evidentes.

Lula buscou as centrais sindicais e os movimentos sociais logo após sua reeleição presidencial, em 2006, e iniciou ali um processo político de direcionar seu governo para um eixo mais próximo daquele que o PT historicamente defendeu. Nos quatro anos seguintes, todas as centrais passaram a receber uma parte dos recursos arrecadados pelo governo por meio do imposto sindical e, em troca, ofereceram entusiasmado apoio ao governo. Lula passou a ter ao seu lado não apenas a CUT, mas também a Força Sindical, a União Geral dos Trabalhadores (UGT), a Central dos Trabalhadores do Brasil (CTB), a Nova Central e a Central Geral dos Trabalhadores Brasileiros (CGTB). Criado em 1943 pelo então presidente Getúlio

---

[17] Celso Rocha de Barros em entrevista concedida ao autor em 28/06/2016.

Vargas, o imposto sindical é arrecadado todos os anos pelo governo federal e repartido com sindicatos, federações e confederações. A lei nunca previu o repasse também às centrais sindicais, uma vez que essas entidades são organizações eminentemente políticas e não integralmente trabalhistas. Lula baixou nova lei em 2008 autorizando o repasse de recursos para as centrais e ainda vetou artigo que previa fiscalização desse dinheiro transferido aos sindicalistas. Até a CUT, que nascera contrária ao imposto sindical por entender que ele funciona como instrumento de "controle" das centrais pelo estado, aceitou a lei e, por ser a maior central do país, é a entidade que mais recebe dinheiro público anualmente desde então. De quebra, Lula abriu o Ministério do Trabalho a integrantes da Força Sindical, que sempre rivalizou com a CUT e com o PT. Por quatro anos, o secretário de relações sindicais do ministério foi Luiz Antônio de Medeiros, fundador da Força e braço direito do ex-presidente Fernando Collor no início dos anos 1990. Medeiros passou a ser o responsável pela concessão de registro oficial a sindicatos no país, o canal oficial para se obter uma parcela do dinheiro arrecadado pelo governo com o imposto sindical. Junto a esse movimento, Lula iniciou uma reestruturação de diversas carreiras no serviço público federal, aumentando não só o número de concursos como também concedendo elevados reajustes salariais.

No lado econômico, a mudança também ficou clara. Logo no primeiro mês do segundo mandato, em janeiro de 2007, o governo Lula anunciou o Programa de Aceleração do Crescimento (PAC), fazendo Dilma ascender para o primeiro plano nacional. Mais espaços se abriram na economia com a saída dos secretários que formavam a equipe de Palocci na Fazenda, conforme Mantega ganhava mais autonomia. O telefone de Augustin tocou ainda no primeiro semestre daquele ano inaugural do segundo mandato de Lula. Mantega o convidara para voltar a Brasília e oferecia a ele uma instituição poderosa, que Augustin prontamente aceitou: em junho de 2007, o gaúcho de Carazinho, economista com passagens pelas administrações petistas no Rio Grande do Sul e comandante da Democracia Socialista, assumia o comando da Secretaria do Tesouro Nacional.

O arranjo político e econômico do segundo mandato de Lula chegou ao auge no último ano do mandato, quando Dilma deixou a Casa Civil para fazer a campanha presidencial. Seu primeiro compromisso como pré-candidata foi em 10 de abril de 2010 na sede do Sindicato dos Metalúrgicos do ABC, em São Bernardo do Campo (SP), ao lado de Lula e de integrantes de todas as centrais sindicais. Pouco depois, nas festas de 1º de maio promovidas pelas centrais em São Paulo, os discursos se repetiram. Estava claro para todos que a continuidade seria total: Dilma poderia funcionar como uma extensão do segundo mandato de Lula. Esse, também, era o desejo e o entendimento de Mantega e Augustin. No caso do ítalo-brasileiro, a possibilidade de permanecer no comando do Ministério da Fazenda era grande. No início do ano, Mantega chegou a dizer a amigos, como os economistas Luiz Gonzaga Belluzzo e Júlio Sérgio Gomes de Almeida, que estava cansado de Brasília e disposto a voltar a São Paulo para dar aulas na FGV e escrever um livro de memórias sobre a experiência de ter domado internamente os efeitos da maior crise mundial desde 1929. Em meados do ano, mudou de ideia e pediu para ficar. Augustin foi "disputado" publicamente por Tarso Genro, que deixou o Ministério da Justiça ao final do governo Lula ao eleger-se governador do Rio Grande do Sul. Mas, tal como Mantega, ele permaneceu no controle do Tesouro Nacional.

O pós-Lula

Com sua permanência, Augustin tinha o cenário dos sonhos para programar o que seria, segundo sua visão de mundo, a forma correta de política econômica. O trio de economistas formado por Dilma, Mantega e Augustin passou a comandar um país num quadro quase

PERIGOSAS PEDALADAS

sem paralelo recente. O forte crescimento econômico de 2010 e do início de 2011, baseado em saldos elevados de contratação de mão de obra com carteira assinada, foi somado a um salto na popularidade da presidente, que em seu primeiro ano promoveu uma "faxina", com a demissão de ministros de seu governo envolvidos em escândalos. Finalmente, a oposição tinha perdido sua terceira eleição presidencial consecutiva e não demonstrava ter, no Congresso, força alguma para barrar iniciativas do governo.

O governo entrara com a missão de "frear" a economia e, também neste sentido, contava com o apoio de economistas e técnicos ligados à oposição. Embora as políticas anticíclicas de combate à crise mundial tenham sido elogiadas mesmo por segmentos historicamente contrários ao PT, havia um certo consenso de que o governo tinha levado tudo longe demais. Aliás, antes mesmo do ano eleitoral, os excessos de gastos federais com reajustes salariais de diversas categorias de servidores, com investimentos públicos e com a concessão de aumentos no salário mínimo e nas aposentadorias foram chamados pelo especialista em contas públicas Geraldo Biasoto de "custo Dilma",[18] isto é, uma espécie de "empurrão" adicional que o governo dava nas políticas anticíclicas com o intuito de promover sua candidata de continuidade. Dilma e o novo governo como um todo tinham consciência de que um ajuste macroeconômico seria necessário já na decolagem do novo governo.

> "Politicamente, o pós-Lula era bem mais difícil do que parecia. Não se sabia se Lula teria saúde para ser candidato de novo. O PT estava devastado pelas acusações de corrupção. As movimentações por uma alternativa dentro da esquerda se fortaleciam, no PSB nordestino (Campos e Ciro) e com Marina Silva, a grande surpresa de 2010. A

---

[18] "Custo Dilma exigiu aumento de gastos, diz Biasoto", em *Valor Econômico*, 16/12/2009, por Sergio Lamucci e João Villaverde. *http://www.jogodopoder.com/blog/politica/valor-economico-publica-entre-vista-com-economistaque-diz-que-governo-lula-aumentos-custos-da-maquina-para-promover-dilma/*.

HISTÓRIA AGORA

faxina fez bem à popularidade de Dilma, mas evidentemente causou abalos na base aliada. Os aliados do PT à direita evidentemente abandonariam o partido (com quem nunca tiveram identificação ideológica) se o PT deixasse de parecer competitivo (como de fato abandonaram na guerra do impeachment). Devo dizer, embora esteja claro que Dilma deveria ter feito um governo de ajustes (e, consequentemente, de um mandato só), não era tão fácil assim: ajuste sempre derruba popularidade, e uma aliança mantida só por força de perspectivas eleitorais (sem coesão ideológica), queda de popularidade manda aliados embora."[19]

Em Brasília, naquele início de gestão Dilma, era comum ouvir de técnicos do Ministério da Fazenda e do Palácio do Planalto que o governo estava ocupado com a formulação e a preparação de medidas que tinham como objetivo desaquecer o ritmo econômico. Um ajuste, de fato, foi colocado de pé. O governo dobrou de 1,5% para 3% a alíquota do Imposto sobre Operações Financeiras (IOF) que incide sobre o crédito ao consumidor, em abril de 2011. Pouco antes ainda, o Banco Central começara a aplicar as então chamadas "medidas macroprudenciais", aumentando as restrições ao crédito, em especial o financiamento para a compra de veículos.[20] O BC também aumentava fortemente a taxa básica de juros, o que diminuía o apetite dos consumidores e das empresas. O governo também colocou o pé no freio nos gastos com investimentos, que foram praticamente paralisados em meados do ano, quando também as demissões de ministros (entre eles o comandante do Ministério dos Transportes) faziam a máquina federal parar. O ajuste pragmático colocado em prática desde janeiro tinha como face mais visível a de Antonio Palocci, que voltara após cinco anos afastado do poder. Ele comandava a Casa Civil. Mas, mais

---

[19] Entrevista de Celso Rocha de Barros ao autor, concedida em 28/06/2016.
[20] O BC aumentou de 11% para 16,5% o requerimento de capital mínimo das instituições financeiras para empréstimos ao consumo em operações de prazo máximo de sessenta meses.

PERIGOSAS PEDALADAS

uma vez, uma apuração jornalística derrubou Palocci do cargo: após revelações do jornal *Folha de S.Paulo* mostrando que Palocci aproveitara seus canais políticos para fazer seu patrimônio pessoal saltar vinte vezes em quatro anos, a pressão por sua saída foi forte e Dilma cedeu.[21] A demissão de Palocci foi a primeira de uma série que se estendeu até o fim do ano e que ajudou a aumentar a popularidade de Dilma. Editoriais elogiosos foram feitos pelos jornais e, de forma mais notória, pela revista *Veja*, que promovera ferrenha oposição a Lula, mas que cobria de forma favorável o início do governo Dilma.

Em meio a tudo isso, no entanto, as condições econômicas mundiais começaram a mudar, com um recrudescimento da crise envolvendo os países europeus.

No governo, as primeiras discussões entre a equipe econômica e a presidente sobre a piora do cenário global começaram ainda em agosto de 2011. O presidente do Banco Central, o economista gaúcho Alexandre Antônio Tombini, viajou para os Estados Unidos para participar da reunião promovida pelo Federal Reserve (Fed, o banco central norte-americano) em Jackson Hole (Wyoming, EUA), nos dias 25 e 26 daquele mês e voltou pessimista com o desenrolar da crise na União Europeia. A mensagem geral era de que a crise que envolvia Espanha, Portugal, Itália e Grécia era muito mais grave do que se imaginava e que talvez o euro, a moeda comum instituída em 1999, não resistisse.

As informações obtidas pela equipe econômica naquele momento geraram tensão na presidente Dilma Rousseff, que autorizou o que seria então o último movimento de fortalecimento da política fiscal em seu primeiro mandato: em 29 de agosto, o ministro da Fazenda, Guido Mantega, convocou entrevista coletiva e anunciou que usaria R$ 10 bilhões obtidos com o excesso de arrecadação para aumentar a poupança de recursos que seriam usados para pagar os juros da dívida

---

[21] "Palocci multiplicou por 20 patrimônio em quatro anos", em *Folha de S.Paulo*, 15/05/2011, por Andreza Matais e José Ernesto Credendio. *http://www1.folha.uol.com.br/fsp/poder/po1505201102.htm*.

pública naquele ano. Tendo Augustin sentado ao seu lado no auditório principal do ministério, Mantega afirmou que a medida "criava condições para uma redução da taxa básica de juros". Ele destacou que isso aconteceria "quando o Banco Central entender que é possível".

O recado foi recebido. Dois dias depois, em 31 de agosto, o BC surpreendeu o mercado (que majoritariamente apostava em manutenção da Selic no patamar em que se encontrava) e reduziu a taxa básica de juros em 0,5 ponto porcentual. Até o mês de julho, o Banco Central tinha aumentado a taxa básica de juros, em movimentos consistentes com o que as demais áreas do governo estavam fazendo desde a posse de Dilma, isto é, apertar o cinto depois dos excessos de 2010. A mudança anunciada em 31 de agosto, dois dias após a coletiva de Mantega elevando a meta fiscal, foi grande e marcou o início de uma nova postura do BC. A partir daí o Banco Central mudou completamente sua política, apostando que a crise na União Europeia era mais grave do que parecia ser e que a retomada dos Estados Unidos seria mais lenta do que inicialmente se estimava.

Aos poucos, a presidente Dilma Rousseff e a equipe de economistas do Ministério da Fazenda, comandada por Mantega, foram se convencendo de que a economia brasileira não precisava de uma correção de excessos como vinha sendo feito até então, mas sim de uma nova — e profunda — rodada de estímulos. A partir daquele momento o governo passaria a ganhar uma nova forma. Nascia a Nova Matriz Econômica.[22]

O começo, de fato, da política econômica de Dilma

O governo atuaria em todas as frentes possíveis, de uma vez só, como forma de "corrigir" problemas históricos da economia brasileira.

---

[22] Artigo de Guido Mantega no jornal *Valor Econômico* de 17 de dezembro de 2012 dá este nome para a política conduzida pelo governo desde o fim do ano anterior.

PERIGOSAS PEDALADAS

Os juros básicos eram cortados pelo Banco Central e o governo aproveitava para entrar numa queda de braço com a Federação Brasileira dos Bancos (Febraban) para que os bancos privados acompanhassem os movimentos dos bancos controlados pelo governo — BNDES, Banco do Brasil e Caixa. Ao mesmo tempo, Mantega abriu um balcão na Fazenda para desonerações tributárias a diversos setores: foram reduzidos o IPI, o PIS, a Cofins e a contribuição previdenciária sobre a folha de pagamentos. A gasolina vendida pela Petrobras nos postos de combustíveis foi controlada para não aumentar, estimulando o consumo e reduzindo a inflação. Os gastos diretos com programas federais, como PAC e Minha Casa, Minha Vida, aumentaram.

O governo também reescreveu os marcos regulatórios dos setores de mineração e energia elétrica, sonhos antigos de Dilma quando comandava o Ministério de Minas e Energia. Também o governo alterou os formatos de concessões de obras de infraestrutura para rodovias, portos, ferrovias e aeroportos, como forma de fazer o setor privado investir nessas áreas. Um plano para financiar de forma subsidiada investimentos em inovação foi criado para o BNDES e a Finep operarem. O BNDES também ofertaria uma linha de R$ 20 bilhões em crédito subsidiado para os governadores financiarem investimentos regionais em infraestrutura. O IOF sobre o crédito ao consumidor, que tinha sido dobrado em abril de 2011, foi novamente cortado pela metade em maio de 2012, para incentivar os consumidores. O Banco Central liberou nada menos que R$ 18 bilhões em recursos retidos pelos bancos no depósito compulsório, de forma a estimular os empréstimos para a compra de veículos automotores. Foi instituída também uma margem de preferência para os produtos *Made in Brazil* nas compras governamentais, liberando R$ 8,4 bilhões em recursos federais para isso, num programa que foi chamado de "PAC-Equipamentos".

A taxa de câmbio foi pressionada de forma consciente, a partir de intervenções cirúrgicas em diferentes alíquotas do Imposto sobre

HISTÓRIA AGORA

Operações Financeiras (IOF), para se desvalorizar e com isso barrar a entrada de produtos importados e estimular a indústria nacional. O governo também manteve o preço da gasolina e do óleo diesel mais barato artificialmente ao não permitir reajustes de combustíveis a Petrobras, que tinha Mantega como presidente do conselho de administração. Por fim, o governo continuou repassando centenas de bilhões de reais em recursos do Tesouro Nacional ao BNDES, aumentando a dívida pública. Os repasses começaram ainda em 2008 como uma das respostas à crise mundial, mas se institucionalizaram a partir de 2011. A lógica seria repassar dinheiro ao banco para que este emprestasse de forma subsidiada a empresas de grande porte, seguindo a política de "formação de campeões nacionais" tocada pelo presidente do banco.

Assim, de forma organizada, o governo Dilma Rousseff aplicou uma virada de quase 180 graus na política econômica, com pacotes de medidas saindo quase quinzenalmente do Palácio do Planalto e do Ministério da Fazenda. A presidente e sua equipe econômica, enfim, aplicaram todo o instrumental historicamente defendido por uma parcela de economistas desde a "década perdida" dos anos 1980. Ao todo, o governo lançaria trinta e quatro pacotes com diferentes medidas de estímulo à economia em menos de quatro anos, num esforço que poderia ser apelidado de "tudo ao mesmo tempo agora". Medidas importantes, como a redução da taxa de juros e a introdução de uma regulação sobre os movimentos da taxa de câmbio no mercado futuros, foram misturadas com uma série de medidas pontuais de desonerações fiscais e de controles artificiais de preços.

Ao final, todas essas medidas foram tomadas num cenário de queda do crescimento econômico, o que aprofundava a redução na arrecadação de impostos do governo, uma vez que a maior parte dos pacotes consistia em desonerações tributárias, o que reduzia ainda mais a arrecadação federal. Ao mesmo tempo, o governo ampliara seus gastos diretos com investimentos e inversões financeiras, produzindo um quadro cada vez mais complicado para as contas públicas — a arrecadação caía (pela desaceleração da economia e pelas medidas do governo) e os gastos aumentavam.

Foi então que a equipe econômica tomou a decisão mais importante e dramática: o custo real de todas as medidas da Nova Matriz Macroeconômica não deveria aparecer nas contas públicas. Com isso, as manobras contábeis e a engenharia financeira aplicadas nas contas públicas federais para esconder a dramática piora dos indicadores fiscais brasileiros começaram no fim de 2012 e ganharam impulso em 2013, atingindo o nível máximo no ano eleitoral de 2014. Foi quando a estratégia deixou de ser uma aposta de política econômica e passou a ser testar os limites legais.

O balão de ensaio dessas manobras se deu na maior das intervenções do governo Dilma Rousseff: a mudança de regras no setor elétrico para gerar uma forte redução na conta de luz. As manobras contábeis atingiram outro patamar por causa da complexidade do setor e da intricada relação entre o Tesouro Nacional, a estatal Eletrobras, as diversas companhias federais, estaduais e privadas no ramo de distribuição de energia e os grandes contratos de construção e exploração de usinas hidrelétricas. É importante compreender o que saiu dos gabinetes econômicos de Brasília para o setor elétrico para se chegar às "pedaladas fiscais".

Acender uma lâmpada no Brasil passou a ter um custo secreto — e devido ao aumento do endividamento público decorrente dessa medida, um preço final total que continuará a ser pago pelos brasileiros nos próximos anos.

CAPÍTULO 2.
CURTO-CIRCUITO NAS CONTAS PÚBLICAS

> "Em economias bem-sucedidas, a política econômica tem sido pragmática, e não ideológica. Ela tem sido concreta e não abstrata."
>
> Stephen S. Cohen e J. Bradford DeLong, professores de economia na Universidade da Califórnia (EUA).

"Como pode ser tão caro acender a luz neste país?"

Dilma Rousseff perguntava, de forma retórica, aos técnicos de seu governo em uma das diversas reuniões realizadas no Palácio do Planalto ao longo de 2012, que tinham por objetivo encontrar uma forma de reduzir o custo da energia elétrica a consumidores e a empresas. Com seu estilo duro, sem sorrisos e professoral, Dilma buscava fazer com que os técnicos das diferentes áreas de seu governo, envolvidas na discussão, chegassem a uma medida convincente — e rápida.

Desde os tempos em que comandava o Ministério de Minas e Energia que Dilma Rousseff era assediada por empresários da indústria e especialmente por entidades de classe, como a Federação das Indústrias do Estado de São Paulo (Fiesp) e a Confederação Nacional da Indústria (CNI), que reclamavam a ela uma redução da conta de luz no país. Por causa dos diversos encargos criados ao longo de cinquenta anos e incorporados à tarifa de energia, diziam os industriais, a conta de luz tinha ficado cara na comparação com outros países, emergentes e desenvolvidos. Apresentava em troca planos ambiciosos de investimentos e contratação de mão de obra. Quando

HISTÓRIA AGORA

ministra-chefe da Casa Civil, no segundo mandato de Lula, ela costumava ter sobre sua mesa os artigos que o empresário Benjamin Steinbruch, controlador da Companhia Siderúrgica Nacional (CSN) e vice-presidente da Fiesp, escrevia para o jornal *Folha de S.Paulo*, cobrando ações do governo tanto para reduzir o custo da energia elétrica como para ampliar o investimento público, ambas medidas que serviriam para catalisar os empresários industriais. Essa lógica ia direto ao encontro da linha ideológica de Dilma.

Mais tarde, já como presidente, Dilma ouviu o mesmo enredo dos vinte e nove empresários que participaram de um encontro com ela em 10 agosto de 2012. Entre eles estavam Eike Batista, então magnata com entrada nos setores de energia, mineração e portos; o próprio Steinbruch, da CSN, além dos administradores do Itaú Unibanco, Bradesco, JBS Friboi, entre outros. Havia um consenso claro, entre todos os setores empresariais, de que a conta de luz brasileira era cara e que uma redução de preço levaria a um aumento dos investimentos, da produtividade e da contratação da mão de obra. Com isso, também os sindicatos de trabalhadores na indústria, bases importantes da Central Única dos Trabalhadores (CUT) e da Força Sindical, defendiam a medida. Naquele encontro, Dilma prometeu aos empresários no Planalto que em menos de um mês estaria na rua um ambicioso plano para atingir esse objetivo. Segundo um empresário que participou daquele encontro, Dilma não deu qualquer indicação do que viria a ser a medida, mas garantiu efetividade, chegando a usar como exemplo a alteração da remuneração da caderneta de poupança. No início do ano, seu governo fez uma bem-sucedida mudança nas regras da mais popular aplicação financeira do país, de forma a permitir uma redução mais forte da taxa básica de juros. Em 2010, mesmo com 80% de popularidade, Lula recuara de mudanças na poupança por temer que algo desse errado, fazendo voltar o fantasma do "confisco da poupança", marcado a fogo no imaginário nacional por causa da desastrosa iniciativa do

Plano Collor. Em abril de 2012, Dilma alterou os mecanismos da poupança e nenhuma crise tinha sido gerada. "Ela citou esse caso para dizer que o governo tinha chegado a um desenho de medida para o setor elétrico que beneficiaria todo mundo ao mesmo tempo", garantiu o empresário poucas semanas depois.

Do lado do governo, corte na tarifa de energia sempre foi um tema complexo, quase tabu, em razão das dificuldades impostas pelo sistema. O entendimento em Brasília sempre fora o mesmo: a conta de luz brasileira era comparativamente mais cara que em outros países por causa da extensão territorial brasileira, que exige altos investimentos para transmissão e distribuição da energia. Com o passar dos anos, o *lobby* da indústria pela redução da conta de luz ganhou muita força. Com o aumento da competição com produtos estrangeiros, cuja entrada no país não parou de aumentar desde 2004 em virtude da valorização do real diante do dólar, os empresários pediam insistentemente ao governo que insumos fossem barateados.

Dilma chegou à Casa Civil em 2005 e depois à presidência da República em 2011. No meio do caminho, a interlocução com a indústria e com o setor elétrico aumentou. O governo elaborou uma série de estudos com diferentes formas de chegar ao objetivo comum: reduzir o preço da tarifa de energia no Brasil. Ao longo de todo o segundo mandato de Lula, com Dilma ganhando expressão, os planos de reduzir a tarifa de energia foram ganhando fôlego.

Enfim, no comando total do governo federal, em 2011 Dilma ordenou ao Ministério da Fazenda, à Empresa de Planejamento Energético (EPE) e ao Ministério de Minas e Energia que elaborassem um projeto definitivo. Quando a crise na Grécia iniciou um "efeito dominó" na Europa, pegando Irlanda, Portugal, Itália e Espanha, a presidente definiu que a redução da conta de luz era uma agenda prioritária para 2012. A medida teria dupla importância: do lado econômico serviria à indústria, pela manutenção dos investimentos e aos sindicatos, pela manutenção e até ampliação das contratações de trabalhadores; no campo político, seria uma bandeira eleitoral poderosa para ser usada na campanha pela reeleição, que ocorreria dois anos depois.

No início do ano havia dois projetos maduros que atingiam o objetivo final estipulado pela presidente. Um deles era capitaneado pela secretaria-executiva da Fazenda, comandada por Nelson Barbosa e seu braço direito, o economista Dyogo Oliveira. Esse projeto, que contava com o apoio de parte da área técnica do Ministério de Minas e Energia, era razoavelmente simples: o governo reduziria ou até mesmo poderia zerar a tributação de PIS/Cofins sobre as empresas do setor elétrico, que repassariam esse ganho fiscal para a tarifa. Quanto maior fosse o consumo de energia, maior seria o desconto, pelo efeito em cascata do PIS/Cofins. Dessa forma, a indústria seria a principal beneficiada e o setor elétrico não sofreria maiores abalos. Essa saída também era defendida internamente como mais *market friendly*. A expressão em inglês era usada nos gabinetes da secretaria-executiva para mostrar que a medida não sofreria ataques do mercado financeiro. Naquele momento isso era muito importante: o governo tinha iniciado uma política de cortes sucessivos da taxa básica de juros e usava o Banco do Brasil (com o programa "Bom Pra Todos") e a Caixa Econômica Federal para forçar a redução dos juros no crédito ao consumidor, e fazia tudo isso entrando em confronto público com a Federação Brasileira dos Bancos (Febraban). Ter uma medida que fosse "amigável ao mercado" (*market friendly*) era sensato naquele momento, argumentavam os defensores dessa ideia.

O outro projeto era mais complexo. Partia do diagnóstico da indústria — de que a conta de luz era cara porque tinha muitos encargos pendurados nela — para tentar chegar ao objetivo final. O projeto era capitaneado por uma dupla que ascendeu ao primeiro escalão do governo sob as asas de Dilma quando ela era ministra de Minas e Energia: secretário-executivo do ministério, Márcio Zimmermann, e o presidente da EPE desde sua fundação, Maurício Tolmasquim. Do lado deles estava também o secretário do Tesouro Nacional, Arno Augustin, que começava, ali, a entrar em debates que não estavam diretamente sob a alçada do Tesouro.

Depois de meses em debates internos, com idas e vindas nos projetos apresentados e discutidos exaustivamente pela própria Dilma, a presidente tomou sua decisão. Bateu o martelo no início de agosto e decidiu, também, que usaria o feriado de 7 de setembro para impulsionar seu anúncio. Dilma escolheu o segundo projeto, de Zimmermann, Tolmasquim e Augustin.

O projeto foi finalizado na segunda metade de agosto e anunciado pela presidente em cadeia nacional de rádio e televisão na noite de 6 de setembro de 2012. Uma semana depois, Dilma conduziu grande cerimônia no Palácio do Planalto para explicar o pacote. No evento, Dilma foi aplaudida de pé por uma plateia formada principalmente por empresários da CNI e de suas federações regionais, como a paulista Fiesp, a fluminense Firjan e a paranaense Fiep. Os aplausos do empresariado industrial, naquela terça-feira, 11 de setembro, seriam os últimos que a medida atrairia para si. Naquele exato momento, enquanto a presidente e sua equipe recebiam abraços e tapas nas costas de empresários da indústria após a cerimônia, a Bolsa de Valores de São Paulo (Bovespa) via cenário de pânico: as ações das empresas do setor elétrico despencavam numa velocidade impressionante. O Índice de Energia Elétrica (IEE), uma espécie de "carteira teórica" que agrega as ações de empresas do setor negociadas na Bovespa, tinha derretido 10,46% até 12h35, menos de quatro horas após a abertura da sessão. As corretoras sugeriam aos clientes que vendessem as ações das empresas do setor, e os investidores seguiam a tendência. Houve contágio, inclusive em outros segmentos, como nas empresas concessionárias de rodovias, por participarem de área também controlada de perto pelo governo. Apenas no primeiro dia, as empresas do setor perderam nada menos que R$ 14,5 bilhões em valor negociado em ações, sendo

HISTÓRIA AGORA

a Companhia de Energia de São Paulo (Cesp) a mais atingida, com um tombo de quase 30% no preço de suas ações. O pânico do mercado se estendeu ao longo de toda a semana.

A medida anunciada por Dilma somente entraria em vigor em janeiro de 2013, três meses depois daquela cerimônia. Mas o mau humor tinha sido instaurado, e ali, naquela manhã de setembro, a pecha de "intervencionista" tinha sido definitivamente colada na presidente e em seu governo. As medidas subsequentes, entre 2013 e 2014, somente reforçariam essa visão e Dilma nunca mais conseguiria se desvencilhar dela.

Mas afinal, qual tinha sido a medida do governo?

A medida e a manobra

O projeto anunciado por Dilma e capitaneado por Zimmermann, Tolmasquim e Augustin para a redução da conta de luz era montado sobre duas premissas: em primeiro lugar, o fato de que as concessões de uma série de usinas de geração e de linhas de transmissão de energia estavam para vencer entre 2015 e 2018, após trinta e cinco anos de contrato; em segundo lugar, que era hora de pegar os encargos setoriais que estavam pendurados na conta de luz e transferir esses custos para o Tesouro Nacional.

O plano então era antecipar o fim dos contratos que estavam para vencer e oferecer uma nova base contratual para as empresas, envolvendo uma tarifa 20% mais baixa, em média. Como essa tarifa cairia? Em boa parte, pela retirada dos encargos setoriais que estavam dentro da conta de luz brasileira.

Esses encargos, que produziam uma sopa de letrinhas (RGR, CDE e CCC), financiavam diversas políticas do setor elétrico. O governo não extinguiu essas políticas, mas sim esses encargos. Ou seja, programas sociais como "Luz para Todos", que sempre foram financiados pelo dinheiro que entrava via conta de luz, teriam de ser financiados de outra maneira, pelo Tesouro.

Este foi o primeiro ponto da medida: o governo decidiu transferir do consumidor (residencial e industrial) para o contribuinte a responsabilidade por esses programas. O caminho seria por meio da troca de contratos de concessão: o governo ofereceu a renovação antecipada das concessões que estavam para vencer, mas os novos contratos passaram por um forte ajuste, porque passariam a ser financiados por uma conta de luz mais baixa.

Somente nos primeiros doze meses da medida, entre setembro de 2012 e setembro de 2013, o Tesouro Nacional emitiu R$ 5,9 bilhões em títulos públicos para poder pagar a conta de um desses encargos, a CDE. Essa Conta de Desenvolvimento Econômico, ou CDE, foi criada em 2002 e inserida na tarifa de energia elétrica para financiar duas políticas: o importante programa social "Luz para Todos" e o custo das usinas termoelétricas. Essas usinas produzem energia muito mais cara que aquela que sai das hidrelétricas e somente são acionadas quando o nível dos reservatórios das hidrelétricas cai muito, em tempos de forte estiagem.

Foi a falta de um sistema interligado e os poucos investimentos realizados em termoeletricidade que geraram o racionamento de energia em 2001, conhecido como "apagão". Quando Dilma assumiu o comando da área em 2003, sua principal missão era justamente evitar a repetição do racionamento aplicado por FHC dois anos antes. Entre outras medidas, o governo passou a investir fortemente em usinas termoelétricas e no aumento da interligação do sistema e, com isso, a CDE ganhou importância crescente.

Em 2013, o quadro do setor era desafiador. Uma dura estiagem atacou o país no ano anterior e continuava forte naquele momento. Todas as termoelétricas à disposição do governo foram ligadas naquele ano como última alternativa apara evitar um racionamento de energia. Com isso, os custos da CDE para sustentar o sistema explodiram — justo no ano em que eles deixaram de ser pagos pelos consumidores e passaram a ser cobertos com recursos do Tesouro. Assim, subiram os custos do Tesouro para bancar a CDE: ao todo, R$ 9,8 bilhões somente naquele ano. No ano seguinte um valor similar seria desembolsado pelo governo para sustentar o setor. A maior parte desses recursos foi levantada pelo Tesouro por meio da emissão de títulos públicos em mercado, isto é, com o aumento do endividamento total do governo.

Os gastos do Tesouro só não foram ainda maiores porque em 2013 o governo conduziu uma manobra contábil entre os fundos setoriais, e em 2014 lançou mão de outro expediente inédito, ao fechar com um grupo de bancos, públicos e privados, para emprestar recursos às empresas do setor de energia.

Não bastasse isso, o governo foi além na criatividade. Ainda no fim de 2012, o ministro da Fazenda, Guido Mantega, foi apresentado a uma sugestão técnica de Augustin. A ideia era antecipar recursos que seriam gerados pela Usina Hidrelétrica de Itaipu e usar esse dinheiro do futuro para pagar obrigações do presente. Criada de forma binacional entre Brasil e Paraguai nos anos 1970, Itaipu gera créditos anuais para os dois governos. A ideia do Tesouro era antecipar os "recebíveis" de Itaipu da parte brasileira para resolver aquele problema, isto é, sem exigir uma emissão de dívida por parte do Tesouro. Mantega deu sinal verde. No início de 2013, o governo recorreu a esse expediente e antecipou R$ 1,9 bilhão de Itaipu.

Após a operação, a crítica de especialistas no setor elétrico e também de economistas foi pesada. O governo estava usando recursos de uma hidrelétrica — e que entrariam nos cofres públicos no futuro — para arcar com uma obrigação do presente, que tinha sido criada por um plano federal de curto prazo. A operação tinha sido costurada pela Lei 12.833, de 2013, que promoveu uma engenharia complexa: os direitos de créditos do governo federal na usina de Itaipu seriam vendidos ao BNDES. Foi a forma encontrada de usar o dinheiro sem gerar impacto fiscal e contou com o sinal verde de Luciano Coutinho, presidente do banco e sempre disposto a apoiar os

PERIGOSAS PEDALADAS

planos saídos de Brasília no período. Diante das críticas, no entanto, Mantega recuou da medida, mas os quase dois bilhões de reais que tinham sido antecipados foram usados mesmo assim.

Sem poder usar Itaipu e ainda precisando levantar dinheiro urgentemente para bancar a redução da conta de luz, o governo, então, formulou uma nova saída. Por meio de outra lei, a de número 12.865, a União passaria a emitir títulos da dívida pública e usar o dinheiro para a CDE. A abordagem foi considerada na época como "mais direta e transparente" pelo Instituto Acende Brasil, que acompanha o setor. Mas essa era, ainda, a última alternativa de Augustin, disposto a todo custo a evitar que a bandeira política do governo significasse aumento da dívida pública e, assim, alvo de críticas da oposição. Depois dos recebíveis de Itaipu e antes de colocar dinheiro público diretamente na CDE para sustentar a conta de luz mais baixa, o Tesouro Nacional teve mais uma ideia.

Curto-circuito

Uma operação sigilosa foi montada para manter a engrenagem do setor elétrico funcionando, evitando antecipar o alarde com a venda de títulos públicos em larga escala para fechar suas contas, algo que seria inevitável. A engenharia financeira montada e operada pelo governo ocorreu em maio e junho daquele ano e foi revelada pelo *Estadão* em 29 de julho, quase dois meses depois.[23] O governo decidiu usar outro fundo setorial que até a medida de Dilma também ficava pendurado na conta de luz. Esse fundo era a Reserva Geral de Reversão (RGR). Com ordens do Tesouro, a Eletrobras transferiu dinheiro desse fundo, a RGR, para outro, a CDE. O valor foi relevante:

---

[23] "Redução da conta de luz pode custar R$ 6,7 bilhões para o contribuinte", em *O Estado de S.Paulo*, 29/07/2013, por Anne Warth e João Villaverde.
http://economia.estadao.com.br/noticias/geral,reducao-da-conta-de-luz-pode-custar-r-6-7-bilhoes--para-o-contribuinte,160287e.

quase 5 bilhões de reais (exatamente R$ 4,9 bilhões), sendo R$ 3,6 bilhões em maio e o restante, R$ 1,3 bilhão, no mês de junho.

Ao transferir dinheiro de um fundo para outro, o governo acabou tendo não apenas um, mas dois fundos zerados. Conseguiu, no entanto, evitar que o Tesouro emitisse títulos já em maio. A venda de papéis públicos começou somente no fim de junho, mas foi ganhar força mesmo em julho.

Em poucos meses, no entanto, o governo tinha zerado um dos encargos setoriais mais antigos do país. A RGR foi criada em 1957, primeiro ano do governo Juscelino Kubistchek. Desde então, todos os consumidores domésticos e empresariais, públicos e privados, que pagaram a conta de luz pagaram, também, para a RGR. Essa reserva, tal qual a CDE, constituiu um fundo, e o dinheiro foi usado para engordar a economia do governo. Ao todo, a RGR acumulou pouco mais de R$ 21 bilhões até fevereiro de 2013, quando ela foi oficialmente retirada da conta de luz como parte da medida preparada por Zimmermann, Tolmasquim e Augustin e endossada por Dilma.

Entra, então, o segundo problema. As novas bases contratuais que foram oferecidas às empresas envolviam uma tarifa 20%, em média, mais barata. As companhias que topassem isso teriam suas concessões automaticamente renovadas por mais três décadas. Não precisariam, portanto, devolver ao governo seus empreendimentos para que eles fossem licitados entre 2015 e 2018. Se aceitassem a proposta de renovação automática e antecipada, as empresas teriam direito a uma indenização, paga pelo governo, pelos investimentos feitos por ela ao longo da concessão e que somente seriam totalmente amortizados ao final de seu contrato. Como o governo estava antecipando o fim desses contratos e oferecendo uma remuneração menor (por meio de uma conta de luz mais baixa), essa diferença ainda não amortizada seria indenizada pelo governo.[24] Como a maior parte das concessões pertencia a empresas

---

[24] Primeiro, o governo não reconheceu indenizações devidas às empresas por investimentos realizados pelas linhas de transmissão até 31 de maio de 2000. Depois, por pressão forte das transmissoras, o governo voltou atrás e decidiu pagar. No entanto, nenhum centavo foi efetivamente pago em indenizações antigas (pré-junho de 2000) em 2013, 2014 ou 2015.

controladas pela estatal Eletrobras, o governo recebeu sinal verde — não sem antes encarar uma ferrenha briga com acionistas minoritários da Eletrobras, inconformados com problemas da medida.

A ideia do governo Dilma Rousseff foi a de usar justamente a RGR para pagar por essas indenizações. Segundo os cálculos do governo, as indenizações somariam mais ou menos R$ 20 bilhões. Seria perfeito, uma vez que este era o saldo total da RGR. Mas não funcionou desta forma.

Em junho, apenas cinco meses após o início da medida, a RGR já não tinha mais um centavo para pagar as indenizações das empresas. Até aquele mês, a RGR já tinha transferido R$ 10,4 bilhões às empresas que aderiram ao pacote de Dilma e, portanto, estavam garantindo a redução da conta de luz. Mas a real razão para a zeragem desse encargo foi a operação contábil montada pelo Tesouro Nacional. A RGR estava sem recursos para suas obrigações, porque o Tesouro tirou dela R$ 4,9 bilhões para passar à CDE nos meses de maio e junho. Nada disso, no entanto, veio a público de forma transparente.

A revelação dessas manobras complexas e sigilosas, definidas no gabinete do secretário do Tesouro Nacional, deixou Arno Augustin inconformado. Mas foi uma última reportagem que fez com que o secretário envolvesse, inclusive, o gabinete do chefe, Mantega, na formulação de uma nota pública virulenta.

Os bancos públicos e a conta de luz

Nas reuniões técnicas que definiram a Medida Provisória 579, ainda no fim de 2012, Augustin pressionou muito para que fosse incluído no texto legal um mecanismo polêmico, que permitiria aos fundos RGR e CDE a contratação de empréstimos em bancos públicos para honrar suas obrigações. Antevendo que os gastos do Tesouro para sustentar a conta de luz reduzida seriam elevados,

HISTÓRIA AGORA

Augustin intuiu que os fundos buscassem recursos nos bancos, que ofereciam taxas mais baixas que a média do mercado, que seriam pagos no futuro. O mecanismo foi, afinal, inserido na lei, e em meados de 2013 o governo efetivamente começou a preparar esses empréstimos — sem que a operação tivesse sido devidamente anunciada. Foram envolvidos o Banco Nacional de Desenvolvimento Econômico e Social (BNDES) e a Caixa Econômica Federal. Pelo governo, a negociação era conduzida pelo ministro de Minas e Energia, Edison Lobão, do PMDB do Maranhão.

Prestes a fechar o contrato que selaria essa polêmica operação, a jogada foi revelada em reportagem.[25] Augustin ligou logo cedo para os assessores de Mantega, os jornalistas Guilherme Barros e Fábio Graner. Antes do meio-dia, a nota, redigida pelo próprio Augustin em seu computador, foi divulgada pelos canais oficiais do Ministério da Fazenda.[26] No entanto, minutos depois e ainda sem ser informado da irritação de Augustin, o então ministro de Minas e Energia, Edison Lobão, confirmou que negociava o empréstimo para os fundos setoriais.[27]

Um mês depois, um dos pais fundadores da engenharia para a redução da conta de luz, o presidente da EPE, Maurício Tolmasquim, confirmou em entrevista que o Tesouro Nacional tinha sido o responsável por colocar na Medida Provisória 579 o mecanismo polêmico de incluir empréstimos bancários aos fundos setoriais.[28]

---

[25] "Governo estuda fazer dívida em banco para custear desconto na conta de luz", em *O Estado de S. Paulo*, 08/08/2013, por João Villaverde e Anne Warth. *http://economia.estadao.com.br/noticias/geral,governo-estuda-fazer-divida-em-banco-para-custear-desconto-na-conta-de-luz,161211e*.

[26] "Nota à Imprensa do gabinete do Ministro da Fazenda", 08/08/2013. *http://www.fazenda.gov.br/noticias/2013/agosto/nota-a-imprensa*.

[27] "Bancos podem custear energia, confirma Lobão", em *O Estado de S. Paulo*, 09/08/2013, por Anne Warth e João Villaverde. *http://economia.estadao.com.br/noticias/geral,bancos-podem-custear-energia-confirma-lobao-imp-,1061741*.

[28] "Nova conta de luz veio para ficar", em *O Estado de S. Paulo*, 07/09/2013, por João Villaverde e Anne Warth. *http://economia.estadao.com.br/noticias/geral,nova-conta-de-luz-veio-para-ficar-diz-tolmasquim-imp-,1072218*.

O plano foi postergado. Ao final, no início de 2014, o governo recorreu justamente à mesma ideia para fechar com um grupo de bancos, públicos e privados, um empréstimo bilionário com o objetivo de sustentar, no ano eleitoral, a conta de luz reduzida na marra pela presidente. Dessa vez, o crédito não seria dado aos fundos setoriais, mas sim diretamente às empresas distribuidoras de energia por meio da Câmara de Comercialização de Energia Elétrica (CCEE). A medida foi anunciada por Mantega, Zimmermann, Augustin e Tolmasquim em 13 de março. O primeiro empréstimo, de R$ 11,2 bilhões, foi concedido por um *pool* de bancos (Caixa Econômica Federal, Banco do Brasil, BTG, Citibank, Credit Suisse, Itaú Unibanco, JP Morgan, Bradesco, Bank of America e Santander). O segundo empréstimo, de R$ 6,6 bilhões, ocorreu em agosto e contou com participação maior de bancos públicos, principalmente do BNDES. Todo o dinheiro emprestado seria pago pelas distribuidoras a partir do ano seguinte com receitas que viriam com um duro reajuste na conta de luz de consumidores e empresas. Esse aumento, no entanto, só viria em janeiro de 2015, depois, portanto das eleições presidenciais.

Apesar do quadro caótico criado no setor elétrico, o governo cumpriu seu objetivo: em 2013, a conta de luz residencial caiu, em média, 13%, enquanto as tarifas comerciais e industriais sofreram reduções de 12% e 12,6%, respectivamente, segundo dados da Agência Nacional de Energia Elétrica (Aneel).

Ao todo, apenas entre setembro de 2012 e janeiro de 2014, o governo Dilma Rousseff editou cinco medidas provisórias (579, 591, 600, 605 e 615) e quatro decretos presidenciais (7.805, 7.850, 7.891 e 7.945). À exceção da medida original, a MP 579, de setembro de 2012, todas as demais foram editadas para consertar ou adicionar detalhes à proposta inicial.

Apesar de todo esse ativismo, nos primeiros dias do segundo mandato, em janeiro de 2015, a própria presidente alterou totalmente sua abordagem: determinou que todas as necessidades de recursos do

HISTÓRIA AGORA

setor elétrico seriam cobertas pelas tarifas de energia (tal qual ocorria até o fim de 2012), tirando o Tesouro totalmente do caminho, o que representou um salto no preço da tarifa de energia e que acabou contaminando a inflação daquele ano. Uma medida que Augustin tinha dito ao jornal gaúcho *Zero Hora*, em setembro de 2013, que "veio para ficar" foi praticamente abandonada pelo próprio governo Dilma.[29]

A semente das manobras obscuras nas contas públicas, no entanto, tinha sido plantada no setor elétrico e afloraria com as "pedaladas fiscais". As críticas ao ativismo desenfreado de Dilma começaram a surgir cada vez com mais força depois de suas medidas para o setor elétrico. Sem querer, um trecho do editorial "Equilíbrio enviesado", publicado na edição de domingo, 27 de janeiro de 2013 do jornal *Folha de S.Paulo*, caracterizou a política econômica de Dilma com uma figura de linguagem curiosa aos olhos do presente: "Em vez de agir de modo planejado, Dilma administra a economia como quem pedala uma bicicleta. Medidas extraordinárias, quando inevitavelmente se desgastam, têm de ser substituídas por outras — novas pedaladas que equilibrem de modo precário a bicicleta da política econômica".

Mas no meio do caminho entre o intervencionismo disseminado do governo na economia e a mais famosa manobra nas contas públicas estavam, ainda, um enigma de quatro bilhões de reais e o Banco Central.

---

[29] "Nunca achei o RS ingovernável, diz Arno Augustin, secretário do Tesouro Nacional", por Carolina Bahia e Klécio Santos, em *Zero Hora*, 14/09/2013. *http://m.zerohora.com.br/284/ noticias/4268999/nunca-achei-o-rs-ingovernavel-diz-arno-augustin-secretario-do-tesouro-nacional.*

CAPÍTULO 3.
O ENIGMA DE QUATRO
BILHÕES DE REAIS

> "Estados, como indivíduos, que observam os seus compromissos são respeitados e confiáveis, enquanto o inverso é o destino daqueles que prosseguem com uma conduta oposta."
>
> Alexander Hamilton, primeiro secretário do Tesouro norte-americano, 1790.

Maio de 2014: a Copa do Mundo está prestes a começar e o foco do país está dividido em três vetores. Por um lado, o futebol. Ansiedade para ver a seleção, que vencera a Copa das Confederações no ano anterior, batendo a então melhor equipe do mundo, a Espanha, na final disputada no Maracanã. Por outro, as eleições gerais (para presidente, vinte e sete governadores, além de deputados e senadores) estavam cada vez mais próximas e as grandes manifestações populares que tomaram as ruas brasileiras em junho de 2013 colocavam em todos os atores políticos uma dúvida sobre como dialogar e interagir com um contingente grande e heterogêneo de pessoas que, segundo elas próprias, tinham "acordado". Finalmente, o Brasil assistia ao desenrolar dos primeiros capítulos de uma investigação movida pela Polícia Federal e Ministério Público Federal e acompanhada por um juiz de primeira instância em Curitiba, Sérgio Moro, que juntos tinham deflagrado a Operação Lava-Jato apenas dois meses antes.

Naquele mês de maio, também, algo de muito estranho ocorreu nas contas públicas brasileiras. A revelação ocorreria somente um mês e meio depois, mais precisamente dois dias depois da famigerada

HISTÓRIA AGORA

partida entre Brasil e Alemanha pela semifinal da Copa do Mundo. Mais uma vez, o governo nada informou sobre o que tinha acontecido. Mas, diferente do que vinha acontecendo até então, o segredo não tinha sido guardado pelo Tesouro Nacional e o Ministério da Fazenda, mas pelo Banco Central.

Os resultados fiscais brasileiros são divulgados com um mês de diferença. Os dados de maio, portanto, somente são anunciados no fim do mês de junho, e assim por diante. Tanto o Tesouro quanto o Banco Central divulgam resultados — cada instituição apura as contas públicas com uma forma de cálculo.[30] Pequenas diferenças entre os dois são costumeiras, mas a discrepância no mês de maio de 2014 seria gigantesca.

Maio de 2014 é considerado hoje, olhando em retrospectiva, como o momento em que a crise fiscal brasileira ficou flagrante. Até abril daquele ano, o governo conseguia ainda apresentar superávits fiscais mensais — embora o resultado estivesse em queda, ainda estava no terreno positivo. Em maio, o governo registrou um déficit fiscal primário de R$ 11 bilhões, segundo o Banco Central. Foi o pior mês de maio já registrado até então, levando em conta a série histórica do BC, iniciada no fim de 1996. A magnitude desse rombo surpreendeu até os analistas mais pessimistas, que estimavam de fato um déficit, mas não daquele tamanho. Seria o primeiro de muitos déficits fiscais que se repetiram a partir daquele momento e se estenderiam pelos dois anos seguintes. Mas aquele era o primeiro. Mais que isso: era enorme.

Quando anunciou o rombo, no fim de junho em plena Copa do Mundo, Augustin disse que aquele era um ponto fora da curva e reforçou que as estimativas técnicas do Tesouro indicavam uma

---

[30] O Tesouro Nacional apura o resultado fiscal pelo critério conhecido como "acima da linha", enquanto o Banco Central pelo "abaixo da linha". No primeiro caso a análise se dá pelos fluxos de receita e despesa. No segundo, a análise ocorre pelos saldos de endividamento público, permitindo a verificação das necessidades de financiamento do setor público.

melhora dos resultados até o fim do ano. Em linha semelhante, o chefe do Departamento Econômico do Banco Central, Túlio Maciel, também manteve o otimismo, quando foi a vez do BC de divulgar o rombo. "Há uma série de eventos que devem ocorrer, como uma série de concessões, dividendos e receitas de Refis (programa de refinanciamento de dívida para maus pagadores). Isso tende a favorecer o desempenho fiscal nos próximos meses", disse Maciel.[31] Isso não ocorreu.

Mas o que não foi dito naquelas duas ocasiões em que o Tesouro e o Banco Central divulgavam os dados fiscais foi que havia acontecido algo estranho em maio.

Naquele mês, o Banco Central encontrou R$ 4 bilhões em uma conta separada de uma instituição financeira privada nacional. Esse banco privado tinha feito uma mudança em seu registro contábil e os R$ 4 bilhões, referentes a um crédito em favor da União, escaparam do sistema automático de verificação fiscal do Banco Central.

Ao encontrar a conta com os recursos que pertenciam ao governo, o BC incorporou o dinheiro no resultado fiscal e isso, evidentemente, melhorou as contas públicas. Isso quer dizer que, se não fosse aquele dinheiro, o resultado de maio teria sido R$ 4 bilhões pior — o déficit final não teria sido de 11 bilhões de reais, mas de R$ 15 bilhões.

Dias antes do fechamento dos dados, em meados de junho, uma reunião técnica foi feita entre integrantes do Tesouro Nacional e do Departamento Econômico do BC, na sede do Banco Central em Brasília. Pelo Tesouro, a enxuta equipe era chefiada pela coordenadora-geral de estudos econômico-fiscais (Cesef), Fabiana Magalhães Almeida Rodopoulos. Pelo BC, o chefe do Depec, Túlio Maciel. Além de compartilhar a informação sobre a conta de R$ 4 bilhões que escapava ao sistema automático do Banco Central, os técnicos

---

[31] "Contas públicas têm déficit de R$ 11 bilhões em maio, o pior para o mês em 13 anos", em *O Globo*, 2014. *http://oglobo.globo.com/economia/contas-publicas-tem-deficit-de-11-bilhoes-em--maio-pior-para-mes-em-13-anos-13076514#ixzz44z63351w*.

HISTÓRIA AGORA

do BC queriam dividir, também, o fato de que, segundo o banco privado responsável pela conta, aquele dinheiro era referente a despesas e receitas federais com a Previdência Social. Como os técnicos sabiam naquele momento, havia algo de estranho no relacionamento entre o Tesouro e o sistema financeiro na questão dos pagamentos obrigatórios de despesas sociais e previdenciárias. O objetivo daquele encontro era saber se havia alguma área de intersecção entre aquele dinheiro fora do radar do BC e o que estava acontecendo no relacionamento financeiro entre o Tesouro e os bancos públicos.[32]

Quando um cidadão, por exemplo, se aposenta, ele recebe sua aposentadoria pública, paga pelo Instituto Nacional do Seguro Social (INSS), por meio do banco onde tem conta — Bradesco, Banco do Brasil, Itaú, Caixa, Santander etc. O banco, público ou privado, apenas transfere os recursos que recebe do INSS. Este, por sua vez, apenas transfere aos bancos os recursos que recebe do Tesouro Nacional. Há assim uma linha de transmissão que começa no Tesouro Nacional, passa pelo INSS, chega até os bancos (públicos ou privados) e termina com o aposentado ou pensionista sacando seu benefício. Também todos os meses, os bancos transferem ao governo os recursos arrecadados das pessoas físicas e jurídicas e destinados ao financiamento da Previdência Social. Isto é, todos os meses o governo tem, de todos os bancos que operam no Brasil, créditos a receber e débitos a serem pagos.

No caso daquela conta de R$ 4 bilhões, os recursos eram referentes à Previdência Social e não tinham sido contabilizados pelo Banco Central, porque o banco privado tinha feito uma alteração no seu registro contábil. A alteração tinha sido feita no mês de fevereiro e somente em maio é que o Banco Central identificou o problema. Assim, por três meses (fevereiro, março e abril), a discrepância persistiu. Na reunião entre técnicos do Tesouro e do Banco Central realizada em junho, dias antes da divulgação oficial dos dados referentes a maio,

---

[32] Esse ponto será retomado, em detalhes, no capítulo 4.

ficou entendido que ao menos aquele estranho episódio não estaria diretamente ligado aos problemas que estavam ocorrendo entre o Tesouro e os bancos no repasse de recursos públicos. Esses problemas, pouco depois, seriam identificados: eram as "pedaladas fiscais".

Na reunião, também ficou decidido que o caso não deveria ser tornado público, uma vez que o Banco Central já tinha encontrado o dinheiro e ele tinha sido devidamente incorporado às contas públicas. Seria um ruído desnecessário. O segredo não duraria dez dias.

O gatilho

Desde o início do ano, nas contas divulgadas oficialmente pelo governo, era possível identificar uma distorção com os gastos previdenciários, que representam a maior despesa federal. Embora seja difícil estimar com precisão a evolução desses gastos, era possível saber que não só as estimativas oficiais para o desempenho do saldo previdenciário para 2014 não se sustentavam, como os gastos registrados mês a mês eram menores do que deveriam ser na comparação com iguais períodos de 2012 e 2013. Isto é, o governo não só apresentara uma previsão oficial otimista como também os dados efetivamente divulgados não pareciam corresponder à realidade.[33] Era essa também a percepção de especialistas em contas públicas que procuramos entre janeiro e junho daquele ano, os economistas Mansueto Almeida, José Roberto Afonso, Felipe Salto e Fernando Montero. Também o economista Gil Castelo Branco, responsável pela ONG Contas Abertas, vinha desde janeiro alertando para a concentração atípica de pagamentos lançados pelo governo nos últimos dias dos meses, além da crescente inscrição de "restos a pagar processados" pelo governo.

---

[33] Esse assunto será retomado em detalhes no capítulo 4.

HISTÓRIA AGORA

Em março, *O Estado de S. Paulo* revelara que o governo tinha deixado de transferir os recursos devidos às construtoras envolvidas no programa habitacional Minha Casa, Minha Vida.[34] As obras estavam num ritmo muito mais acelerado do que os pagamentos do Tesouro, o que permitia ao governo ter o melhor cenário: obras em andamento adequado e gastos públicos menores do que eles deveriam ser. Em junho, o *Valor Econômico* revelou que o Tesouro também adiara o repasse de *royalties* do petróleo devido aos Estados e Municípios, da cota-parte do salário-educação e da compensação financeira pelo uso de recursos hídricos.[35]

Havia, portanto, no fim do primeiro semestre de 2014, a percepção de que alguma distorção poderia estar ligada a um procedimento semelhante, de atrasos propositais nos repasses de recursos públicos pelo Tesouro, mas em áreas muito mais sensíveis — isto é, em programas obrigatórios do governo.

Diferente de outras despesas federais, como os investimentos públicos e as inversões financeiras, os gastos obrigatórios têm esse nome porque simplesmente não podem ser reduzidos ou cortados sem que uma lei autorize esse procedimento. O gasto é obrigatório porque o governo é obrigado por lei e pela Constituição a iniciar a sua execução. Todos os gastos públicos, claro, devem ser pagos necessariamente. Mas enquanto as chamadas despesas discricionárias, como os investimentos, podem não ser iniciadas ou mesmo reduzidas de sua previsão inicial, as despesas obrigatórias precisam ser iniciadas e, consequentemente, pagas. Ou seja, o governo pode prever no orçamento gastar um determinado montante com os benefícios do seguro-desemprego, que é um gasto obrigatório. Se, ao longo do ano, desempregados demandarem mais benefícios do que

---

[34] "Governo atrasa pagamentos do Minha Casa, Minha Vida para melhorar situação fiscal", em *O Estado de S. Paulo*, 12/03/2014, por Murilo Rodrigues Alves e João Villaverde.

[35] "União adia repasse de *royalties* para atingir meta", em *Valor Econômico*, 09/06/2014, por Ribamar Oliveira.

o governo originalmente tinha previsto gastar, ele não pode deixar de pagar: o gestor público é obrigado a pagar, independentemente de sua vontade. No caso dos investimentos, o governo tradicionalmente aplica um redutor oficial, os chamados "restos a pagar", quando deseja atrasar ou simplesmente não conseguiu realizar o pagamento devido e estipulado para aquele ano.

Esse dispositivo de nome curioso, "restos a pagar", serve para que o governo oficialmente reconheça uma dívida, mas deixe-a para ser paga no ano seguinte. Toda despesa pública começa com a dotação orçamentária, quando há o registro de que ela deve ocorrer; seguida do momento de "empenho", quando o recurso fica carimbado; passando pela fase de "liquidação" e terminando com o pagamento em si. Os "restos a pagar" são aquelas despesas que já foram empenhadas, mas ainda não foram pagas. Esse instrumento é previsto no artigo 36 da Lei 4.320, sancionada nos dias finais do governo João Goulart em 1964 e que, até hoje, disciplina as regras de Direito financeiro na gestão orçamentária no Brasil. Segundo a lei, "consideram-se restos a pagar as despesas empenhadas, mas não pagas até o dia 31 de dezembro". De acordo com o manual federal de contabilidade pública, o governo somente poderia pendurar nos "restos a pagar" as despesas devidas a fornecedores, a pessoal e encargos a recolher. No entanto, os "restos a pagar" acabaram englobando investimentos também. Ao inscrever uma despesa empenhada em "restos a pagar", o governo não atinge a estatística fiscal oficial — o resultado primário (déficit ou superávit) e a dívida líquida do setor público somente oscilam quando a despesa é efetivamente paga, isto é, quando o dinheiro deixa os cofres públicos ou quando é financiada por alguma instituição financeira. Com os "restos a pagar", o governo consegue garantir que determinada operação ou obra aconteça, mas seu impacto nas contas públicas (que ocorre com o pagamento) seja postergado para o futuro.

A inscrição de "restos a pagar", que vinha aumentando de um ano para outro paulatinamente, cresceu em ritmo muito maior

HISTÓRIA AGORA

na passagem de 2013 para 2014, como notaram os especialistas. Reportagens foram publicadas tratando desse forte salto nos "restos a pagar".[36] Antes ainda do reconhecimento oficial do governo, a ONG Contas Abertas começou a soar o alarme de que o governo pendurara uma conta muito grande em "restos a pagar" para 2014, melhorando assim, o dado final de 2013.

Mas mesmo essa manobra não tinha efeito pleno por questões óbvias. Os "restos a pagar" têm registro oficial. Embora o procedimento de inscrever cada vez mais obras ou serviços completados em "restos a pagar processados" seja discutível, uma vez que a União deixa de fazer um pagamento devido por um serviço contratado e muitas vezes já prestado, ainda assim, a rubrica "restos a pagar processados" existe e tem registro orçamentário. Há transparência no atraso, que pode ser acompanhado e cobrado.

O quadro com despesas obrigatórias era distinto. Isso porque não havia qualquer reclamação de atraso por parte de aposentados ou de outros beneficiários de programas públicos obrigatórios, como o seguro-desemprego e o abono salarial, por exemplo. As pessoas continuavam recebendo o recurso público. Os benefícios eram pagos em dia pelas instituições financeiras que servem de intermediárias entre o cidadão (o beneficiário) e o governo (representado pelo Tesouro Nacional). Além disso, o indicador oficial do endividamento público brasileiro, produzido pelo Banco Central, não indicava piora expressiva da dívida do Tesouro perante as instituições financeiras. Havia, portanto, uma enorme nuvem cinza neste assunto e ninguém poderia dizer com certeza o que estava acontecendo, apesar do cheiro forte que saía das contas públicas conforme o ano de 2014 se desenrolava. Se o governo estava, de fato, transferindo

---

[36] "Resultado fiscal de 2013 pressiona contas em 2014", em *O Estado de S. Paulo*, 13/01/2014, por Adriana Fernandes. *http://economia.estadao.com.br/noticias/negocios,resultado-fiscal-de-2013--pressiona-contas-em-2014,175128e* e "O ano com 13 meses", em Valor Econômico, 24/01/2014 por Ribamar Oliveira. *http://www.valor.com.br/brasil/3404302/o-ano-com-13-meses*.

menos recursos para o pagamento de benefícios obrigatórios e eles continuavam chegando em dia aos beneficiários e nada disso era registrado pelo Banco Central, o problema era muito mais grave do que um aumento de "restos a pagar".

A Lei de Responsabilidade Fiscal (LRF) e a Lei do Colarinho Branco deixam claro que, para o caso de instituições financeiras públicas, a operação de financiamento entre o banco e seu controlador, o Tesouro, é expressamente proibida. As aposentadorias são pagas por bancos públicos e privados, mas outros programas obrigatórios federais, como o seguro-desemprego, o abono salarial e também o Bolsa Família, são responsabilidade exclusiva da Caixa Econômica Federal, instituição financeira fechada (sem ações negociadas em bolsa de valores) e controlada 100% pelo próprio governo federal.

Não era trivial o que estava acontecendo. Também por isso era preciso ter algum nível de certeza e comprovação de que algo tão sério poderia estar em curso. Dentro do governo nem uma palavra. Mesmo após a revelação da rebelião de técnicos do Tesouro contra Augustin ainda em dezembro de 2013,[37] a instituição permanecia sob controle total de seu secretário naquele ano que concentraria as eleições presidenciais e a Copa do Mundo de futebol.

Mas o silêncio sobre a conta de R$ 4 bilhões e suas implicações com os créditos e débitos gerados pelo Tesouro junto aos bancos foi como a gota d'água final que entorna o copo. Dois dias depois da divulgação oficial pelo Banco Central do resultado das contas de maio, a informação chegou à repórter Adriana Fernandes e ao autor deste livro por meio de fonte confiável da equipe econômica. A fonte não tinha participado da reunião com o BC semanas antes, mas sabia de seu teor. Pouco falou, apenas alertou para a "conta paralela" de R$ 4 bilhões encontrada pelo Banco Central junto a um banco privado em maio e que o dinheiro tinha sido incorporado nas contas. Não mencionou

---

[37] Nota ao leitor: a rebelião será tratada em detalhes no capítulo 4.

HISTÓRIA AGORA

a origem do dinheiro ou mesmo uma possível ligação com os atrasos nos repasses do Tesouro aos bancos. Era preciso investigar mais.

Imediatamente depois de procurado, o jornalista Gustavo Paul, assessor especial do presidente da instituição, Alexandre Tombini, disse que o BC estava aberto e disposto a esclarecer todos os pontos daquela história que, até aquele momento (início do mês de julho) não tinha sequer sido mencionada pelas autoridades em público. A palavra foi cumprida: nos dias 3 e 8 de julho fomos recebidos por uma autoridade do Banco Central dentro de seu gabinete, na sede do BC no Setor Bancário Sul em Brasília. Os encontros fugiram do *script* habitual de contato entre o BC e jornalistas: não havia tempo de duração para a entrevista, que também poderia ser gravada e o Banco Central poderia ser citado oficialmente como fonte da reportagem. O único pedido foi para que a identidade da fonte fosse mantida em sigilo, o que foi respeitado e continua a ser.

O Banco Central confirmou todos os pontos: de fato, uma conta com cerca de R$ 4 bilhões em créditos pertencentes ao governo federal tinha sido encontrada pelo BC num "grupamento contábil paralelo" mantido por um grande banco privado nacional. Essa conta, ou "grupamento contábil" segundo o BC, estava fora do radar da autoridade monetária brasileira desde fevereiro. De fato, o dinheiro fora incorporado ao resultado fiscal de maio, que "teria sido um déficit da ordem de R$ 15 bilhões, e não de R$ 11 bilhões como terminou sendo". O Banco Central também confirmou que o dinheiro estava relacionado à Previdência Social e que uma reunião com integrantes do Tesouro Nacional para tratar do assunto tinha sido realizada duas semanas antes. Nada mais não foi revelado. Questionada sobre a possibilidade de atrasos propositais do Tesouro aos bancos no repasse de dinheiro para despesas obrigatórias, a fonte nada disse. Também o Banco Central não revelou o nome da instituição financeira, apenas confirmou se tratar de um banco nacional e de grande tamanho.

PERIGOSAS PEDALADAS

Após a primeira entrevista no Banco Central, outra fonte foi procurada: um técnico gabaritado que participara dos governos Lula e Dilma Rousseff e conhecia bem a relação entre o governo e o sistema financeiro. Essa fonte também falou sob a condição de anonimato, mas aceitou ter a conversa telefônica gravada, realizada no dia 3 de julho no fim da tarde. Nessa entrevista, o técnico disse que havia algo errado com a evolução dos gastos obrigatórios do governo e, tal qual os especialistas do setor privado, denominou a possível manobra de "pedalada fiscal". Sobre o caso dos R$ 4 bilhões, que lhe foi narrado antes da publicação da reportagem, a percepção, para a fonte, era clara: "isso deve estar ligado às pedaladas", disse. Naquela oportunidade, a fonte afirmou também: "por isso que está aparecendo nas contas do INSS um crescimento real negativo (dos gastos com aposentadorias e pensões) e não um crescimento em linha do que se espera. Como não tem uma fila de aposentados fazendo passeata com os *black blocs* significa que eles estão recebendo. Ou seja, alguém está pagando. Se alguém está pagando significa que os bancos estão acumulando um direito junto ao Tesouro Nacional. Os créditos que os bancos têm do Tesouro são tão maiores quanto maiores forem seus débitos". Quando ouviu a apuração de que as "pedaladas" estariam ocorrendo pelo menos desde o fim de 2013, a fonte disse que, "pela comparação entre os dados e o desempenho esperado", fazia sentido.

Finalmente, o cheiro forte que vinha das contas públicas começava a fazer sentido. A revelação do misterioso caso dos R$ 4 bilhões deu início a um processo frenético de investigação sobre as contas públicas.[38] Na reportagem estava registrado, literalmente, que aquele dinheiro

---

[38] Um ano e meio depois, em reportagem da jornalista Leandra Peres, no *Valor Econômico*, o episódio foi reforçado: "Em julho (de 2014), a pressão sobre Arno aumentou. No dia 10 daquele mês, o jornal '*O Estado de S. Paulo*', publicou matéria dizendo que o resultado do Tesouro de maio havia sido inflado em R$ 4 bilhões por uma 'conta paralela' mantida por um banco privado. 'Esse episódio foi fundamental porque mudou a dinâmica no governo', descreve um técnico que acompanhou o debate. 'A discussão que vinha sendo feita internamente, nos bastidores e em reuniões informais, ganhou urgência', afirma outra autoridade que conhece bem o assunto". Em *Valor Econômico*, 10/12/2015. *http://www.valor.com.br/pedaladas*.

poderia estar ligado às "pedaladas fiscais" do Tesouro Nacional com as instituições financeiras. Até então, chamava-se de "pedalada" o ato do governo de lançar pagamentos nos dias finais de dezembro, aproveitando o feriado bancário para que o dinheiro somente deixasse os cofres federais em janeiro do ano seguinte, burlando assim a inscrição de "restos a pagar" uma vez por ano, e não a operação que viria a ser conhecida como tal, envolvendo o atraso no repasse de recursos obrigatórios a bancos controlados pelo governo.

Dali em diante, o distanciamento entre Augustin e o ministro Guido Mantega, de um lado, e os técnicos envolvidos com as contas públicas dentro do governo, de outro, ficaria público. Isso reforçaria um movimento que envolvia até o ex-presidente Lula, que já tinha chamado a atenção de Augustin publicamente durante seminário realizado pelo jornal espanhol *El País* em Porto Alegre no início de junho. Sentado ao lado do secretário do Tesouro, Lula criticou a política econômica do governo Dilma em ano eleitoral. Nos bastidores, Lula e o PT já pressionavam a presidente a trocar Mantega e Augustin antes mesmo das eleições, como sinalização para o mercado financeiro e para o setor privado que um eventual segundo mandato dela seria melhor do que o primeiro.

A sucessão de eventos do mês de agosto — a explosão da crise das pedaladas fiscais concomitante ao acirramento da campanha presidencial — atropelaria qualquer outro movimento político. Mas antes um encerramento sobre o caso dos R$ 4 bilhões.

A negação do enigma

A reportagem sobre a conta paralela em um banco privado foi publicada no *Broadcast* na tarde de 10 de julho e depois ganhou a capa do caderno de Economia do *Estadão* no dia seguinte, recebendo uma chamada na primeira página do jornal, logo abaixo de uma foto do jogador Neymar chorando durante coletiva em que comentava sua lesão e a derrota por 7 x 1 da seleção brasileira para a alemã nas semifinais da Copa do Mundo. Na reportagem, o caso é relacionado às "pedaladas fiscais que o Tesouro tem praticado com bancos".

Nenhuma das três autoridades da equipe econômica gostou do que viu. Dias depois, 15 de julho, o Banco Central divulgou uma nota oficial. Apesar do tom crítico, a nota repetia todos os pontos registrados na reportagem e, quase sem querer, revelava algo novo: o BC tinha colocado sua área de supervisão para investigar aquela nebulosa operação do banco privado envolvendo os R$ 4 bilhões. Esse tipo de procedimento, embora comum, sempre é mantido em sigilo pelo BC para não abalar o mercado financeiro. Agora era público. Novamente, o Banco Central atuara fora do *script*.

Duas semanas depois foi a vez do secretário do Tesouro. Excepcionalmente, o resultado fiscal referente ao mês de junho (divulgado no fim de julho, portanto) foi anunciado da sala do Conselho Monetário Nacional (CMN), no quinto andar do Ministério da Fazenda, onde ficam os retratos de todos os ex-ministros. Tradicionalmente, a sala é aberta somente para eventos liderados pelo ministro. As divulgações mensais do Tesouro são feitas no auditório do ministério, instalado no piso térreo. Da sala do CMN, Augustin foi questionado sobre o caso de R$ 4 bilhões. "Não temos qualquer acesso ao sistema pelo qual eles (o BC) fazem a conta (fiscal). Quem faz a conta é o BC", disse ele. Ao ser questionado sobre a origem do dinheiro e se o montante estaria relacionado às "pedaladas fiscais", Augustin subiu o tom de voz e mencionou a nota oficial do Banco Central divulgada no dia 15. "O BC sabe qual é a responsabilidade dele e sabe qual é a nossa. A discrepância foi esclarecida já pelo Banco Central. Não temos acesso ao sistema dele", repetiu. Quando questionado sobre a participação de integrantes do Tesouro em reunião no Banco Central para tratar do caso, entre eles da coordenadora-geral de estudos econômico-fiscais Fabiana

HISTÓRIA AGORA

Rodopoulos, que inclusive estava sentada à esquerda de Augustin na cabeceira da longa mesa na sala do CMN, Augustin disse apenas que não comentaria mais o assunto.

Por último foi a vez do ministro da Fazenda. Em entrevista concedida em 30 de julho, Mantega não fez menção espontânea ao caso dos R$ 4 bilhões ou às pedaladas fiscais, que apenas tinham começado a vir a público naquele momento. Quando questionado, no entanto, sobre o episódio, o ministro também citou a nota do Banco Central e demonstrou ter conhecimento claro sobre o assunto ao mencionar detalhes: "O Banco Central já explicou tudo, inclusive em nota, que o resultado do mês de maio foi o déficit de R$ 11 bilhões. Se teve algum problema com um banco privado eu não sei e nem quero saber, porque é coisa de sigilo bancário. Cabe ao BC determinar o que está acontecendo. É da alçada dele. Pode ter lançamento contábil feito em rubrica errada por uma instituição privada, seja por engano ou por má-fé. Se tiver má-fé alguém vai pagar o pato. Mas fato é que na hora em que o BC apurou o resultado fiscal, ele fez um levantamento preciso e sem discussão".[39]

Na prática, o enigma dos R$ 4 bilhões nunca foi propriamente encerrado. O Banco Central efetivamente colocou sua área de supervisão para averiguar o que tinha ocorrido. A investigação do BC ocorreu entre 22 de maio e 29 de setembro de 2014. Depois de noventa e um dias de investigação, o BC concluiu não ser necessária a aplicação de uma multa ao banco privado nacional. Ao entender que "não houve qualquer alteração nos fluxos financeiros (recebimentos e pagamentos) entre a instituição financeira e o INSS", o BC concluiu que o caso envolveu "exclusivamente a forma de contabilização".[40]

Com o fim da Copa do Mundo, o país entraria totalmente no ciclo eleitoral e também a Operação Lava-Jato começaria a capturar

---

[39] "Não precisa de tarifaço em 2015, diz Mantega", em *O Estado de S. Paulo*, 31/07/2014, por João Villaverde, Renata Veríssimo, Mauro Zanatta e Marcelo de Moraes. *http://economia.estadao.com.br/noticias/geral,nao-precisa-de-tarifaco-em-2015-diz-mantega,1537025).*

[40] Informações obtidas por meio da Lei de Acesso à Informação em 11/12/2015.

PERIGOSAS PEDALADAS

cada vez mais as atenções nacionais. Na economia, o foco passaria a ser um só. Todos os principais atores do enredo que se seguiria já estavam devidamente escalados: Tesouro Nacional, Banco Central, Ministério da Fazenda, Caixa Econômica Federal e os demais bancos públicos. Novos atores entrariam em jogo, como a Advocacia-Geral da União (AGU), de um lado; e o Tribunal de Contas da União (TCU), de outro. Ao final, uma conta total de quase 72 bilhões de reais em "pedaladas fiscais" e um processo de *impeachment* da presidente da República no Congresso Nacional.

Por dois anos consecutivos, o Brasil discutiria rigorosamente os mesmos assuntos inaugurados em meados de 2014.

CAPÍTULO 4.
PERIGOSAS PEDALADAS

> "A ciência é complexa. O mercado é complicado. Prestação de contas não é. Ou você fez a coisa certa ou você fez a coisa errada. É simples assim."
>
> Hank McKinnel, ex-CEO da Pfizer, diretor da ExxonMobil e da Moody's.

O clima era quente e seco em Brasília no início de setembro de 2013. Segundo a meteorologia, os primeiros dias daquele mês foram um dos mais secos registrados na capital federal brasileira, com a taxa de umidade relativa do ar oscilando entre 10% e 18%, patamares que inspiram cuidados de saúde para crianças e idosos e também para adultos — mesmo aqueles que se exercitam e têm alta imunidade são orientados pelos médicos a se precaver, especialmente no início da tarde, quando o calor atinge seu auge. Dentro do Congresso Nacional, com os potentes equipamentos de ar-condicionado ligados praticamente por vinte e quatro horas ininterruptas entre segunda-feira e sábado, a sensação de tempo seco é ainda mais forte, uma vez que o corpo precisa fazer um esforço maior para extrair oxigênio do ar.

No dia 3 daquele mês, o secretário do Tesouro Nacional, Arno Augustin, chegou cedo ao Senado Federal, distante poucos quilômetros de seu gabinete, no Ministério da Fazenda. Augustin fora convidado pelos senadores para falar sobre a situação das contas públicas. Após a série de manobras contábeis que vieram à tona ao longo de 2013, especialmente no tratamento da conta de luz, Augustin

HISTÓRIA AGORA

ganhou uma evidência nacional que até então o discreto gaúcho de Carazinho não tinha amealhado.

Homem forte da presidente da República, Augustin entrou no Senado vestindo camisa branca, gravata vermelha e sobre a lapela do terno azul estava o broche dourado com o brasão do Tesouro Nacional, que comandava havia mais de seis anos naquela altura. Ele foi direto para a Comissão de Assuntos Econômicos (CAE), instalada no último salão do longo corredor de comissões do Senado. O comandante do Tesouro tinha como missão transmitir uma mensagem de solidez das contas públicas ao mundo político — e, devido à extensa cobertura jornalística que era aguardada, também ao mercado financeiro. Augustin falou por quase cinco horas e foi pouco importunado pelos senadores, mesmo por aqueles da oposição. A economia ainda não era o assunto mais importante para os políticos, mais preocupados naquele momento em decifrar os desejos de milhões de brasileiros de todas as idades que tomaram as ruas do país em junho.

Após apresentar um quadro geral das contas públicas e reforçar que o governo Dilma cumpriria a meta de poupar o equivalente a 2,3% do Produto Interno Bruto (PIB) para o pagamento de juros da dívida pública naquele ano, Augustin foi questionado pelos senadores sobre as diversas críticas que começavam a surgir na cobertura econômica nacional sobre os indicadores brasileiros, que pareciam pouco transparentes. Em sua resposta, Augustin foi direto: "Nossa situação fiscal é muito boa, mas é claro que há gente que pensa diferente. Mas há um local privilegiado onde esse debate sobre a qualidade de nossas contas se dá: o mercado. Alguns anos atrás, as taxas de juros embutidas em nossos títulos emitidos em dólares eram de 6% ao ano. Nosso último lançamento de papéis, em maio deste ano, teve uma taxa de 2,75% ao ano. O mercado, então, não acha que nossa situação fiscal está pior". Ao final de sua explicação, Augustin soltou uma frase de impacto aos parlamentares: "Ouçam menos o que os economistas dizem e prestem atenção no que eles fazem".

PERIGOSAS PEDALADAS

Terminada a audiência pública, Augustin cumprimentou os senadores e percorreu o longo corredor que separa a sala da CAE do chamado "túnel do tempo" do Senado — a área que separa o plenário e o gabinete da presidência dos gabinetes dos senadores e dos locais onde ficam as comissões. Foi acompanhado por jornalistas por todo o trajeto até o elevador que fica em frente à pequena loja de livros do Senado, mas se esquivou das perguntas, como era seu costume. Desceu até a garagem, onde um carro do Ministério da Fazenda o aguardava com o motor ligado. De volta ao seu gabinete, Augustin imediatamente foi servido de café e água por um dos garçons que trabalham no quarto andar da sede da Fazenda. Sua missão estava cumprida: a mensagem de que a política fiscal brasileira era "muito boa" tinha sido passada.

Como os holofotes da política e da imprensa estavam muito mais nos ecos das manifestações populares que tomaram as ruas do país em junho, nos preparativos (ou na falta deles) para a Copa do Mundo do ano seguinte e no cenário eleitoral que começava a se desenhar, o quadro econômico parecia razoavelmente sob o controle do governo federal. As diversas crises políticas dos últimos anos, de modo geral, sempre preservaram a administração econômica — a CPI dos Bingos, o mensalão, a "máfia dos sanguessugas", os atos secretos do Senado sob José Sarney (PMDB), a faxina de ministros envolvidos em escândalos, a CPI que investigou os negócios do bicheiro Carlos Cachoeira e a empreiteira Delta, entre outras. A política econômica passou ao largo de escândalos, demissões de autoridades, julgamentos e crises.

Apesar dos problemas cada vez mais claros nas contas públicas e na condução da política econômica, o cenário naquele momento era de relativa normalidade. Após a audiência de Augustin no Senado, o quadro era este em Brasília, prestes a encerrar mais um período de seca no cerrado. Depois dos meses consecutivos de céu azul, sol forte e umidade muito baixa, a capital federal voltaria a receber chuvas.

Dias depois, o chefe do Tesouro foi avisado por técnicos de seu gabinete que os coordenadores da instituição queriam uma reunião

HISTÓRIA AGORA

com ele. Pouco aberto a reuniões com a equipe de dezenove coordenadores do órgão que comandava desde meados de 2007, Augustin não gostou da "convocação". Fechado, inclusive a economistas do setor privado, que antes tinham pleno acesso aos titulares anteriores da Secretaria do Tesouro Nacional para tratar de questões do dia a dia, Augustin sempre teve atuação discreta em Brasília. Não tinha os laços com o mercado financeiro de antecessores como Murilo Portugal, Joaquim Levy e Carlos Kawall e internamente falava pouco com os subordinados e colegas de secretariado que, tal como ele, respondem diretamente ao ministro da Fazenda.

Mantega tinha debaixo de si seis secretários: de Acompanhamento Econômico (Seae), de Política Econômica (SPE), de assuntos internacionais (Sain), secretaria-executiva, além das duas maiores, da Receita Federal e do Tesouro Nacional. Mas diferente dos demais secretários da Fazenda, Augustin tinha acesso privilegiado ao terceiro andar do Palácio do Planalto desde 2011, quando Dilma Rousseff passou a ocupar o gabinete da presidência da República. A força de Augustin no jogo do poder de Brasília tinha crescido principalmente a partir de meados de 2012, quando ele foi colocado nos debates para formulação da medida de redução da conta de luz e também para a formatação das concessões de rodovias, ferrovias e aeroportos ao setor privado. Para completar, em junho de 2013 seu desafeto Nelson Barbosa, que comandava a secretaria-executiva e também gozava de enorme proximidade com a presidente e com o PT, deixara o governo. Augustin era soberano e assim era visto por ministros de outras áreas. Essa força dentro da burocracia do poder federal também era facilitada pelo estilo do chefe, Mantega. Diferente de outros ministros (como Joaquim Levy e Pedro Malan), Mantega não era centralizador, ao contrário: tendo pessoas de sua confiança nos cargos decisórios, ele dava a eles liberdade de atuação.

A audiência de Augustin no Senado, no início de setembro, marcava justamente esse momento: depois das turbulências vividas pelo governo desde o início do ano, era hora de entrar em um momento de tranquilidade.

100

A sucessão de eventos internos e externos nos meses anteriores tinha deixado o governo de cabelo em pé. No lado externo, a China entrara com tudo na sua reorientação econômica, autorizada pelo 12º Plano Quinquenal, aprovado pelo Partido Comunista Chinês em 2011, mas efetivamente colocado em prática a partir do ano seguinte. A China decidira mudar o eixo de seu crescimento, reduzindo o ímpeto dos investimentos (e, portanto, a demanda de suas empresas pelos produtos primários vendidos pelo Brasil na fase de ouro entre 2002 e 2012) e optando por um incremento do consumo das famílias chinesas. Sem ter se preparado para uma desaceleração da China, o Brasil sofreu violentamente os efeitos desse processo: o saldo comercial despencou de um superávit de quase US$ 30 bilhões, no primeiro ano do governo Dilma, para um déficit em 2013. Além disso, em maio, o Federal Reserve Bank (Fed, o banco central dos Estados Unidos) anunciou que começaria a reduzir as medidas de estímulo aplicadas de forma intensa por seis anos consecutivos para reagir à explosão da crise mundial. A mudança de postura anunciada pelo Fed fez desacelerar os aportes de capital estrangeiro, que ficou mais reticente com os países emergentes. Apenas nos seis meses entre 22 de maio, quando o Fed anunciou a nova política, e o fim de novembro de 2013, o índice de moedas de mercados emergentes do banco JP Morgan apresentou uma perda de valor de 7,5% em relação ao dólar.[41]

Ao mesmo tempo em que as mudanças na China e nos Estados Unidos ocorriam, também a situação brasileira mudara. Em junho de 2013, milhões de brasileiros tomaram as ruas do país para clamar por mudanças gerais.

Para fazer frente ao baixo crescimento econômico, o governo Dilma Rousseff decidira atuar em diversas frentes ao mesmo tempo.

---

[41] Discurso de Daniel Mminele, presidente do Banco Central da África do Sul, durante jantar promovido na Cidade do Cabo em 4 de dezembro de 2013 pelo Old Mutual Investor and Analyst Showcase.

HISTÓRIA AGORA

A estratégia era a chamada "Nova Matriz Macroeconômica". O governo abrira mão de quase R$ 25 bilhões por ano em arrecadação com a desoneração da folha de pagamentos, estendida a cinquenta e seis setores empresariais, e o plano de reduzir a conta de luz custaria quase R$ 20 bilhões em gastos novos do Tesouro. Além disso, a arrecadação caía mês a mês com a desaceleração da economia.

A equipe econômica decidiu, então, que não poderia ser exposto à sociedade nenhum dos problemas evidentes nas contas públicas que decorreriam de mudanças externas e também das escolhas políticas do governo de conceder desonerações e aumentar gastos. A decisão era clara: as contas públicas não poderiam desmentir os discursos otimistas do ministro da Fazenda, Guido Mantega, do secretário do Tesouro Nacional e da própria presidente da República.

Como fazer então para que a dívida pública não aumentasse, apesar dos custos mais altos cobrados pelos investidores no novo cenário, e para que os resultados fiscais não piorassem, apesar do aumento de gastos federais e da queda na arrecadação?

A principal saída escolhida pelo Tesouro Nacional foi a adoção da "pedalada fiscal".

Em setembro de 2013, quando Augustin foi ao Senado transmitir controle sobre a condução das contas públicas e otimismo com o futuro, as "pedaladas" já tinham se tornado uma operação constante. Mas naquele momento, ninguém sabia. Exceção feita ao seleto grupo do entorno do secretário do Tesouro e, claro, aos bancos que começaram a sofrer com o atraso sistemático no repasse de recursos federais e passaram a usar dinheiro do próprio caixa para continuar oferecendo os benefícios públicos.

Origem

O termo "pedalada fiscal" foi cunhado por um grupo restrito de técnicos da área orçamentária e fiscal do governo e também das assessorias

PERIGOSAS PEDALADAS

legislativas do Congresso, em especial aqueles que atendiam por outro apelido, os "siafeiros". Eram os especialistas em operar o Sistema Integrado de Administração Financeira do Governo Federal (Siafi).

O sistema foi criado em 1987 no bojo das reformas que modernizaram a gestão orçamentária e fiscal do Brasil após a grave crise econômica que acelerou o fim da ditadura e quebrou o estado. O Siafi foi criado no ano seguinte à extinção da chamada "conta movimento" que o governo mantinha no Banco do Brasil. No auge da crise econômica naquela década, o governo militar decidira usar o Banco do Brasil como agente financeiro do Tesouro para salvar empresas de diversos setores, como usinas de açúcar e frigoríficos. Para tanto, o BB sacava recursos do Banco Central, mediante a "conta movimento". Com isso, o BB tinha o privilégio de deter um financiamento automático de qualquer desequilíbrio de caixa, independentemente de sua origem, e não apenas daqueles nascidos de sua atuação enquanto agente do Tesouro.[42] Esse privilégio dava ao Banco do Brasil a condição de autoridade monetária, o que aumentava o descontrole contábil.

O mecanismo fora criado no bojo da reforma institucional baixada pelo regime militar em 1964, quando também o Banco Central tinha sido criado.[43] Mas foi a partir do fim dos anos 1970 que a "conta movimento" foi usada em larga escala. O governo militar também impulsionou logo em seus primeiros anos um orçamento paralelo, formado com recursos fiscais obtidos com o Imposto de Exportação e com o Imposto sobre Operações Financeiras (IOF), que ficavam no caixa do Banco Central e poderiam ser usados inclusive

---

[42] BELLUZZO, Luiz Gonzaga e ALMEIDA, Júlio Sérgio Gomes de. A crise da dívida e suas repercussões sobre a economia brasileira. In: *A luta pela sobrevivência da moeda nacional*. Editora Paz e Terra, 1992.

[43] Na época, a criação do BC serviu para superar o modelo que vigorou entre 1945 e 1964, em que o Banco do Brasil funcionava como autoridade monetária, mas a fiscalização dos bancos comerciais, a definição de reservas obrigatórias dos bancos e dos juros sobre depósitos bancários era feita pela Superintendência da Moeda e do Crédito (Sumoc). A criação do BC tornou o sistema mais moderno, mas o Banco do Brasil continuaria exercendo o papel de autoridade monetária por mais vinte anos.

para fomentar o crédito. O BC, portanto, era quase uma instituição de crédito oficial, com departamentos específicos de avaliação de projetos de investimentos de empresas, usando recursos de seu "orçamento monetário", enquanto que o Banco do Brasil era um banco comercial e ao mesmo tempo autoridade monetária, descontando seus empréstimos da "conta movimento".[44] Era essa a situação de caos no início de 1986 quando, enfim, a conta foi extinta e os orçamentos começaram a ser unificados chegando ao modelo que existe até hoje. Com isso, o governo, os bancos públicos e também o Congresso Nacional passaram a acompanhar, controlar e prestar contas de forma mais transparente e moderna.

Também em 1986 foi sancionada a Lei do Colarinho Branco (Lei 7.492), que tinha como objetivo o detalhamento e a punição de crimes de gestão no sistema financeiro e no relacionamento entre os bancos públicos e os governos. Também naquele ano foi criada a Secretaria do Tesouro Nacional com o objetivo de acompanhar e gerir a política fiscal federal, com autonomia quase total, ainda que vinculada ao Ministério da Fazenda.[45] Finalmente, foi em 1986 também que a "Conta Única" do Tesouro foi criada no Banco Central, facilitando a gestão financeira do governo e consolidando uma institucionalização semelhante àquela adotada em países desenvolvidos.

Com todas as reformas, as operações do Tesouro passaram a ser registradas diariamente no Siafi, um sistema complexo que apesar de atualizações e melhorias ao longo dos anos, exigiu sempre uma dose grande de rigor — e paciência — daqueles que o acompanhavam.

---

[44] NÓBREGA, Mailson da. "A construção e o desmonte das instituições fiscais". In: *Finanças Públicas*. Rio de Janeiro: Record, 2016. 1ª edição.

[45] Não confundir a atual Secretaria do Tesouro Nacional (STN) com a antiga Tesouraria do Império Português, instalada pelo rei dom João VI na Rua do Rosário, número 34, no centro do Rio de Janeiro em 1808. Quando criada, a Tesouraria do Império era chamada de Tesouro Nacional. A atual STN foi criada a partir do Decreto 92.452, de 10 de março de 1986, unificando a antiga Comissão de Programação Financeira e a Secretaria de Controle Interno do Ministério da Fazenda. (Nota do autor)

Os "siafeiros", portanto, eram aqueles técnicos que sabiam operar o Siafi e, por meio dele, podiam acompanhar parte importante da gestão contábil do governo federal.

Nas diversas operações bancárias realizadas pelo governo mensalmente — como o pagamento de aposentadorias e pensões, seguro-desemprego, abono salarial etc. — o Tesouro lança, no Siafi, uma ordem bancária de pagamento. Essa ordem é um registro, com o valor exato, tal qual um registro de uma transação bancária entre pessoas físicas, por exemplo. Mas, tal qual uma operação bancária realizada por qualquer outro cidadão ou empresa, a transferência do recurso ocorre somente nos horários de atividade das instituições financeiras.

Diante do quadro de extrema falta de recursos que o estado brasileiro estava nos primeiros anos do Siafi, o governo periodicamente lançava mão de um expediente contábil, principalmente nos meses de dezembro. A operação consistia em lançar a ordem bancária no último dia útil do mês no fim do dia, depois do fechamento dos bancos. As ordens bancárias no Siafi só eram debitadas no mesmo dia se fossem registradas até as 17h10. A partir do minuto seguinte, 17h11, a saída do dinheiro ocorre somente no primeiro dia útil posterior. O registro da ordem de pagamento, no entanto, ficava no dia certo. Essa operação, também muito comum nas secretarias de fazenda dos Estados e dos Municípios nos anos 1980 e 1990, permitia aos governos fechar um determinado mês ou ano (se a operação fosse feita no fim de dezembro) com um resultado um pouco melhor do que deveria ser. Essa prática continua a ocorrer nos dias de hoje.

Desde o fim dos anos 1980, uma manobra contábil com o intuito de fingir a realização de uma operação passou a ser, então, também chamada de "pedalada" tanto no setor público quanto no setor privado. Até operações de antecipação de receitas passaram a ganhar o apelido, entre contadores de empresas privadas, de "pedalada".

Nos jornais, o termo tem sido empregado com significados semelhantes a esse há trinta anos. Em 3 de outubro de 1990, reportagem

HISTÓRIA AGORA

da *Folha de S.Paulo* intitulada "Juros sobem e BC não vende LTN no leilão", há menção para "pedalada" como apelido para "manobra" no seguinte trecho: "Os juros altos refletem basicamente quatro fatores: 1) a política de aperto monetário do BC; 2) as empresas, mesmo as de primeira linha, deixaram de ser doadoras de dinheiro no mercado; 3) os bancos estão disputando palmo a palmo o dinheiro existente; 4) o nervosismo com as possíveis perdas está abrindo espaço para alguma 'pedalada' especulativa das taxas".

Oito anos depois, em reportagem de 6 de fevereiro de 1998 no jornal *O Globo*, os repórteres Sheila D'Amorim, Marcelo Aguiar e Geraldo Magella descreveram as diferentes formas com que investidores internacionais e empresas brasileiras aproveitavam a enorme taxa de juros oferecida pelo governo FHC nos títulos públicos (era de 38% ao ano naquele momento). Na matéria "País atraiu US$ 2 bi em uma semana", os jornalistas apontam que "as empresas brasileiras que haviam captado no exterior também vêm ajudando a manter o fluxo positivo. Muitas vêm buscando empréstimo-ponte para pagar bônus que estão vencendo. Essa 'pedalada' evita que saia dinheiro do país, para o pagamento dos bônus que vencem".

Mais tarde, a jogada feita pelo atleta Robinho, do Santos Futebol Clube, na final do Campeonato Brasileiro disputada contra o Corinthians, em dezembro de 2002, foi chamada de "pedalada", porque Robinho passava os pés diversas vezes por cima da bola sem, no entanto, encostar nela, ludibriando o adversário e simulando o pedal de uma bicicleta. Com isso, o termo ficou ainda mais popular entre contadores, economistas e técnicos de orçamento público que vivem no país do futebol.

Durante o estouro da crise mundial, o economista Paulo Rabello de Castro anotou em sua coluna "A crise financeira se alastra", publicada na *Folha de S.Paulo* em 27 de agosto de 2008, que "em meados do ano 2000, rompera-se a bolha das ações de tecnologia na Bolsa Nasdaq. E ao final daquele ano, véspera da posse de George W. Bush,

PERIGOSAS PEDALADAS

eram evidentes os sinais recessivos. Em seguida, vieram as quebras da Enron e da WorldCom e o atentado do 11 de setembro. Greenspan tinha a opção de administrar 'aquele osso', uma dura crise recessiva bem ao final de seu longo e 'mágico' mandato ou tentar, de novo, a pedalada que já usara antes — inflar o meio circulante, aumentando fortemente o incentivo ao gasto entre os americanos. Entre a glória e a crítica, não teve dúvida".

Em 2011, já no governo Dilma, o termo "pedalada" foi usado novamente, desta vez pelo especialista no setor de seguros, Antônio Penteado Mendonça, em artigo no jornal *O Estado de S. Paulo*, publicado em 29 de agosto: "O negócio do seguro tem como principal tipicidade a seguradora receber na frente o prêmio de todos os segurados, para depois, ao longo do tempo, ir pagando as indenizações decorrentes dos sinistros que atingem apenas alguns. Não fosse isso, o preço do seguro teria que ser igual ou superior ao do objeto segurado. Essa operação não pode ser feita na base da 'pedalada', ou seja, o dinheiro que vai entrando vai sendo usado para pagar os sinistros já ocorridos".[46]

Um ano depois, o termo voltaria para denominar uma das manobras feitas pelos controladores do banco Cruzeiro do Sul, que sofreria intervenção do Banco Central, em reportagem do jornalista Leandro Modé, publicada no *Estadão* em 3 de novembro de 2012. Sob o intertítulo "pedalada", o repórter escreve que "os ex-controladores do Cruzeiro do Sul usavam o dinheiro de cotistas novos para bancar os resgates dos antigos — exatamente como Bernard Madoff. Também há suspeitas de que tiravam recursos do próprio banco para esse fim. Com a intervenção do BC, a 'bicicleta deixou de pedalar', como define uma fonte, e o esquema ruiu".[47]

---

[46] "As arapucas continuam se espalhando", por Antônio Penteado Mendonça, em *O Estado de S. Paulo*, 29/08/2011. *http://economia.estadao.com.br/noticias/geral,as-arapucas-continuam-se-espalhando-imp-,765404.*

[47] "Ex-controladores do Cruzeiro do Sul são suspeitos de montar pirâmide financeira", por Leandro Modé, em *O Estado de S. Paulo*, 03/11/2012. *http://economia.estadao.com.br/noticias/geral,ex-controladores-do-cruzeiro-do-sul-sao-suspeitos-de-montar-piramide-financeira,133439e.*

Muito antes de 2014, quando o termo se disseminou, o conceito de "pedalada" como sinônimo para manobra com o intuito de ludibriar já existia e já era empregado no Brasil.

No entanto, a manobra que passou a ser chamada de "pedalada fiscal" na crise aberta em meados de 2014 era algo que ia muito além da jogada conhecida pelos "siafeiros" e pelos contadores de empresas privadas. Primeiro, que não havia, em muitos casos, sequer registro no Siafi, no Orçamento ou em qualquer outro lugar: o dinheiro simplesmente não era transferido aos bancos. Segundo, que a prática passou a ser uma política continuada: o governo parou de transferir recursos devidos à Caixa por diversos meses consecutivos. Por todo o segundo semestre de 2013 e por praticamente todo o ano de 2014 esse novo tipo de pedalada — maior, disseminado e consecutivo — passou a ser a regra. Depois que os repasses à Caixa se normalizaram, a partir de setembro e outubro de 2014, a transferência de recursos ao Banco do Brasil, ao BNDES e também ao FGTS continuou paralisada por todo o ano seguinte. Somente no penúltimo dia útil de 2015 que toda a conta de recursos atrasados a estes três bancos foi efetivamente paga. Naquele momento, o saldo total de pedaladas chegara a R$ 72,4 bilhões.

Quando esse pagamento enfim ocorreu, as pedaladas já eram de conhecimento público. Mas em setembro de 2013, quando Arno Augustin foi ao Senado transmitir tranquilidade aos parlamentares, não eram. Poucos sabiam o que estava acontecendo.

A calma antes da tempestade

O secretário do Tesouro naquele período vivia seu auge dentro do governo. Naquele ano tinha se tornado o mais longevo mandatário da instituição. Além da histórica proximidade com a presidente Dilma Rousseff, Augustin passara a ter, também, uma autonomia sem paralelos. Seu principal rival dentro do governo, o economista Nelson Barbosa, tinha pedido demissão do cargo de secretário--executivo do Ministério da Fazenda em junho de 2013 depois de iludir-se com a possibilidade de ser alçado à condição de ministro na transição de Lula para Dilma. Finalmente, o ministro Mantega começara, também em 2013, a transferir mais poder para Augustin.

Desde o ano anterior, o ministro da Fazenda tinha passado seu espaço na Junta Orçamentária, formada apenas por ministros, para o secretário do Tesouro. Na junta, formada pelos mandatários da Fazenda, do Planejamento e da Casa Civil, discutiam questões orçamentárias, como os cortes de gastos necessários para se atingir a meta fiscal de cada ano e os resultados eram apresentados diretamente à presidente. Na junta havia igual poder de "voto", embora a ascendência da Fazenda fosse inevitável. Com Augustin no lugar de Mantega, essa predominância era ainda maior: ele não só era o chefe do caixa, o Tesouro, como seu conhecimento das engrenagens fiscais da máquina federal era muito superior ao das então ministras da Casa Civil (Gleisi Hoffmann) e do Planejamento (Miriam Belchior). Assim, mesmo sem ser ministro, era Augustin quem dava as cartas na Junta Orçamentária, sempre com a anuência de Mantega.

A decisão sobre o corte orçamentário deve ser resultado de uma conta matemática e de uma análise política. Segundo dita a Lei de Responsabilidade Fiscal, o governo deve apresentar para a sociedade uma meta determinada de poupança de recursos fiscais primários como forma de estabilizar ou reduzir a dívida pública. Essa meta, chamada de "superávit primário", pode ser obtida, basicamente, de duas formas: com uma arrecadação maior do que as despesas federais primárias (que excluem gastos financeiros, como o pagamento de juros) ou, quando somente a arrecadação não dá conta, com um corte de gastos. O forte crescimento da economia entre 2004 e 2011 permitiu ao governo cumprir suas metas de superávit primário sempre com aumento de arrecadação. A partir de 2012, com o início do processo de redução do crescimento, as receitas com impostos e tributos começaram a cair. Ao mesmo tempo, as diversas desonerações tributárias criadas pelo governo justamente naquele período aumentaram esse movimento de queda. Assim, para que o superávit primário fosse atingido era preciso cortar mais gastos.

As reuniões da Junta Orçamentária ganharam grande importância em decorrência desse quadro. Para cumprir as metas seriam precisos elevados contingenciamentos de gastos federais. Como cerca de 90% de todas as despesas no Orçamento são carimbadas, isto é, obrigatórias, a tesoura nos gastos atinge, basicamente, os investimentos públicos. Estava decidido pelo governo que os investimentos não poderiam ser cortados — ao contrário, eles tinham que aumentar. Mas, ao mesmo tempo, estava decidido que uma piora no quadro fiscal não poderia ser aparente. Como fazer tudo isso caber?

Uma estratégia de Augustin e Mantega era a de camuflar o déficit da Previdência Social. Ao divulgar para a sociedade que o rombo seria menor, consequentemente o contingenciamento de gastos federais para atingir a meta fiscal também seria menor. A tática foi largamente empregada nos anos 2013 e 2014. No meio do caminho, ainda custou o emprego de um técnico que ousou discordar.

A manobra com a Previdência

O servidor Leonardo Rolim, potiguar especialista em temas previdenciários e orçamento público, concursado da assessoria legislativa da Câmara dos Deputados e um "siafeiro" dos anos 1990, foi escolhido pelo conterrâneo Garibaldi Alves para ser o secretário de políticas previdenciárias do Ministério da Previdência Social quando Garibaldi virou ministro em janeiro de 2011. Ele passaria a ser o responsável pelo desenho de políticas para a área, além de acompanhar Garibaldi em todas as entrevistas concedidas pelo ministro. Rolim desempenhou suas funções no ministério por 3 anos e 4 meses até ser demitido, em abril de 2014, por ter entrado no caminho de Augustin e Mantega.

Em 2013, por decisão da Junta Orçamentária, a previsão de déficit da Previdência Social inserida no orçamento foi de R$ 36,2 bilhões. Até o final de novembro foi essa a previsão oficial, embora ninguém mais (no mercado, nas agências de classificação de risco de crédito e no próprio governo) levasse a sério. O déficit seria muito superior àquele número, mas ao manter o dado fixo num patamar baixo, o governo permitia a si mesmo continuar tocando a previsão orçamentária sem aplicar cortes de gastos. O governo alterou sua projeção somente na última avaliação orçamentária, faltando menos de quarenta dias para o fim do ano. A previsão passou a ser de R$ 41,2 bilhões. Internamente, Rolim, de posse das mesmas informações do INSS que a Fazenda e o Tesouro Nacional tinham, sabia que mesmo essa nova previsão não correspondia à realidade.

O dado final só foi conhecido em janeiro de 2014, quando os resultados de 2013 foram concluídos. O déficit fora de R$ 49,9 bilhões (em valores da época). O número final foi quase nove bilhões de reais pior do que a estimativa feita pelo governo ainda no fim do ano e quase R$ 14 bilhões pior do que a previsão oficial vigente até novembro.

Em 2014, ano eleitoral, a estratégia foi a mesma. Mas desta vez o isolamento de Augustin e Mantega foi ainda maior. Quando, na Junta Orçamentária de fevereiro, foi decidido que a previsão para o déficit da Previdência Social seria colocada em R$ 40,1 bilhões, até os técnicos da Secretaria de Orçamento Federal (SOF), vinculada ao Ministério do Planejamento, não sabiam mais como fazer seus trabalhos. Augustin tinha decidido que, mesmo sem qualquer reforma na estrutura de pagamentos de pensões e aposentadorias ou com um aumento nas receitas do INSS, o déficit final da Previdência Social em 2014 seria muito menor do que o déficit registrado em 2013.

Rolim, pela Previdência, não aguentou. Quando acompanhou Garibaldi para uma entrevista ao jornal *Valor Econômico*, ele afirmou

HISTÓRIA AGORA

que a projeção do governo não se sustentava.[48] A projeção oficial, feita pelo Ministério da Fazenda, era, segundo Garibaldi, "completamente irreal". O déficit seria "pelo menos" R$ 10 bilhões pior, na faixa de R$ 50 bilhões. Quer dizer, se tudo desse certo, o governo fecharia 2014 com um déficit estável em relação a 2013. O mais provável (como efetivamente aconteceria) seria um aumento do rombo. Mas seja como for, o déficit certamente não seria menor do que no ano anterior.

A entrevista de Garibaldi foi publicada no dia 17 de março e imediatamente esquentou o clima nos gabinetes da equipe econômica.[49] Augustin ficou enfurecido com a publicação, ao ver as mesmas críticas feitas pelo setor privado às previsões excessivamente otimistas feitas pela área econômica do governo, desta vez saindo do próprio governo, isto é, do Ministério da Previdência. Foi se queixar com Mantega, no gabinete do ministro. A entrevista manchava a condução das contas públicas e criava ruído em ano eleitoral, entenderam. Mantega ligou para o Palácio do Planalto para falar com o colega Aloizio Mercadante, então ministro-chefe da Casa Civil. Mercadante então telefonou para Garibaldi. De ministro para ministro ficou acertada uma reparação.

No mesmo dia, o ministro da Previdência divulgou nota pública voltando atrás nas críticas e dizendo ser possível que o déficit de sua área fechasse 2014 em R$ 40,1 bilhões, "conforme prevê a área econômica do governo". Foi estabelecido, também, que Rolim deveria deixar seu cargo como forma de evitar futuras contestações. Sua demissão foi concluída dias depois e assinada por Mercadante na edição de 3 de abril do *Diário Oficial da União*.

---

[48] "Rombo da Previdência deve ficar em R$ 50 bi em 2014, diz ministro", em *Valor Econômico*, por Lucas Marchesini e Edna Simão, 17/03/2014.

[49] "Ministro da Previdência contesta números da equipe econômica para déficit em 2014", em *O Globo*, 17/03/2014, por Geralda Doca. *http://oglobo.globo.com/economia/ministro-da-previdencia-contesta-numeros-da-equipe-economica-para-deficit-em-2014-11906090.*

Até o fim de 2014, o governo manipularia a projeção de déficit da Previdência com o intuito de evitar um corte muito grande nos seus gastos. Ao final, o déficit seria de R$ 56 bilhões (em valores da época). Rolim voltou para a assessoria parlamentar no Congresso. Garibaldi Alves deixou o Ministério da Previdência com a reeleição de Dilma e voltou para o Senado onde, em 31 de agosto de 2016, votaria pelo afastamento da presidente.

Augustin e Mantega reagiram rapidamente ao episódio Rolim-Garibaldi, em março de 2014, porque ambos já estavam trabalhando internamente para contornar os questionamentos e as pressões que vinham do conselho de administração da Caixa Econômica Federal e do presidente da instituição, Jorge Hereda, que naquele momento já estava rompido com Augustin. A direção da Caixa estava desesperada com os crescentes atrasos bilionários nos repasses do Tesouro e como isso poderia ser interpretado por órgãos de controle e investigação caso viesse a público. Augustin e Mantega também estavam, desde dezembro, empenhados em transmitir ao setor privado e ao mercado financeiro mensagens de tranquilidade interna e de rigor no manejo das contas públicas. Havia uma espécie de "tempestade perfeita" nos bastidores da equipe econômica do governo Dilma Rousseff naquele momento, fazendo com que a audiência do secretário do Tesouro no Senado, em setembro de 2013, fosse a "calma antes da tempestade".

A chuva começou a cair forte em novembro, quando os coordenadores da Secretaria do Tesouro se amotinaram e a rebelião interna veio a público nos primeiros dias de dezembro.

O motim do Tesouro

Augustin tinha dito no Senado que os parlamentares não deveriam ouvir os economistas do mercado, mas sim olhar para o comportamento deles. Ele citou baixas taxas de juros implícitas nos títulos

HISTÓRIA AGORA

emitidos pelo Tesouro como prova: ao aceitarem taxas pequenas, os investidores estavam cobrando pouco do governo brasileiro, o que é um sinal clássico de finanças públicas de confiança na capacidade do governo de honrar seus compromissos. As elevadas taxas de juros cobradas pelo mercado para os títulos emitidos pelos governos da Itália, Espanha, Portugal e Grécia no auge de suas dificuldades deixam isso claro. Ao contrário, os Estados Unidos têm rolado sua dívida pública com títulos que embutem taxas de juros iguais ou próximas a zero por quase dez anos desde 2007 justamente porque seu governo historicamente goza de credibilidade no mercado financeiro.

A fala de Augustin, portanto, tinha força histórica: "vejam como o mercado se comporta".

Menos de dois meses depois, no entanto, o movimento do mercado para a dívida brasileira começara a mudar. Estavam ficando aparentes rachaduras na política fiscal, em especial pelo tratamento dado à conta de luz e pela queda na arrecadação devido às amplas desonerações concedidas pelo governo.

No fim de outubro, o Tesouro emitiu 3,2 bilhões de dólares em títulos para investidores americanos e europeus. A taxa de juros final foi de 4,305% ao ano — a maior taxa para emissões de títulos no exterior em quase quatro anos. Em outras palavras: para os investidores, a política fiscal brasileira não tinha melhorado entre 2010 e 2013. Ao contrário, tinha se deteriorado.

Outro exemplo, naquele momento, era a taxa de juros do título chamado NTN-F (Nota do Tesouro Nacional modelo F) com vencimento em 2023. A remuneração desse papel, isto é, a taxa de juros embutida no título, tinha como referência os juros negociados no mercado. A NTN-F é um título prefixado, ou seja, os juros definidos no momento da negociação entre o Tesouro e o investidor são fixados e o governo precisa pagá-los anualmente ao detentor do papel até o vencimento — no caso, em 2023. No início de 2013, a distância entre os juros da NTN-F e aqueles do mercado era de trinta e três pontos básicos. No fim do ano,

PERIGOSAS PEDALADAS

a diferença já caíra a cinco pontos. Era um sinal claro e evidente de que o mercado estava cobrando do governo juros maiores, e não menores.

Entre os técnicos o sinal de alerta estava ligado. Se não houvesse uma reversão de expectativas logo, o movimento do mercado seria cruel com as contas públicas e o governo teria de arcar, cada vez mais, com taxas de juros maiores. Depois de todo o esforço feito nos últimos quinze anos para tornar a dívida brasileira menor, mais barata e de vencimento de longo prazo, uma mudança nesse perfil seria trágico.

Na reunião com Augustin, os técnicos apresentaram indicadores de deterioração das contas. O encontro ocorreu em 22 de novembro, na sala do Conselho Monetário Nacional (CMN), no sexto andar da sede do Ministério da Fazenda. Todos os dezenove coordenadores falaram, enquanto os subsecretários ficaram quietos. Apesar desse silêncio, Augustin sabia que havia divisões entre eles. De um lado, o subsecretário de dívida pública, Paulo Valle, compartilhava a visão crítica quanto à política fiscal e como aqueles rumos, se estendidos até o fim de 2014, causariam estragos na composição da dívida pública brasileira. Também essa era a posição do subsecretário de assuntos corporativos, Líscio Camargo, servidor de carreira do Instituto de Pesquisa Econômica Aplicada (Ipea) cedido ao Tesouro. Do outro lado estava justamente o encarregado da política fiscal, Marcus Aucélio, subsecretário de política fiscal e braço direito de Augustin.

A apresentação dos coordenadores era clara. Havia risco acentuado de um *downgrade*, um rebaixamento da nota de crédito do Brasil pelas agências internacionais de *rating* — notadamente Moody's, Standard & Poor's e Fitch. Como foi justamente a melhora fiscal brasileira o principal fator por trás da melhora da nota do Brasil a partir de 2005 pelas agências, o que aumentou a entrada de capital estrangeiro no país, diminuindo o custo de rolagem da dívida pública, um rebaixamento teria implicações dramáticas: perder aquilo que demorou tanto a ser conquistado faria os custos da dívida nacional aumentarem muito, além de ser constrangedor para o governo e

HISTÓRIA AGORA

para a instituição Tesouro Nacional. O trabalho dos coordenadores, apresentado a Augustin, começou a ser preparado ainda em julho de 2013, sendo inicialmente concluído em setembro, logo após a participação do secretário na Comissão de Assuntos Econômicos (CAE) do Senado. Quando a reunião foi enfim agendada para o fim de novembro, uma última atualização nos dados e nas previsões técnicas foi feita dias antes do encontro de 22 de novembro.

Os coordenadores do Tesouro mostraram a Augustin que não só a meta fiscal de 2013, estabelecida numa quantia equivalente a 2,3% do PIB não seria atingida, como o fato de o governo continuar dizendo que seria só piorava a imagem das contas públicas perante as agências de *rating*, o mercado financeiro e os agentes privados de modo geral.[50] Com as previsões de recuo no ritmo de crescimento do PIB para 2014, as receitas continuariam a cair, mas o governo não tinha dado demonstrações de que os gastos cairiam na mesma medida — ao contrário. Com isso, um rebaixamento da nota do Brasil, de "grau de investimento" para a volta do "grau especulativo", poderia ocorrer dentro de um horizonte de dois anos a partir daí.

Ao final da apresentação de dezesseis *slides*, Augustin respondeu. Ele argumentou que a política fiscal servia para gerar condições para o crescimento econômico e que essa era a visão do governo. Os diversos estímulos tributários concedidos a uma série de setores, a partir do ano anterior, combinados a um aumento das despesas do governo com investimentos públicos e mesmo com o setor elétrico, de forma a permitir que a conta de luz ficasse mais barata aos consumidores e empresários, tinham permitido que a taxa geral de investimentos no país tivesse atravessado o período de crise na União Europeia e

---

[50] Em 2012, o governo passou o ano defendendo um superávit primário equivalente a 3,1% do PIB — mesmo patamar de 2011, portanto. Ao final, mesmo com manobra envolvendo o Fundo Soberano do Brasil (FSB), a poupança foi menor, de 2,4% do PIB. Em 2013, a meta foi reduzida a 2,3% do PIB e o governo insistiu nessa mensagem até o final. Mais uma vez, não cumpriu. A poupança fiscal foi de 1,9% do PIB, mesmo com as "pedaladas" ainda não descobertas. A mesma estratégia se repetiria em 2014.

PERIGOSAS PEDALADAS

também a lenta recuperação dos Estados Unidos. Por fim, Augustin apontou a taxa de desemprego baixa como um dos principais trunfos da política econômica conduzida até ali: se cada vez mais avançava a formalização de trabalhadores informais é porque o ciclo virtuoso estava funcionando. Os custos para o país não eram grandes, argumentou Augustin, que com sua explicação aos coordenadores deixou claros dois pontos: 1) aquilo que tinha sido feito até ali, novembro de 2013, continuaria por todo o ano de 2014 e era preciso aceitar isso; 2) a política econômica ideal defendida por ele desde os tempos de Democracia Socialista (DS) no PT nos anos 1990 e no primeiro mandato de Lula era aquela em marcha, em que todos os instrumentos econômicos tinham como eixo o mercado de trabalho formal.

Para Augustin a reunião deixou claro que, a partir dali, mais responsabilidade — e, portanto, mais poder — ficaria sob suas mãos. A insatisfação com os rumos da política fiscal pelos coordenadores e o temor, como servidores, de assinarem medidas que poderiam gerar questionamentos e processos em tribunais administrativos forçariam que ele, mais do que nunca, seria o responsável isolado pelas medidas em curso e aquelas que estavam por vir. Ao concentrar as operações e decisões, Augustin também fez com que cada vez menos informações circulassem pelo Tesouro e consequentemente pelo governo. Isso, mais tarde, dificultaria ainda mais o acesso por parte de sua própria equipe e também dos jornalistas.

Ao fim da reunião, no início da noite de 22 de novembro, ficou entendido, ainda que não de forma explícita, que nada daquele encontro poderia circular. O documento de noventa e sete páginas preparado pelos coordenadores desde julho e resumido em dezesseis *slides* na apresentação a Augustin não poderia vir a público. De fato, ele levaria mais de dois anos para ser revelado na íntegra.[51]

---

[51] "O aviso foi dado: pedalar faz mal", em *Valor Econômico*, dezembro 2015, por Leandra Peres. *http://www.valor.com.br/pedaladas.*

HISTÓRIA AGORA

O que Augustin não esperava era atender o telefone de seu gabinete, treze dias depois da reunião, e ouvir dos assessores especiais do ministério Guilherme Barros e Fábio Graner, que os jornalistas queriam ouvir a versão dele sobre o encontro. O motim do Tesouro tinha vazado. Na noite de 4 de dezembro a primeira reportagem foi publicada no *Broadcast*, o serviço de tempo real do *Grupo Estado*, e antes das 22 horas estava também no *site* do jornal, aberto a qualquer leitor. Augustin leu de seu computador e chegou a mandar mensagens eletrônicas para alguns técnicos de sua confiança tratando do assunto.

Na manhã do dia seguinte uma versão maior estava na capa do caderno de Economia de *O Estado de S. Paulo*,[52] e também o jornal *Folha de S.Paulo* trazia matéria sobre o motim.[53] Na reportagem do *Estadão*, estavam informações e palavras-chave que, para Augustin, não poderiam ter vazado de forma alguma:

> "Identificado como o autor intelectual de manobras contábeis para fechar as contas do governo Dilma Rousseff, o secretário do Tesouro Nacional, Arno Augustin enfrenta resistências cada vez maiores entre seus auxiliares (...), o clima está quente nos corredores por causa da condução da política fiscal e o sentimento de incômodo é maior na área de dívida pública. (...) A temperatura aumentou nos últimos dias, após uma reunião realizada no fim de novembro no Ministério da Fazenda entre Augustin, os coordenadores-gerais e os subsecretários. Insatisfeitos com a condução da política fiscal, os coordenadores-gerais apontaram 'preocupação total', segundo os temos de participantes do encontro, em relação aos juros. Uma apresentação com indicadores macroeconômicos e fiscais foi feita pelos coordenadores. (...) Arno

---

[52] "Tesouro paga mais para vender títulos e técnicos pressionam Arno Augustin", em *O Estado de S. Paulo*, por João Villaverde e Adriana Fernandes, 04/12/2013. *http://economia.estadao.com.br/noticias/negocios,tesouro-paga-mais-para-vender-titulos-e-tecnicos-pressionam-arno-augustin,171927e.*

[53] "Indefinição fiscal leva Tesouro a lavar roupa suja", por Sheila D'Amorim e Natuza Nery, em *Folha de S.Paulo*, 05/12/2013. *http://www1.folha.uol.com.br/fsp/mercado/142139-indefinicao--fiscal-leva-tesouro-a-lavar-roupa-suja.shtml.*

PERIGOSAS PEDALADAS

defendeu a política fiscal do governo e disse que não compreendia as críticas de investidores relatadas por seus auxiliares. (…) A grande preocupação da área de dívida do Tesouro é que a desconfiança do mercado com os indicadores brasileiros ganhe força caso as agências de classificação de risco rebaixem a nota brasileira. (…) Procurada, a Secretaria do Tesouro, por meio da assessoria de imprensa do Ministério da Fazenda, não se pronunciou sobre a insatisfação da equipe técnica com o secretário, mas afirmou que não há dificuldades na rolagem de títulos públicos no mercado".

Augustin ficou enfurecido. Segundo um técnico do Tesouro, ativo durante esses episódios, os dias que seguiram foram os piores no relacionamento entre ele e a equipe. O secretário se sentiu traído. Logo na manhã de 4 de dezembro ele convocou os seis subsecretários para sua sala. Ele queria saber quem havia vazado as informações para os jornalistas. Suspeitando ser Paulo Valle, por ser responsável pela dívida pública, Augustin olhava para ele quando ameaçou abrir processos disciplinares pelo vazamento. Todos se esquivaram. De fato, ninguém naquela sala sabia quem havia sido o responsável inicial pelo vazamento da informação. A reunião terminou às bruscas, com Augustin tendo de atender uma ligação do ministro da Fazenda que estava no Palácio da Alvorada em reunião com a presidente da República.

Mantega ficou duas horas com Dilma no Alvorada naquela manhã, e a rebelião do corpo técnico do Tesouro foi o principal assunto da conversa. De acordo com um assessor próximo a Dilma naquele momento, a presidente estava profundamente incomodada de ver aquilo nos jornais.[54] Ali, ambos decidiram que Augustin precisava falar com os jornais para "tranquilizar" o público e também que os coordenadores negassem a ideia de motim. Foi iniciada uma espécie de

---

[54] "Dilma cobra Mantega sobre crise no Tesouro Nacional", em *O Estado de S. Paulo*, 05/12/2013 — Marcelo de Moraes, João Villaverde e Adriana Fernandes. *http://economia.estadao.com.br/noticias/geral,dilma-cobra-mantega-sobre-crise-no-tesouro-nacional,172109e*.

"operação abafa" para evitar que aquilo ganhasse maiores proporções. De tão difícil contato, Augustin ficou facilmente disponível para uma entrevista, concedida por telefone à tarde, para negar que o motim dos coordenadores fosse por discordância quanto à condução da política fiscal. Na noite anterior quando procurado antes da publicação da reportagem no *Broadcast* e no *site* do *Estadão*, ele tinha se negado a comentar o assunto. Agora, menos de doze horas depois, Augustin estava totalmente aberto a falar sobre o episódio. "Não há descontrole no Tesouro",[55] disse ele por telefone em ligação que foi acompanhada pelo então chefe da sucursal de Brasília do *Estadão*, o jornalista Luiz Weber, junto do autor e de Adriana Fernandes na sala de reuniões da antiga sede da sucursal do jornal em Brasília, no edifício Varig.

No fim da tarde, enquanto a edição do dia seguinte do jornal era fechada, a assessoria de comunicação do Ministério da Fazenda novamente entrou em contato com os jornalistas, desta vez para repassar o que seria uma "nota dos coordenadores" do Tesouro Nacional. Na nota, os coordenadores negavam a informação de que não havia "clima de rebelião, confronto ou insubordinação no relacionamento entre os coordenadores, os subsecretários e o secretário do Tesouro Nacional". A nota, no entanto, não fora assinada e também não trazia os brasões do Ministério da Fazenda e do Tesouro Nacional.

Em contato telefônico com o autor naquela noite, Otávio Ladeira, um dos coordenadores, então responsável pela área de planejamento estratégico da dívida pública da instituição, disse que o texto foi feito por todos os coordenadores e por decisão deles, sem pressão de Augustin.[56] Ladeira tinha sido uma das principais vozes entre

---

[55] "Augustin nega motim de técnicos do Tesouro", em *O Estado de S. Paulo*, 05/12/2013, por Adriana Fernandes e João Villaverde: *http://economia.estadao.com.br/noticias/economia-geral,augustin--nega-motim-de-tecnicos-do-tesouro,172065,0.htm*.

[56] Anos depois, em dezembro de 2015, quando Nelson Barbosa assumiu o Ministério da Fazenda, Ladeira foi escolhido como secretário do Tesouro Nacional, cargo que continuou ocupando por algumas semanas quando Barbosa foi substituído por Henrique Meirelles após o afastamento de Dilma.

os coordenadores na apresentação do documento técnico em 22 de novembro, e seu jeito manso e calmo de se expressar foi novamente importante no momento de apagar o incêndio desatado pela revelação do motim pelos jornais. Por isso ele foi escolhido para falar e dar declarações.

Depois da reunião com Dilma, Mantega viajou a São Paulo para participar de um seminário com empresários. "Não há crise no Tesouro. Augustin cumpre as missões, principalmente na área de dívida pública", disse Mantega ao público.

Para que a revelação do motim dos técnicos do Tesouro não aumentasse a aversão a risco do mercado com os papéis do governo, a instituição ofereceu menos da metade de títulos aos investidores no leilão realizado em 5 de dezembro. O Tesouro ofertou 1,6 milhão de LTNs e 300 mil NTN-Fs, e mesmo assim não vendeu tudo. Na semana anterior, o Tesouro tinha colocado à venda 4,5 milhões de LTNs, mas apenas um terço tinha sido efetivamente comprado pelo mercado.

Para completar a "operação abafa", Mantega concedeu em São Paulo, dias depois, uma longa entrevista ao *Estadão*. Seu objetivo era deixar claro que toda e qualquer manobra contábil ou ruído no tratamento das contas públicas tinha ficado no passado. O novo ano traria uma nova abordagem, segundo sua mensagem: "agora, uma operação para ser aprovada não pode apenas ser legal, ela precisa também parecer legal".[57]

Por isso, diante de tanto esforço de comunicação, meses mais tarde, a reação às críticas públicas aos cálculos e estimativas orçamentárias feitas pelo ministro da Previdência Social, Garibaldi Alves, e seu principal secretário, Leonardo Rolim, foi rápida e letal para Rolim. O ministro da Fazenda e o secretário do Tesouro Nacional queriam

---

[57] "Mantega: ordem neste ano e nos próximos é não fazer operação que não pareça correta", em *O Estado de S. Paulo*, 15/12/2013, João Villaverde e Ricardo Leopoldo. *http://economia.estadao.com.br/noticias/economia-geral,mantega-ordem-neste-ano-e-nos-proximos--e-nao-fazer-operacao-que-nao-pareca-correta,172973,0.htm.*

fazer de 2014 um ano perfeito: a política econômica não poderia ser um assunto eleitoral, facilitando o caminho para a reeleição da presidente Dilma Rousseff.

Só que a partir de agosto, faltando apenas dois meses para a eleição presidencial, um problema muito maior veio a público. Dessa vez não seria possível se esquivar ou forçar a demissão de um técnico. O alerta dos técnicos do Tesouro e o desespero da direção da Caixa Econômica Federal estavam ligados ao novo tipo de pedalada fiscal inaugurado em 2013 e que estava a pleno vapor em 2014.

O problema da Caixa

"Pode até ser legal, mas isso aqui está dando uma merda grande lá para a gente", disse o baiano Jorge Fontes Hereda, arquiteto de formação e presidente da Caixa Econômica Federal, ao seu amigo Guido Mantega, no gabinete do ministro da Fazenda. O assunto era sensível: os crescentes atrasos no repasse de recursos do Tesouro Nacional aos ministérios do Trabalho e do Desenvolvimento Social, que por sua vez ficavam sem repassar esses recursos para a Caixa usar no pagamento de programas sociais obrigatórios, como o Bolsa Família, o seguro-desemprego e o abono salarial. Eram as novas pedaladas, na casa dos bilhões de reais, mantidas por meses consecutivos.

Quando o balanço de 2013 da Caixa foi fechado, no início do ano seguinte, o pânico do conselho de administração da instituição financeira era grande. A Caixa já tinha sido obrigada a operar um programa que, sabia-se desde o início, não fazia sentido econômico, chamado "Minha Casa Melhor". Com alto potencial de inadimplência, a Caixa perderia dinheiro com o programa criado por Dilma e apoiado por Augustin para "complementar" o programa habitacional Minha Casa, Minha Vida e estimular ainda mais o consumo das famílias. Fazia parte da estratégia maior, a Nova Matriz Macroeconômica. Não bastasse isso, o Tesouro continuava demandando elevado pagamento de dividendos da Caixa para ajudar a aumentar a poupança fiscal e equilibrar a perda de receitas por causa da baixa arrecadação e pelas desonerações. Finalmente, a Caixa começou a sofrer fortemente no segundo semestre de 2013 com a falta de repasse de recursos para os programas sociais obrigatórios. Pressionada de todos os lados, a instituição cobrou o Ministério da Fazenda. Por causa dos crescentes embates, Hereda e Augustin já tinham rompido e não mais se falavam. O contato tinha ficado estritamente entre Hereda e Mantega, que sempre mantiveram relação amigável.

As volumosas pedaladas praticadas pelo Tesouro nos ministérios forçavam a Caixa a usar recursos próprios para continuar pagando em dia os programas de seu controlador, o governo. Essa atitude da Caixa poderia ser interpretada como uma violação grave à Lei de Responsabilidade Fiscal e também à Lei do Colarinho Branco, gerando consequências administrativas e também penais. O pânico era grande. Os ministérios levantavam os braços: eles não recebiam os recursos, não tinham como transferir para a Caixa o que não tinham. A falta de resposta do Tesouro e da Fazenda tornava a apreensão maior. Os advogados e também os vice-presidentes da Caixa sugeriram usar uma última alternativa, também dramática: a instituição financeira deveria buscar um terceiro, a Advocacia-Geral da União (AGU), para determinar o que deveria ser feito na relação com o Tesouro. Hereda deu o sinal verde e a AGU imediatamente deu início: uma câmara de conciliação e arbitragem foi aberta na AGU envolvendo a Caixa e o Tesouro.

Os atrasos do Tesouro continuavam. Hereda levou o assunto a Mantega em audiência no gabinete do ministro em julho.[58] A direção executiva da Caixa e também os integrantes do conselho

---

[58] Não foi possível determinar a data exata da reunião aqui reconstituída por fontes que dela participaram. O encontro ocorreu em julho, provavelmente no dia 24. *http://www.fazenda. gov.br/agenda-de-autoridade/agenda-de-autoridade/2014-07-24?month:int=7&year:int=2014.*

HISTÓRIA AGORA

de administração da instituição já tinham conhecimento, naquele momento, da delicada situação criada pelos atrasos do Tesouro. Dada a insistência do Tesouro em continuar atrasando os repasses, o contato da Caixa dentro da Fazenda passou a ser o então secretário-executivo do Ministério da Fazenda, Paulo Caffarelli, que assumira o cargo em fevereiro. Oriundo do Banco do Brasil, Caffarelli entendia perfeitamente a sensibilidade do assunto, e a partir dele pontes com o chefe, Guido Mantega, foram estabelecidas para que o tema fosse tratado, ainda que tudo fosse mantido sob discrição. A reunião de Hereda com Mantega teve a participação de outros técnicos, entre eles Caffarelli, e não vazou para a imprensa. Naquele momento, a Caixa já estava havia um ano em grande nível de tensão — envolvendo vice-presidentes e a área jurídica da instituição, além de três ministérios intermediários entre a Caixa e o Tesouro.

A tensão tinha base real. Uma interpretação para a pedalada — de que, ao usar recursos próprios para continuar pagando em dia despesas do governo, que é o controlador da Caixa, a instituição estaria financiando o governo — poderia significar a infração de duas leis.

No caso da Lei do Colarinho Branco, o maior temor era com as eventuais consequências penais. O artigo 17 da lei é claro ao proibir que o controlador e os administradores de instituição financeira tomem ou recebam, direta ou indiretamente

> "empréstimo ou adiantamento, ou deferi-lo a controlador, a administrador, a membro de conselho estatutário, aos respectivos cônjuges, aos ascendentes ou descendentes, a parentes na linha colateral até o 2o grau, consanguíneos ou afins, ou a sociedade cujo controle seja por ela exercido, direta ou indiretamente, ou por quaisquer dessas pessoas: Pena — reclusão, de 2 (dois) a 6 (seis) anos, e multa."[59]

---

[59] Lei nº 7.492, de 16 de junho de 1986.

Ou seja, mesmo que a operação da Caixa, ao manter os pagamentos de programas obrigatórios do governo usando recursos próprios, não fosse entendida como um empréstimo, isto é, uma operação de crédito, ainda assim poderia ser entendido como um "adiantamento" da Caixa em nome do seu controlador. A Lei do Colarinho Branco tinha fechado também essa porta ao proibir tanto "empréstimos" como "adiantamentos".

A preocupação com o risco de a manobra terminar com uma pena de prisão era tão grande dentro do governo entre o fim de 2013 e o início de 2014, que a área jurídica da Caixa buscou todas as alternativas possíveis para dirimir esse temor. Logo encontraram dois pareceres da AGU, assinados pelo advogado Geraldo Magela da Cruz Quintão nos últimos dias do governo Itamar Franco, em dezembro de 1994. Esses pareceres, denominados CG50 e CG53, esclareceram o entendimento da AGU naquele momento, apenas oito anos após a sanção da Lei do Colarinho Branco: os efeitos do artigo 17 não poderiam ser estendidos ao governo federal. Segundo a interpretação feita pela AGU e sancionada pela presidência da República no fim de 1994, os efeitos da Lei do Colarinho Branco valiam somente para governadores e prefeitos. Esses pareceres deixaram a direção da Caixa e outros integrantes do governo mais tranquilos: ao menos o risco penal estava definitivamente afastado. Augustin tinha conhecimento dos mesmos documentos.

As dúvidas quanto aos efeitos da Lei de Responsabilidade Fiscal, no entanto, permaneceram. Continuaram também os atrasos bilionários no repasse de recursos do Tesouro Nacional aos ministérios e destes à Caixa. A câmara de arbitragem na AGU, para definir o conflito entre a Caixa e o Tesouro, também continuou aberta.

Os buracos começam a se abrir

Depois da revelação do caso de R$ 4 bilhões, no início de julho, as engrenagens de controle de dentro e de fora do governo começaram a se mover. De repente, os envolvidos na manobra se deram conta de que mais cedo ou mais tarde a história poderia deixar as sombras e ganhar um raio de sol.

Na segunda-feira, 14 de julho, os advogados Eduardo Pereira Bromonshenkel e Jailton Zanon da Silveira, da diretoria jurídica da Caixa Econômica Federal, enviaram à câmara de arbitragem da AGU o ofício de número 0018/2014 com assunto claro: "Repasses de recursos insuficientes pelo MDS (Ministério do Desenvolvimento Social) para os pagamentos dos benefícios do Programa Bolsa Família e custo financeiro decorrente de diferenças de atualização de saldos negativos verificados nas contas suprimento". O ofício da Caixa apontava que entre outubro e dezembro de 2013 e novamente "desde fevereiro" daquele ano, 2014, os repasses de recursos pelo ministério eram insuficientes. A Caixa também dizia que "para permitir o acesso aos recursos pelo público destinatário" ela vinha "realizando os pagamentos". Em seguida, o departamento jurídico da Caixa afirmava que, após análise da questão, houve entendimento que esse procedimento não infringia a Lei de Responsabilidade Fiscal por não constituir uma operação de crédito.[60] Mesmo assim, a Caixa buscou a AGU com o objetivo de conseguir a "regularização dos repasses pelo Ministério do Desenvolvimento Social e Combate à Fome, necessários e suficientes ao pagamento do benefício do Bolsa Família, bem como o devido ressarcimento dos custos já suportados diretamente pela Caixa".

O documento da instituição financeira faz referência a outro ofício feito por sua diretoria jurídica e entregue à câmara de arbitragem da AGU um dia após o Natal de 2013. Neste caso, o ofício 027/2013, de teor quase idêntico, só que voltado aos repasses insuficientes do Ministério do Trabalho para o pagamento dos benefícios dos programas Seguro-Desemprego e Abono Salarial. Esses atrasos

---

[60] Ofício 0018/2014, Caixa Econômica Federal.

PERIGOSAS PEDALADAS

começaram, segundo o departamento jurídico da Caixa, em julho de 2013. "Considerando a movimentação de recursos das contas suprimento dos programas no período de agosto/2013 a 18/12/2013 (repasses efetuados, pagamentos realizados e saldos diários), existe valor a ser pago à Caixa, em razão do custo financeiro decorrente de diferenças de atualização."

Esse ofício tinha sido preparado com base em nota técnica do gerente de Benefícios Sociais da Caixa, Ricardo Endo, e do superintendente de Programas Sociais, Ivan Domingues, concluída em 19 de dezembro. Por serem os responsáveis justamente pelas áreas que estavam sem dinheiro, Endo e Domingues tinham todos os dados em mãos. O documento técnico dizia claramente que a Caixa estava sofrendo perdas financeiras com o repasse insuficiente de recursos pelo governo. "A situação de saldos negativos nas contas tem reduzido a oportunidade de receita para a Caixa, visto que com o aporte de recursos deixa de realizar operações remuneradas com base na taxa Selic, enquanto que na ocorrência de saldos negativos são atualizados pelo Ministério do Trabalho e Emprego pela taxa extra-mercado, cerca de 5% inferior à Selic." Entre agosto e dezembro, Endo e Domingues calcularam que a Caixa tinha perdido R$ 1,8 milhão com a operação. "Não é adequada a situação de perda de remuneração pela Caixa", escreveram.[61]

De posse dessa nota técnica, os advogados da Caixa formularam o ofício enviado à AGU ainda em dezembro de 2013. Além da perda financeira, a Caixa estava dando passos diante de um abismo perigoso: ao usar recursos próprios para pagar despesas federais ela poderia ter descumprido a Lei de Responsabilidade Fiscal.

Enquanto tudo ainda acontecia em segredo do grande público, os advogados da Caixa fizeram, a pedido do presidente da instituição, uma apresentação detalhada aos integrantes do conselho de

---

[61] Ofício 027/2013, Caixa Econômica Federal.

HISTÓRIA AGORA

administração sobre os problemas com o Tesouro. A reunião ocorreu em 6 de junho de 2014, e todos os então conselheiros estavam presentes: Maria Fernandes Caldas, Ricardo Soriano de Alencar, Liana do Rego Motta Veloso, Fernando Ferraz Rego Neiva, Marden de Melo Barboza e Antônio Henrique da Silveira, além do próprio Hereda.

Foram apresentados os números das contas suprimento da Caixa, usadas para o pagamento de seguro-desemprego e abono salarial (abastecidos com recursos transferidos pelo Ministério do Trabalho) e também do Bolsa Família (sustentado com recursos repassados pelo Ministério do Desenvolvimento Social). Foi apresentado, também, o quadro de impasse: a Caixa tinha entrado na AGU e estava em "litígio" com os ministérios numa câmara de conciliação e arbitragem, mas já se sabia com clareza naquele momento que os ministérios eram apenas intermediários na transação, impossibilitados de repassar recursos que não estavam recebendo do Tesouro. O que não havia certeza, ainda, era quanto às consequências jurídicas daquilo tudo. O uso de recursos próprios pela Caixa poderia enquadrar a instituição justamente na vedação estabelecida pela Lei de Responsabilidade Fiscal. A Caixa continuara fazendo os pagamentos em dia com seus próprios recursos, porque entendia que os contratos de prestação de serviços estabelecidos entre ela e os ministérios permitiam essa interpretação, mas o risco de descumprimento da LRF não estava de todo afastado.

Diante desse impasse, o conselho de administração decidiu que o melhor seria a Caixa parar de fazer os pagamentos até que o departamento jurídico entendesse que esse procedimento não infringia nenhuma lei. Entre os integrantes do conselho estavam técnicos experimentados, como Liana Veloso e Ricardo Soriano, procuradores da Fazenda Nacional, além de Antônio Henrique da Silveira, que até outubro do ano anterior fora secretário de Acompanhamento Econômico (Seae) do Ministério da Fazenda, e conhecia bem o método de trabalho e a lógica por trás das decisões de Augustin no Tesouro.

A recomendação do conselho tinha profundas implicações, e a reunião terminou sendo a "mais séria, silenciosa e grave" de todas as realizadas ao longo do primeiro mandato de Dilma, segundo o relato de um dos presentes ao autor.

Apesar da recomendação do conselho de administração, a Caixa continuou pagando os benefícios sociais, usando recursos próprios para isso, uma vez que os atrasos do Tesouro Nacional continuaram. Isso porque dezoito dias depois do tenso encontro do conselho de administração, os advogados da Caixa concluíram que a operação era legal.[62] Na realidade, as dúvidas continuaram em toda a Caixa, mas a área jurídica entendeu que a decisão da instituição, de continuar pagando em dia os benefícios sociais obrigatórios do governo, não poderia ser contestada nos tribunais, mas sim a prática do Tesouro em si.

A Caixa já discutia internamente desde o fim do ano anterior se deveria inscrever os recursos devidos pelo Tesouro em razão dos atrasos na subconta "Valores a receber — programas sociais". Se fizesse isso, no entanto, duas consequências imediatas estariam engatilhadas. Primeiro, a Caixa estaria admitindo que, ao ter recursos a receber do Tesouro ela tinha feito um "empréstimo" ao órgão, o que é proibido pela LRF. Segundo, a inscrição de uma dívida do setor público forçaria o Banco Central a fazer algo que não tinha sido feito até aquele momento, que era reconhecer as novas pedaladas fiscais como dívidas federais e que, portanto, deveriam ser incorporadas pelo BC no cálculo da dívida pública. O assunto também chegou a ser tratado entre Hereda e os integrantes do conselho de administração da Caixa na reunião realizada em 6 de junho, mas todos entenderam que não era possível inscrever as dívidas criadas pelo Tesouro com as pedaladas como valores a receber "ante a

---

[62] A opinião da área jurídica, no entanto, somente foi levada ao conselho três meses depois, como revelou o repórter Vinicius Sassine dois anos mais tarde, em "Caixa ignorou recomendação de Conselho contra 'pedaladas fiscais'", em *O Globo*, 09/04/2016.

possibilidade de caracterização de empréstimo a controlador". Isto é, ficaria escancarado que a Caixa estava financiando o governo e, com isso, violando a LRF.

Com todas essas dúvidas na cabeça, Hereda chegou ao Palácio do Planalto em 29 de maio, para uma reunião com a presidente Dilma Rousseff. Ela convocara o ministro das Cidades, Gilberto Occhi, responsável pelo programa Minha Casa, Minha Vida, tocado pela Caixa, para discutirem a possibilidade de lançar a fase 3 do programa durante a campanha presidencial daquele ano. Além de Occhi e Hereda, estavam presentes Guido Mantega e Arno Augustin, além da ministra do Planejamento, Miriam Belchior. Os atrasos nos pagamentos devidos às obras da fase 2 chegaram a ser tratados, mas até onde foi possível reconstituir da reunião, nem Hereda nem Mantega levaram à presidente a crise criada pelos atrasos propositais do Tesouro naquela reunião. Ao longo do mês de junho, após a tensa reunião com o conselho de administração (no dia 6), e o parecer da área jurídica ter sustentado ser possível manter os programas mesmo com recursos próprios (no dia 24), a temperatura da crise aumentou ainda mais, com os nervos à flor da pele na medida em que as diferentes dúvidas e versões jurídicas se amontoavam.

A crise aumenta e a AGU entra em jogo

No meio do caminho entre o primeiro ofício da área jurídica da Caixa (de dezembro de 2013, sobre os atrasos no seguro-desemprego e abono salarial) e o outro (de julho de 2014, sobre os atrasos no Bolsa Família), passando pela tensa reunião de Hereda com o conselho de administração da instituição, em 6 de junho, houve um capítulo dramático. Uma das reuniões da câmara de arbitragem da AGU deixou clara para todos os atores envolvidos que a crise não seria resolvida sem, antes, ficar ainda pior.

PERIGOSAS PEDALADAS

A reunião em questão ocorreu na manhã de 18 de abril de 2014, em Brasília, das 10h30 às 13 horas. Foi comandada pela advogada Mareny Guerra de Oliveira, conciliadora da Consultoria-Geral da União, vinculada à AGU. Na mesa estavam representantes da área jurídica da Caixa e também dos ministérios do Trabalho e do Planejamento. O assunto era o atraso no repasse de recursos obrigatórios à Caixa, que estava usando dinheiro próprio para continuar pagando em dia dois dos mais volumosos programas federais, o seguro-desemprego e o abono salarial. O encontro foi realizado na sala de reunião 2 da Câmara de Conciliação e Arbitragem Federal (CCAF) no edifício--sede da AGU.

Mareny abriu a reunião com um pequeno resumo da controvérsia, iniciada em 2013, e que a AGU tinha entendido existir admissibilidade das queixas da Caixa, por isso a câmara tinha sido aberta. Havia um atraso grande, na faixa dos bilhões de reais, nos repasses do Ministério do Trabalho para a Caixa e esta decidira usar recursos próprios para continuar pagando os benefícios trabalhistas. Como esses atrasos eram volumosos e recorrentes, repetidos mês após mês a partir de julho de 2013 e continuavam até aquele momento, abril de 2014, um problema estava instaurado e precisava ser solucionado de alguma forma. "A pretensão da Caixa, no procedimento conciliatório, é a de que haja um acordo no qual se obtenha a regularização do fluxo de recursos para o pagamento dos benefícios e a solução do custo financeiro consistente nas diferenças de atualização dos saldos negativos das contas suprimento", disse Mareny. Em seguida, a advogada passou a palavra para os representantes da Caixa. Eles reforçaram os argumentos do ofício encaminhado à AGU no fim de 2013, isto é, que a Caixa estava sem receber a quantidade necessária de recursos do Ministério do Trabalho para o pagamento do seguro-desemprego e do abono salarial e que por decisão da instituição financeira continuou pagando esses benefícios com seus recursos. Os advogados da Caixa reforçaram também que o interesse da instituição era de receber o

HISTÓRIA AGORA

dinheiro devido pelo governo e que os atrasos não se repetissem no futuro. Estava subentendido que, tal qual registrado nos ofícios, a Caixa não acreditava em infração à Lei de Responsabilidade Fiscal, mas queria que os atrasos acabassem.

A palavra, então, foi para os representantes do Ministério do Trabalho. Foi dito claramente: o ministério estava sem receber do Tesouro Nacional e não tinha, portanto, como repassar o dinheiro à Caixa. Segundo o registro oficial de Mareny, os representantes do Ministério do Trabalho relataram "retardo" no repasse de recursos do Tesouro. Levaram com eles a Lei 8.019, de 1990, e leram o artigo 6º: "O Tesouro Nacional repassará mensalmente recursos ao FAT (Fundo de Amparo ao Trabalhador), de acordo com programação financeira para atender aos gastos efetivos daquele Fundo com seguro-desemprego, abono salarial e programas de desenvolvimento econômico do BNDES". Em seguida citaram que o ministério vinha pedindo insistentemente a liberação dos "valores retidos" no Tesouro. Por fim apresentaram o ofício 82/2014, encaminhado exatamente uma semana antes ao Tesouro Nacional solicitando a liberação de recursos para o repasse à Caixa e posterior pagamento dos benefícios obrigatórios. Mareny concluiu a reunião dizendo que convocaria para o próximo encontro da câmara representantes do Tesouro Nacional e do Ministério da Fazenda.[63] Ficou claro para todos os envolvidos que o quadro não tinha solução: todos dependiam de uma decisão do secretário Arno Augustin ou do ministro da Fazenda, Guido Mantega, para que o dinheiro devido à Caixa fosse pago e que os atrasos não se repetissem. Não havia alternativa.

O relato da reunião chegou ao chefe de Mareny, Francisco Orlando Costa Muniz, diretor da Câmara de Conciliação e Arbitragem da Administração Federal (CCAF), na AGU. Aos poucos, a visão geral do que estava acontecendo foi se formando, conforme os relatos

---

[63] Termo de reunião 041/2014 — CCAF/CGU/AGU-MGO.

de advogados como Mareny chegavam a Muniz. No mês de junho ele dividiu os achados com o procurador-geral da União, Paulo Henrique Kuhn, e com o secretário-geral de Consultoria, Fernando Luiz Albuquerque Faria.

O impasse, para todos, era claro, dado que a controvérsia jurídica era flagrante. Também estava claro que ele seria facilmente resolvido: bastava o Tesouro fazer os pagamentos devidos à Caixa. Reuniões foram marcadas, então. O assunto ganharia importância, extrapolando os limites da câmara de arbitragem. Em 2 de julho, Kuhn teve reunião no fim da tarde, na AGU, com o subsecretário de Política Fiscal do Tesouro, Marcus Aucélio. Dias depois, o *Estadão* revelou o misterioso caso dos R$ 4 bilhões e a reportagem fazia referência à possível relação daquele dinheiro com as manobras "pedaladas fiscais". Com isso, no dia 22 de julho, uma grande reunião foi realizada na AGU. Ela foi comandada por Faria, o secretário-geral de Consultoria, e por Orlando Muniz, diretor da câmara de arbitragem, e contou com a participação de quase todos os atores: Marcus Aucélio (Tesouro) e o diretor jurídico da Caixa, Jailton Zanon da Silveira (que tinha assinado o parecer sobre os atrasos do Tesouro apenas oito dias antes), além de Isaac Menezes Ferreira, o procurador-geral do Banco Central e também Arnaldo Sampaio de Moraes Godoy, consultor-geral da União.

O encontro tomou toda a manhã e terminou da mesma forma: do lado do Tesouro o relato de que a baixa arrecadação forçara o uso do expediente de não pagamento do que era devido à Caixa pelos programas sociais obrigatórios desde meados do ano anterior; enquanto a Caixa dizia ter fechado apenas no fim de junho um entendimento de que a Lei de Responsabilidade Fiscal não estava sendo violada, mas que ainda assim dúvidas continuavam, dada a complexidade do assunto. Não só dúvidas quanto à legalidade, mas também aos atrasos do Tesouro continuavam. Nova reunião foi marcada uma semana depois, na manhã de 31 de julho na AGU,

HISTÓRIA AGORA

novamente comandada por Faria e contando com o procurador do Banco Central, e Jailton da Silveira, da Caixa, mas desta vez incluindo Fabrício da Soller, representante da Procuradoria-Geral da Fazenda Nacional (PGFN). Os atrasos do Tesouro e a legalidade daquelas operações continuavam. Ninguém sabia como poderia ser resolvida a situação iniciada exatamente um ano antes, entre os meses de julho e agosto de 2013. Foi decidido, então, que todo aquele imbróglio deveria subir ainda mais de escalão e chegar ao chefe de Faria e de todos os demais integrantes da AGU.

O advogado Luís Inácio Lucena Adams comandava a Advocacia-Geral da União desde o fim de 2009. Antes disso fora o chefe da PGFN. Controvérsias legais envolvendo política tributária e fiscal são sua área de maior conhecimento. Sua habilidade política e a capacidade de dialogar, inclusive com inimigos do governo em busca de consenso, o gabaritavam a ser um possível indicado ao Supremo Tribunal Federal (STF). Gaúcho de Porto Alegre, Adams concluiu o curso de Direito na Universidade Federal do Rio Grande do Sul (UFRGS) em 1987 e chegou ao serviço público federal em 1993, quando se tornou procurador da Fazenda Nacional ao passar em concurso. Foi consultor jurídico e secretário executivo-adjunto do Ministério do Planejamento e, devido ao estilo conciliador, chegou a secretário-geral de Contencioso da AGU em 2001, quando a instituição era comandada por Gilmar Mendes. Quando Mendes foi alçado ao STF, no ano seguinte, Adams voltou para a PGFN. Em 2006, o advogado gaúcho chegou ao comando da procuradoria, onde seu estilo de trabalho ficaria ainda mais evidente: uma de suas principais lutas foi formular e negociar o Projeto de Lei 5.082, que permitiria a negociação tributária — um caminho para resolução de disputas envolvendo impostos e tributos fora dos tribunais, mas pela conciliação e arbitragem.

No fim de 2009 foi convidado por Lula a assumir a AGU. Logo no ano seguinte ele regulamentou a Câmara de Conciliação e

Arbitragem da Administração Federal, instrumento que, para ele, deveria ser preponderante nas disputas entre órgãos e instituições do governo federal. Antes de tomar uma decisão, por mais prosaica que seja, ele tem por costume consultar diversos técnicos de sua confiança para que levantem diversas opiniões contrárias. No gabinete da AGU era costume ouvir brincadeiras de subordinados com o fato de continuar ameno na relação interna mesmo tendo que lidar com o estilo irascível de Dilma ao tratar de temas sempre sensíveis em reuniões com a presidente. Quando voltava do Planalto após uma tensa reunião, Adams trancava-se no gabinete e somente após um tempo solitário é que passava à frente diretrizes e pedidos aos demais servidores. Leitor voraz e paciente, Adams tinha por hábito ler pareceres caminhando em seu gabinete, e quando estava em dúvida, lia documentos e livros inteiros mesmo sentado em mesas de restaurantes de Brasília quando chegava no local antes de sua companhia. Em seus anos à frente da AGU, Adams foi discreto, tomando a linha de frente do debate público somente em momentos mais dramáticos, como durante a longa greve de servidores federais em meados de 2012. Até aquele momento, o advogado gaúcho conseguira fazer seu trabalho com discrição e chegou a ser cotado para uma vaga de ministro do Supremo Tribunal Federal, como tinha ocorrido com seus antecessores na AGU, Gilmar Mendes e José Antônio Dias Toffoli.

Em 2014, ano eleitoral, Adams tinha diante de si a missão mais delicada da carreira: enquanto o profundo e ramificado esquema de propinas envolvendo a Petrobras era revelado pela Operação Lava-Jato (o que demandava uma defesa por Adams dos diretores da estatal citados), ele tinha que, ao mesmo tempo, lidar com um problema complexo trazido para dentro de seu gabinete por manobras mal resolvidas tocadas por outro gaúcho, o comandante do Tesouro Nacional.

Quando a câmara de arbitragem foi aberta, Adams sinalizou a todos que o papel da AGU era o de encontrar uma solução que afastasse questionamentos administrativos e mesmo penais para a conduta de integrantes do governo. Do lado da Caixa, a única solução possível era fazer o Tesouro voltar a operar como de costume, repassando os recursos necessários para o pagamento dos diversos programas sociais obrigatórios. Do lado do Tesouro havia apenas o silêncio.

No início de agosto, após todos os esforços movidos pelos demais integrantes da AGU e pela área jurídica da Caixa, Adams começou a ser colocado a par de todos os detalhes. Enquanto isso, outro movimento ocorria no Banco Central. Depois do encontro na AGU, em 31 de julho, o procurador-geral do BC, que já tinha começado a estudar o assunto em todas as suas minúcias, teve acesso a um extenso trabalho do advogado Cristiano de Oliveira Lopes Cozer, seu adjunto. Cozer tinha acabado de fechar um parecer técnico que buscava analisar aquelas operações da Caixa forçadas pela situação do Tesouro à luz da legislação. Ele visava auxiliar os trabalhos do Departamento de Supervisão Bancária (Desup), do BC, que tinha sido instaurado com "o propósito de analisar as circunstâncias em que ocorreram determinados desembolsos de recursos efetuados por instituições bancárias, na condição de repassadoras de valores de programas sociais do governo federal".

O resultado do trabalho de Cozer foi o parecer 267/2014-BCB/PGBC, de 7 de agosto de 2014. Ele concluiu que o governo não tinha infringido o artigo 34 da Lei 4.595[64] e tampouco o artigo 17 da Lei do Colarinho Branco. Ambos os artigos proíbem que uma instituição financeira conceda empréstimos ou adiantamentos a seus controladores. No caso de bancos públicos, o controlador é a União, representada pelo Tesouro Nacional.

No parecer, o procurador-geral adjunto do BC avaliou ser possível entender que a Caixa tinha concedido "adiantamentos" ao

---

[64] A Lei 4.595, de 31 de dezembro de 1964, criou o Conselho Monetário Nacional (CMN).

PERIGOSAS PEDALADAS

Tesouro ao usar recursos próprios para continuar pagando em dia programas federais.

"O cerne da questão, como bem identifica a consulta posta à PGBC, está na possível configuração de empréstimo ou adiantamento direta ou indiretamente deferido a controlador, nas hipóteses em que o pagamento antecipado a beneficiários de programas sociais envolve instituição financeira federal, a Caixa Econômica Federal (...), é uma empresa pública federal, sendo a integralidade de seu capital social, por conseguinte, de titularidade da União. Assim, nos casos de pagamento com recursos próprios de verbas correspondentes ao abono salarial, seguro-desemprego ou Bolsa Família, poder-se-ia cogitar de adiantamento (direto) à controladora — a União. Similarmente, na situação de pagamento de benefícios previdenciários com recursos próprios por bancos públicos federais (a própria Caixa Econômica, além do Banco do Brasil, do Banco da Amazônia etc.), é possível aventar a existência de adiantamento do INSS, beneficiando indiretamente à União, uma vez que tais pagamentos devem ser realizados com o uso de recursos orçamentários transferidos pelo Tesouro Nacional. (...) É concebível, em tese, que a prática contratual consiste no pagamento a beneficiários de programas sociais pela instituição financeira, mediante o uso de recursos próprios, com posterior reembolso (acrescido de remuneração) pela entidade da Administração Pública Federal, seja considerada como adiantamento, para os fins do art. 34 da Lei 4.595 e do art. 17 da Lei 7.492."

Sem embargo, o procurador invocou os mesmos pareceres GQ50 e GQ53, da Advocacia-Geral da União de 1994, para afastar o risco de infração das leis. Os documentos já tinham sido levantados pela área técnica da Caixa e também no Tesouro Nacional, mas o registro formal pela procuradoria-geral do Banco Central trouxe mais tranquilidade naquele momento.

HISTÓRIA AGORA

Os riscos de infração da Lei de Responsabilidade Fiscal, por outro lado, ainda não estavam afastados, como a própria Caixa deixava claro, ao manter a discussão aberta na câmara de arbitragem da AGU. Os procuradores do Banco Central estudaram o tema, mas entenderam que não cabia a eles tal veredicto: a questão da LRF era "estranha" às atribuições legais do Banco Central. O parecer de Cozer foi endossado pelo procurador-geral Ferreira em 11 de agosto, que também reforçou que "há questões de índole legal que reclamam por uma análise mais detida sobre a natureza jurídica dos pagamentos dos benefícios sociais efetuados com recursos próprios pelas instituições financeiras". Neste caso, a análise desde a perspectiva da Lei de Responsabilidade Fiscal deveria ser feita pelo Ministério da Fazenda, entenderam os procuradores do Banco Central.

Assim, um último movimento para encontrar uma solução para os atrasos propositais do Tesouro Nacional como forma de camuflar a real situação das contas públicas foi feito no dia seguinte, na manhã de 12 de agosto. Por meio de um ofício, o Banco Central solicitou à PGFN uma resposta sobre como as evidências de atrasos nos repasses do Tesouro deveriam ser tratadas. O BC entendia se tratar de um assunto de finanças públicas e não de estabilidade financeira, "competindo ao Ministério da Fazenda a supervisão da matéria". No ofício, o BC anexou o parecer do dia 7, cravando que a utilização de recursos próprios da Caixa para fazer os pagamentos dos benefícios não descumpria leis de efeito penal e, por isso, nenhuma comunicação deveria ser feita ao Ministério Público Federal. Assim, para o Banco Central, uma solução precisava ser encontrada pelo próprio governo, e a PGFN poderia ter esse encaminhamento.

A resposta veio dezesseis dias depois e desagradou o Banco Central. Assinada pelo procurador da Fazenda Nacional, Júlio Cesar de Aguiar, a resposta dizia que o BC precisava decidir se o tema, afinal, era pertinente à área de fiscalização da autoridade monetária e, se sim, caberia, portanto, ao Banco Central buscar uma conciliação para o assunto. Além disso, a PGFN deixou claro que "com relação às instituições financeiras federais, o entendimento é que a análise dos contratos de operações de crédito entre tais instituições e entes da Federação é da competência dos respectivos órgãos jurídicos".[65]

Quando a resposta chegou, no entanto, o problema já era outro. A discrição dada ao delicado problema criado nas contas públicas tinha ido por água abaixo. No dia seguinte à primeira comunicação do Banco Central à PGFN, o conflito instaurado na equipe econômica e nos bancos públicos ganhou as páginas dos jornais.

As pedaladas ganham vida própria

A câmara de arbitragem da AGU envolvendo as pedaladas fiscais do Tesouro na Caixa foi revelada na noite de 12 de agosto em reportagem publicada no *Broadcast*, o serviço de notícias em tempo real do *Estadão*, e no dia seguinte estava na capa do caderno de Economia da versão impressa do jornal.[66] Também no dia 13, a *Folha* trouxe reportagem de Julio Wiziak e Mariana Carneiro, ambos escrevendo de São Paulo, com informações semelhantes, na capa do caderno Mercado.[67] No *Estadão*, Adams falara publicamente.

Quando procurado pelo autor deste livro na tarde do dia 12, o advogado-geral da União confirmou a existência da câmara, embora ele ainda estivesse se inteirando de todos os pormenores. Com sua confirmação, no entanto, pela primeira vez o assunto fora tratado publicamente. "A Caixa fez sim um pedido para a abertura de uma

---

[65] Parecer PGFN/CAF/nº 1393/2014, obtido pelo autor.

[66] "Atraso no repasse de verba do Tesouro à Caixa cria conflito dentro do governo", em *Broadcast*, 12/08/2014 e em *O Estado de S. Paulo*, 13/08/2014 — Murilo Rodrigues Alves e João Villaverde. *http://economia.estadao.com.br/noticias/geral,atraso-no-repasse-de-verba-do-tesouro-a-caixa--cria-conflito-dentro-do-governo,1543038.*

[67] "Governo 'sangra' a Caixa e poupa o Tesouro para pagar benefício social", em *Folha de S.Paulo*, 13/08/2014, por Julio Wiziak e Mariana Carneiro.

câmara de arbitragem para tratar com o Tesouro. A câmara foi aberta e estamos discutindo", disse ele.

A publicação das reportagens pelos dois jornais escancarou que, de fato, o governo estava atrasando a transferência de recursos fiscais obrigatórios para o pagamento de diversos programas sociais e que a Caixa, pressionada por essas circunstâncias, tinha apelado para a AGU em busca de uma solução. De repente, em meio às eleições, o governo Dilma Rousseff se via diante de um conflito sensível envolvendo bilhões de reais e uma possível manipulação dos resultados fiscais. Ao atrasar o repasse de recursos, o Tesouro Nacional podia apresentar despesas artificialmente menores do que elas deveriam ser na prática, o que gerava um quadro fiscal melhor do que ele efetivamente era. Desde maio, o governo convivia com déficits fiscais, mas eles seriam ainda piores se não fossem as novas pedaladas fiscais.

Uma crise de grandes proporções estava para ser aberta. No entanto, o destino foi outro e ninguém poderia imaginar. Naquela mesma manhã de 13 de agosto em que os jornais *Estadão* e *Folha* traziam as reportagens sobre a câmara de arbitragem, o jatinho onde viajava o ex-governador de Pernambuco e candidato à Presidência Eduardo Campos (PSB) caiu em Santos (SP) numa tragédia que tirou a vida do terceiro colocado nas pesquisas eleitorais, e dos demais seis passageiros da aeronave. Os holofotes nacionais foram deslocados para Pernambuco, onde Campos tinha sido eleito e reeleito governador com esmagadora maioria dos votos nos anos anteriores. Ele tinha concedido entrevista ao vivo da bancada do televisivo *Jornal Nacional* na véspera da tragédia e estava, naquele momento, ganhando projeção nacional. Depois de sua morte, com a entrada na campanha presidencial da candidata a vice, Marina Silva, todas as atenções se concentraram de uma vez só na história eleitoral. Da noite para o dia, Marina Silva surgira em primeiro lugar nas pesquisas de opinião de voto, com chances reais de vencer as eleições.

PERIGOSAS PEDALADAS

As reportagens sobre as pedaladas continuaram, mas o assunto só voltaria a ganhar proeminência na escalada de notícias a partir do ano seguinte.[68]

Nos gabinetes do poder, por outro lado, as reportagens ligaram o sinal vermelho: o problema agora estava em praça pública. Adams convocou uma reunião com Fernando Faria, seu secretário-geral de Consultoria, e também com Isaac Menezes, do BC, e o chefe da área jurídica da Caixa, Jailton da Silveira, para a manhã do dia 19 de agosto. Já havia consenso quanto ao não descumprimento da Lei do Colarinho Branco, por isso trataram especificamente do risco de infração à LRF. Na visão do chefe da AGU, a questão era muito sensível: ele entendia ser possível defender que as operações entre a Caixa e o Tesouro seguiam os contratos estabelecidos com os ministérios, em que a Caixa funciona como prestadora de serviço, e não como instituição financeira. Por outro lado, Adams também entendia ser plenamente possível que o contrário fosse argumentado, isto é, que a Caixa estaria financiando seu controlador ao adiantar pagamentos em nome deste usando recursos próprios, e, com isso, violando a Lei de Responsabilidade Fiscal. O tema era complexo, e o fato de a Caixa ter fechado praticamente todos os meses no vermelho desde julho de 2013 não ajudava em nada. Ali ele decidiu que algo mais urgente deveria ser feito. Era preciso tratar do assunto diretamente com o secretário do Tesouro Nacional, Arno Augustin.

O encontro entre Adams e Augustin ocorreu às 16h30 do dia 25 de agosto, uma segunda-feira, no gabinete principal, instalado no andar mais alto da sede da AGU em Brasília. Quatro técnicos do Tesouro, de maior e menor escalão e de proximidade com Augustin,

---

[68] Dois dias após a revelação da câmara de arbitragem da AGU entre a Caixa e o Tesouro, por causa dos atrasos disseminados no repasse de recursos pelo Tesouro, o jornalista Cláudio Dantas Serqueira revelou com dados mais detalhados da situação até aquele momento. "Maquiagem com benefícios sociais", em *IstoÉ*, 15/08/2014. *http://istoe.com.br/377871_MAQUIAGEM+CO M+BENEFICIOS+SOCIAIS/.*

HISTÓRIA AGORA

relataram ao autor deste livro que o comportamento do comandante do Tesouro durante toda essa crise pode ser determinado em dois momentos: antes e depois do encontro com o chefe da AGU.

A reunião, que não fez parte da agenda oficial do Ministério da Fazenda, foi tensa, com momentos de radicalidade. Adams, normalmente calmo, subiu o tom de voz ao narrar a Augustin sua percepção do assunto. Era possível defender o governo daquelas práticas? Sim, era. Mas também era possível ver uma argumentação contrária evoluindo, cravando que o governo infringira a lei e cometera um crime fiscal. Enquanto não era possível discutir infração à Lei do Colarinho Branco — isso estava definitivamente afastado –, era sim discutível quanto ao descumprimento da LRF. O simples fato de existir espaço para a controvérsia deixava o governo em situação delicada. Do outro lado, Augustin se prendia a questões de arrecadação tributária para justificar a situação. O encontro entre os dois gaúchos terminou de forma pouco amigável. Ao final, Adams avisou que levaria a situação para o chefe de Augustin, o ministro da Fazenda, Guido Mantega.

Dez dias depois, em 4 de setembro, Adams chegou na sede do Ministério da Fazenda às 10h30 da manhã para um encontro fechado com Guido Mantega em seu gabinete. Mais uma vez, a reunião não fez parte da agenda oficial da Fazenda. Adams tratou do assunto, abrindo a Mantega detalhes da câmara de arbitragem, inclusive a situação-limite colocada pela Caixa e pelos ministérios do Trabalho e do Desenvolvimento Social. Tudo passava pelo Tesouro e a falta de pagamentos devidos. Embora fosse possível defender que os contratos do governo com a Caixa eram de prestação de serviço e não configuravam uma operação de crédito, também era plenamente possível ver naquela situação de atrasos bilionários e consecutivos nos repasses do Tesouro uma camuflada operação de crédito, em que a Caixa adiantava recursos ao seu controlador. Assim, uma interpretação ruim para o governo, de crime fiscal, poderia ser feita dada a complexidade do assunto. O encontro com Augustin na AGU também foi relatado por Adams a Mantega. Era preciso agir e rápido.

A pedido de Mantega, uma segunda reunião, desta vez com a presença do presidente do Banco Central, Alexandre Tombini, seria feita. O encontro ocorreria em 11 de setembro, às 11 horas da manhã, e desta vez não faria parte da agenda de nenhuma das três autoridades. Novamente no gabinete de Mantega, mas agora também com Tombini, Adams repetiu a narrativa, atualizando toda a discussão que ocorrera dentro da AGU envolvendo técnicos do Tesouro, advogados da Caixa, procuradores da PGFN, além do próprio procurador-geral do Banco Central. Mantega já tinha sido colocado a par dos problemas por Hereda, mas confiava no relato do próprio presidente da Caixa, que citara parecer técnico da instituição que dizia não ser uma infração à LRF. Ao ouvirem do advogado-geral da União que o caso não era tão simples e que controvérsia havia, a ação foi colocada em prática.

O Banco Central tinha acabado de começar a implementar uma alteração nas estatísticas da dívida pública, o que inviabilizaria a manobra do Tesouro. O processo de contabilidade do BC foi aperfeiçoado no fim de agosto e passou a considerar não apenas o impacto do pagamento de despesas obrigatórias junto a programas sociais (como era feito até então, o que encobria as pedaladas), mas também "eventuais estoques a descoberto na contabilidade"[69] da instituição financeira (o que, na prática, passou a representar o registro de pedaladas que fossem feitas com a Caixa a partir daquele momento). Essa ação foi relatada por Tombini aos colegas ministros no encontro do dia 11.

Mas justamente naquele período, as pedaladas com a Caixa praticamente terminaram: todos os pagamentos devidos pelo Tesouro à instituição para fazer frente às necessidades do Bolsa Família, do

---

[69] Ofício 9980/2015-BCB/Diret, de 17/06/2015, parágrafo 30, página 17, assinado por Anthero de Moraes Meirelles (Diretor de Fiscalização), Altamir Lopes (Diretor de Política Econômica substituto) e Isaac Sidney Menezes Ferreira (Procurador-Geral).

seguro-desemprego e do abono salarial foram regularizados. O Tesouro reduziu fortemente os volumes das pedaladas em setembro e em outubro colocou em dia todos os pagamentos. Com isso, os gastos obrigatórios do governo sofreram uma piora ainda mais acentuada naquele mês. Mas isso somente seria divulgado no fim do mês seguinte, em 30 de outubro, após o segundo turno das eleições presidenciais.[70] Na prática, as pedaladas com a Caixa, que começaram de forma organizada em julho de 2013 se encerraram entre agosto e setembro de 2014. No encontro entre Adams, Mantega e Tombini na Fazenda, no dia 11 de setembro, essa "guerra" parecia superada.

As pedaladas com o Banco do Brasil e o BNDES

A revelação dos problemas entre a Caixa e o Tesouro em meados de agosto fez as lupas nas redações dos jornais e revistas transitarem para o relacionamento do Tesouro com outros bancos públicos, como o Banco do Brasil e o BNDES. Com capital aberto e menos margem para manipulações do Tesouro, o BB e seus balanços trimestrais eram o próximo alvo de investigação. Ao verificar a rubrica de "equalização de juros" devidos pelo Tesouro no âmbito da política agrícola do BB, como os empréstimos subsidiados oferecidos pelo banco nos anuais Planos Safras, um passivo bilionário foi encontrado.[71] De repente, a falta de repasse de recursos do Tesouro Nacional a bancos controlados pelo governo parecia ser a regra. Segundo o balanço mais recente do Banco do Brasil naquele momento, referente ao segundo trimestre do ano, o Tesouro havia pendurado uma dívida

---

[70] Nota ao leitor: todos os detalhes sobre os atrasos nos repasses do Tesouro à Caixa em cada um dos programas sociais, além de uma comparação histórica entre Dilma e seus antecessores (Lula, FHC e Itamar Franco) serão apresentados no próximo capítulo deste livro.

[71] No mesmo dia 19 de agosto de 2014 os jornais *O Estado de S. Paulo*, *Folha de S.Paulo* e *Valor Econômico* publicaram reportagens sobre o aumento da dívida pendurada pelo Tesouro no Banco do Brasil.

de R$ 7,94 bilhões no banco. Em igual período de 2013, a dívida era quase metade — R$ 4,15 bilhões.

Uma dívida a receber do Tesouro em razão de financiamentos subsidiados oferecidos aos produtores rurais pelo Banco do Brasil sempre existiu e sempre fora registrada em balanço. O problema é que, a partir de 2012, o passivo pendurado pelo Tesouro no BB começou a aumentar exponencialmente. O Tesouro, a partir daí, sempre alegou que a dívida aumentava porque o Plano Safra aumentara de tamanho. No entanto, o passivo sempre cresceu mais do que os empréstimos oferecidos pelo BB. A dívida não pararia de aumentar até o fim de 2015.

Também com o BNDES as dívidas do Tesouro por causa do mesmo instrumento, chamado de "equalização de juros", vinham aumentando fortemente desde 2012.

Esse mecanismo da equalização serve aos bancos como uma espécie de compensação por realizar empréstimos com juros subsidiados dentro de programas federais. No caso do BB, o banco historicamente conduz os financiamentos com juros baixos oferecidos aos produtores agrícolas no Plano Safra, renovado todos os anos. Eles são regulamentados pela Lei 8.427, de 1992, e por portarias fechadas pelo Tesouro e baixadas pelo Ministério da Fazenda todos os anos junto com a divulgação de cada Plano Safra. Embora não exista uma menção a prazo nessa relação entre o Tesouro e o BB, historicamente, os valores devidos pelo governo sempre oscilaram dentro de uma margem semelhante, mesmo com o aumento de musculatura do Plano Safra.[72]

O valor devido pelo governo, por causa da equalização, é atualizado pela taxa média Selic desde o momento da apuração até o efetivo pagamento. Assim, quanto mais tempo o Tesouro evitar um pagamento, maior ele será quando efetivamente ocorrer. Segundo o próprio Banco do Brasil, a correção seguindo a taxa Selic "preserva

---

[72] Os dados detalhados serão apresentados ao leitor no próximo capítulo.

HISTÓRIA AGORA

a adequada remuneração ao banco e contribui para a evolução do saldo" devido pelo Tesouro. Mais tarde, seria justamente esse mecanismo — o atraso no pagamento gerar cobrança de juros — que faria com que, para o Tribunal de Contas da União e para o Congresso Nacional, ficasse evidenciada uma operação de crédito entre o BB e seu controlador, o governo. Não há, na legislação, menção sobre prazos para pagamentos dessa dívida gerada pelo Tesouro ao BB. Apesar disso, a pressão de acionistas e das associações de aposentados era muito grande e chegava à direção do banco, que também estava incomodada com o fato de ter de carregar crescente passivo a receber do Tesouro em balanço, sem qualquer perspectiva de que ele diminuiria. Apesar dessa preocupação, oficialmente a posição do banco sempre foi semelhante à do controlador. Em comunicação ao autor, o BB explicou que "as operações de crédito rural, objeto de equalização, são celebradas diretamente entre o Banco do Brasil e os produtores e cooperativas rurais a taxas subsidiadas, utilizando recursos de conta própria. Assim, o montante contabilizado a título de equalização não representa desembolso, adiantamento ou repasse de recursos pelo banco, mas o registro da subvenção a ser paga pelo Tesouro Nacional".[73]

Já com o BNDES os principais subsídios oferecidos pelo banco surgiram com o Programa de Sustentação do Investimento (PSI), criado em 2009 para fazer frente ao estouro da crise econômica mundial. O PSI, que nasceu com missão clara e, portanto, aparentemente temporária, continuou vigorando e sendo sustentado pelo governo durante os quatro anos do primeiro mandato de Dilma. Com os empréstimos do PSI, o BNDES pôde oferecer às grandes empresas, públicas e privadas, financiamento com taxas de juros inferiores, inclusive, à Taxa de Juros de Longo Prazo (TJLP), que baliza os

---

[73] Comunicação do Banco do Brasil ao autor por escrito em mensagem da gerência executiva da assessoria de imprensa.

empréstimos habituais do banco e que também se situava abaixo dos juros de mercado. Essa diferença entre o custo de captação de recursos pelo BB e pelo BNDES, para a operacionalização dos programas, e aquilo que eles recebiam de volta dos produtores rurais e grandes empresários, respectivamente, era paga pelo Tesouro Nacional sob o mecanismo compensatório das "equalizações de juros".

No caso dos atrasos ao BNDES, o governo se valia de portarias baixadas anualmente pelo Ministério da Fazenda, em que o prazo estipulado para o pagamento do que era devido pelo Tesouro ao banco de fomento por causa das chamadas "equalizações" era de vinte e quatro meses no total. A primeira portaria com o prazo e as condições de pagamento foi a de número 122, de 10 de abril de 2012, assinada por Guido Mantega. Essa lógica de pagamento permitiria ao Tesouro começar a pagar o que era devido ao BNDES somente dois anos depois, em 2014. Mas mesmo com a portaria, o Tesouro não transferia em dia tudo o que era contabilizado pelo banco como dívida a receber.

Para completar, os empréstimos subsidiados oferecidos pelo BNDES por meio da Agência Especial de Financiamento Industrial (Finame) no âmbito do programa PSI não eram registrados pelo Banco Central no indicador oficial da dívida pública do Brasil. A dívida pendurada pelo Tesouro no BNDES-Finame em razão das equalizações devidas no programa PSI foi de R$ 8,32 bilhões em junho de 2013 e saltou ainda mais um ano depois, atingindo R$ 14,11 bilhões. Nada disso foi registrado pelo Banco Central por entender que a Finame era uma empresa de sociedade anônima, e não uma instituição financeira. Mesmo que a dívida gerada com ela fosse um passivo do setor público (no caso, o Tesouro) e que tivesse de ser paga em algum momento do futuro, o BC não registrava.

Combinado a isso, a dívida gerada não era paga. Segundo levantamento do economista Mansueto Almeida, em todo o ano de 2014, o governo gerou uma dívida de aproximadamente R$ 9 bilhões com o BNDES por causa das equalizações dos juros oferecidos pelo banco de fomento nos financiamentos do programa PSI. Era essa a dívida que o governo deveria pagar ao banco seguindo os termos da própria portaria, mas segundo estimativas de Almeida, apenas R$ 110,7 milhões foram efetivamente pagos. Assim, o estoque total de dívida não paga pelo Tesouro ao BNDES atingiu R$ 26,1 bilhões no fim de 2014, ante apenas R$ 780 milhões ao fim de 2009, quando o PSI foi criado.[74]

Com o aumento de volume dos programas subsidiados oferecidos pelo Banco do Brasil e pelo BNDES e, ao mesmo tempo, as dificuldades de caixa do governo, o Tesouro passou a acumular dívidas mais e mais elevadas em 2012, e mais claramente a partir do ano seguinte, continuando fortemente no ano eleitoral, numa operação semelhante às volumosas pedaladas fiscais com a Caixa.

Com as revelações de mais atrasos nos repasses do Tesouro Nacional e com isso a possível manipulação das contas fiscais decorrentes dessa manobra, o Banco Central ficou sob pressão. Ao deixar de pagar em dia despesas devidas à Caixa, Banco do Brasil e BNDES, o governo estava criando novas dívidas (no caso da Caixa) ou elevando passivos já existentes junto a essas instituições financeiras, mas nada disso estava sendo registrado pelo Banco Central no cálculo da dívida do setor público. Os atrasos, portanto, tinham atingido seu objetivo principal: os programas federais continuavam sendo operados em dia pelos bancos públicos enquanto o governo gastava menos do que deveria com eles e nada disso aparecia na dívida pública.

Por decisão de Tombini, o BC começou a pressionar internamente a possibilidade de registrar esses passivos, o que oficializaria as dívidas do Tesouro e, portanto, inviabilizaria o objetivo da manobra contábil. Depois que a resposta oficial da PGFN chegou ao Banco Central, em 29 de agosto, a pressão sobre o BC ficou ainda maior.

---

[74] Dados apresentados pelo economista aos senadores durante audiência pública realizada no Senado em 15/04/2015.

Essas novas dívidas constituídas pelo setor público (Tesouro) com as pedaladas fiscais não deveriam, afinal, ser inscritas no indicador oficial da dívida pública brasileira? Como mencionado, naquele mês, de fato o BC fez uma alteração em sua forma de contabilidade e passou a registrar também os estoques a descoberto nas contas da Caixa de pagamento de programas sociais. Por outro lado, as dívidas com as "equalizações" de taxas de juros no BNDES-Finame, por causa do PSI; e no Banco do Brasil, por causa do Plano Safra, continuavam fora da dívida pública.

Enquanto isso, os atrasos do Tesouro se espalhavam em diversos segmentos. As empresas distribuidoras de energia elétrica reclamavam insistentemente com a Agência Nacional de Energia Elétrica (Aneel), responsável pela regulação do setor, que o governo estava atrasando os repasses de recursos públicos à Conta de Desenvolvimento Econômico (CDE) e, com isso, o dinheiro necessário para a cobertura de custos do setor, como o programa "Luz para Todos" e outras obrigações, não estava chegando. Ao longo do primeiro semestre o Tesouro deixou de passar R$ 3,4 bilhões para o pagamento de obrigações do setor elétrico, sendo metade para as distribuidoras e a outra metade para o pagamento do combustível usado pelas usinas térmicas do norte do país. Neste último caso eram R$ 2,5 bilhões que deveriam ter sido pagos entre janeiro e junho, mas menos de um terço do total foi pago pelo Tesouro. Incomodado, o diretor-geral da Aneel, Romeu Rufino, levou a preocupação diretamente para Arno Augustin em reunião na sede do Tesouro na tarde de quinta-feira, 14 de agosto, um dia depois da tragédia envolvendo Eduardo Campos, quando os problemas econômicos tinham submergido na atenção nacional. O encontro terminou, mais uma vez, sem respostas. Augustin citou a delicada questão fiscal do governo e garantiu que tudo o que tinha sido prometido em repasses ao setor no orçamento de 2014 seria cumprido pelo governo até dezembro. Rufino deixou a Fazenda sem soluções. "O Tesouro não está liberando recursos, as empresas estão

HISTÓRIA AGORA

reclamando. Mas estamos discutindo essa operacionalização", disse ele, sem entusiasmo, antes de entrar no carro oficial que o levaria de volta à sede da Aneel.

O mês de agosto que se iniciara com uma crise de dramáticas proporções na política econômica federal terminaria com isso abafado, com o foco nacional concentrado nas eleições presidenciais e regionais, especialmente após o falecimento de Eduardo Campos. Após as alterações feitas pelo Banco Central no fim daquele mês para a contabilização de eventuais pedaladas com a Caixa e a tensa reunião de Adams com Augustin, ao menos a parte mais dramática da crise de bastidores na cúpula econômica do governo parecia concluída.

BANCO CENTRAL DO BRASIL

17

28. As tabelas apresentadas pela Caixa Econômica Federal evidenciam os saldos do Programa Bolsa Família, no período de outubro de 2003 a abril de 2015, conforme se vê nos anexos a este Ofício.

29. Ao encaminhar ao BCB essas informações referentes a pagamentos de programas sociais e benefícios, a Caixa Econômica Federal assinalou que *"vem observando as disposições contratuais pertinentes à prestação de serviços ao Bolsa Família, Seguro Desemprego e Abono Salarial, de forma a garantir a continuidade dos programas sociais, sendo assegurada a cobertura do respectivo custo financeiro"* e que *"a referida sistemática encontra amparo contratual nos instrumentos firmados entre a União, por meio do MDS* [Ministério do Desenvolvimento Social e Combate à Fome], *no âmbito do Programa Bolsa Família; e do MTE* [Ministério do Trabalho e do Emprego], *no âmbito dos programas Seguro Desemprego e Abono Salarial, tendo prevista a compensação entre as partes na ocorrência de saldos positivos ou na insuficiência de recursos, conforme cláusulas contratuais"*.

30. Para fins da compilação estatística publicada pelo BCB, o impacto do pagamento de despesas vinculadas a programas sociais, mediante transferências de recursos para as instituições financeiras, ocorre por meio da redução de disponibilidades do governo (exemplo, Conta Única do Governo Federal), em conformidade com o <u>critério de caixa</u> adotado na metodologia de apuração fiscal. A partir de agosto de 2014, esse processo foi aperfeiçoado e passou-se a considerar, também, eventuais estoques a descoberto na contabilidade da referida instituição financeira. Ressalte-se que tanto o procedimento anterior como a nova prática mostram-se, em termos conceituais, aderentes ao padrão metodológico adotado, sendo importante frisar que não houve alteração na estrutura da metodologia e inexiste qualquer pendência metodológica relativa ao tratamento desses estoques. Para mais informações sobre o assunto, sugere-se consultar a anexa Nota Técnica 204/2015-BCB/PGBC, especialmente sua seção III (itens 74 a 138).

Trecho do ofício 9980/06-2015 em que o Banco Central registra a mudança contábil de agosto de 2014

O início do fim

De seu gabinete, no segundo andar do prédio principal do Tribunal de Contas da União (TCU), o procurador Júlio Marcelo de Oliveira, do Ministério Público de Contas (MPC), tinha separado diversas reportagens e textos das últimas semanas. Nascido em Brasília em 10 de novembro de 1968, Oliveira cresceu na primeira cidade-satélite da capital, chamada Candangolândia, então uma vila operária. Tal qual os brasilienses, Oliveira tem fala mansa e pausada, sua personalidade não é agitada e seus movimentos são típicos daquele que nasce na cidade criada pelo arquiteto Lúcio Costa: não há pressa. Formado em ciência da computação na Universidade de Brasília (UnB) em 1990, ele começou a trabalhar como analista de sistemas no Tribunal Superior do Trabalho (TST) no ano seguinte. Decidiu mudar de carreira, e no fim do ano prestou tanto o concurso para ser auditor do Tribunal de Contas da União (TCU) quanto o vestibular para o curso de Direito na UnB. Passou nos dois. Estava no primeiro ano do Direito quando foi para a Esplanada dos Ministérios com os colegas de faculdade para acompanhar a sessão do *impeachment* do então presidente Fernando Collor na Câmara dos Deputados em setembro de 1992. Três anos depois foi convidado por Walton Alencar Rodrigues, subprocurador do Ministério Público de Contas, para ser seu chefe de gabinete. Mais tarde, Rodrigues virou procurador-geral e, em 1999, foi escolhido ministro do TCU. Durante todo esse período, entre o fim de 1995 e o fim de 2003, Oliveira foi seu chefe de gabinete, acompanhando desde os trabalhos dos auditores, como ele, como também dos procuradores e, finalmente, dos ministros. Em 2004, Oliveira passou no concurso para ser procurador do MPC, onde passou a atuar.

Simpático ao PT e eleitor de Dilma Rousseff em 2010, Oliveira passara a crítico do governo em redes sociais, tendo integrantes de seu núcleo familiar participado de manifestações de rua em Brasília, contrárias ao governo petista.

HISTÓRIA AGORA

Em julho de 2014, o procurador conversava quase diariamente com seu assessor e auditor de controle externo Fernando Silveira Camargo sobre os repetidos problemas apontados pelos jornais, pela ONG Contas Abertas e por economistas especialistas em contas públicas. Servidor público experimentado, Camargo é sul-mato-grossense de Nova Andradina, formado em administração pública pela universidade federal do estado; e em Direito, pela faculdade católica. Começou a trabalhar na agência da Caixa Econômica Federal dentro do Tribunal de Justiça do estado, em Campo Grande, aos dezoito anos, e chegou a ser o gerente de mercado mais novo da instituição em todo o país, aos vinte e cinco anos, em 1995. Trabalhou na Caixa por quinze anos quando passou em concurso público para ser auditor do TCU em setembro de 2004. Dadas a personalidade amistosa e a paciência para lidar com pessoas, foi escolhido para ser o secretário de gestão de pessoal do TCU em janeiro de 2007. Deixou o posto quase seis anos depois para assumir a direção-geral do Supremo Tribunal Federal (STF) a convite de Joaquim Barbosa, então presidente da instituição. Ficou sete meses no cargo quando voltou ao TCU, em maio de 2013, para ser assessor de Oliveira e ter a primeira experiência junto aos processos que envolvem o trabalho do Ministério Público de Contas. Juntos, Oliveira e Camargo começaram a entrar em debates complexos e cada vez mais sensíveis para a opinião pública. Oliveira entrou com dezesseis representações envolvendo o grupo X, controlado pelo empresário Eike Batista. Onde havia relação das empresas de Eike com o governo federal, o procurador entrou com pedidos de investigação: Banco do Brasil, Caixa, CVM, FGTS, Susep e Petrobras.

Desde o início de 2014, o debate no gabinete de Oliveira se dava sobre os aparentes problemas nas contas públicas. No início de agosto, Camargo foi almoçar com um colega, auditor que tinha passado no mesmo concurso que ele para ingressar no TCU. Era Antônio Carlos Costa D'Ávila Carvalho Júnior, responsável pela área que fiscalizava temas econômicos, em especial contas públicas. Ambos entenderam que uma inspeção precisava ser realizada para verificar se de fato era verdade o que começara a ser revelado pelos jornais e pelos economistas, notadamente Mansueto Almeida e Gil Castelo Branco. Ficaram de conversar melhor. Dias mais tarde foram publicadas as reportagens revelando que a Caixa pedira para a AGU abrir uma câmara de conciliação e arbitragem para tentar resolver a pendência jurídica criada pelas pedaladas fiscais do Tesouro Nacional. Quando Oliveira e Camargo viram o advogado-geral da União confirmando oficialmente a informação, em 13 de agosto, decidiram que as evidências para sustentar uma auditoria eram suficientes.[75] Juntos, começaram a formular uma representação. Ao final, Oliveira pediu ajuda técnica de D'Ávila para confirmar detalhes. Segundo a Lei 8.443 e o regimento interno do TCU, os próprios auditores podem elaborar representações, como o próprio D'Ávila já tinha feito no passado, mas neste caso não seria necessário, porque Oliveira já tinha tomado a iniciativa. Precisava, no entanto, do sinal verde de D'Ávila para garantir que o texto estava correto tecnicamente.[76]

Enquanto isso, Dilma, em campanha eleitoral, negou que as sucessivas reportagens de jornais e revistas apontando possíveis atrasos nos repasses de recursos do Tesouro para bancos públicos estivessem corretas. "Eu não concordo, você me desculpe, mas eu não concordo que o Tesouro federal esteja fazendo isso. Não, não concordo. Meu

---

[75] Anos mais tarde, em entrevista ao programa de televisão "Roda Viva", Oliveira explicou suas motivações ao responder a pergunta do jornalista Luiz Antônio Novaes: *O plano foi muito bem arquitetado. Passou por fraude ao cálculo da meta fiscal, utilização do banco público como fonte de recursos e a omissão dessas dívidas pelo Banco Central. Em 2013, isso não foi detectado pelos mecanismos corriqueiros e cotidianos de mensuração das contas públicas. Em 2014, a partir de várias matérias da imprensa, com o Ribamar Oliveira, do* Valor Econômico, *no Estadão com o João Villaverde, o blog do Mansueto Almeida e também com o Contas Abertas, a gente começou a ver que tinha alguma coisa acontecendo. Então conversando com alguns auditores do tribunal decidimos que era preciso fazer uma auditoria.* Entrevista exibida ao vivo na TV Cultura e na TV Brasil na noite de 09/05/2016. *https://www.youtube.com/watch?v=MQAYnvkPWnk.*

[76] Esse ponto viria à tona durante o julgamento do *impeachment*. O assunto será retomado no capítulo 6 deste livro.

querido, eu não concordo com essa análise. Não concordo, não concordo, sinto muito", disse Dilma em Porto Velho, Rondônia, durante visita às usinas hidrelétricas na região em 19 de agosto. Naquele dia, *Estadão*, *Folha de S.Paulo* e *Valor Econômico* publicaram reportagens apontando para o aumento do passivo do Tesouro registrado no balanço do Banco do Brasil. Já estava consolidada também a ideia de que havia um "conflito" entre a Caixa e o Tesouro pela falta de pagamentos.[77]

Em 21 de agosto, a representação do procurador do Ministério Público de Contas ficou pronta em Brasília. Assinado por Oliveira, o documento foi liberado para o ministro José Múcio Monteiro, do TCU, selecionado por ser, àquela altura, o ministro responsável pelas auditorias nas áreas econômicas. Caberia a ele aceitar ou não os argumentos do procurador. Se concordasse, seria aberta então uma ampla investigação sobre a equipe econômica do governo federal, além dos bancos públicos e de ministérios setoriais.[78]

Três dias depois, no domingo, 24 de agosto, o jornal *O Globo* publicou longa entrevista feita pelas jornalistas Martha Beck e Regina Alvarez com Augustin. Ele disse que a "consulta" da Caixa para a AGU foi "algo absolutamente normal" e disse estar "absolutamente tranquilo quanto ao fato de que toda ação (do Tesouro) é respaldada na legislação, especialmente no que se refere à Lei de Responsabilidade Fiscal (LRF)". Em determinado momento, ele soltou a seguinte frase: "nossas receitas e despesas são contabilizadas direitinho".[79]

---

[77] Além das reportagens sobre a câmara de arbitragem aberta na AGU, de 13 de agosto, o conflito entre a Caixa e o Tesouro seria ampliado em "O conflito na área econômica", por João Villaverde, em 18/08/2014. *http://economia.estadao.com.br/blogs/joao-villaverde/caixa-x-tesouro/* e em "A questão é saber se houve crime fiscal", por Ribamar Oliveira, em 21/08/2014. *http://www.valor.com.br/brasil/3662124/questao-e-saber-se-houve-crime-fiscal*.

[78] "MP pede apuração no Tesouro e no BC sobre pedaladas", em *O Estado de S. Paulo*, 22/08/2014 — Fábio Fabrini, João Villaverde e Adriana Fernandes. *http://economia.estadao.com.br/noticias/geral,mp-pede-apuracao-no-tesouro-e-no-bc-sobre-pedaladas-imp-,1547650*.

[79] "Nossas receitas e despesas são contabilizadas direitinho, diz Augustin", por Martha Beck e Regina Alvarez, em *O Globo*, 24/08/2014.

Na manhã seguinte, segunda-feira, a presidente Dilma Rousseff voltou a tratar do assunto. Ela respondeu aos risos, em evento em Brasília, as perguntas de jornalistas sobre um eventual descumprimento da Lei de Responsabilidade Fiscal pela equipe econômica de seu governo.

"Qual é o debate? Esse debate não é do governo, não está dentro do governo. O que eu acho é que vivemos um momento de campanha eleitoral e isso tende a politizar processos técnicos que antes sempre ocorreram e nunca foram politizados", disse Dilma, antecipando de forma indireta uma das principais justificativas que repetiria até o final de seu mandato.

No mesmo dia, no início da tarde, Arno Augustin recebeu o autor deste livro e a colega Adriana Fernandes para uma entrevista na sala de reunião adjacente a seu gabinete no prédio principal do Ministério da Fazenda. Sentou-se à cabeceira da mesa, tendo à sua esquerda as janelas que dão para a rua de acesso ao prédio e, à sua direita, sentou-se Cleber Oliveira, subsecretário de planejamento e estatísticas fiscais. Seria uma de suas últimas entrevistas como secretário do Tesouro Nacional.[80]

"Não há nenhum atraso entre o Tesouro e a Caixa para o Minha Casa, Minha Vida e outros programas. Se a Caixa, eventualmente, demora ou não, eu não sei. Não tem nada a ver conosco", disse Augustin quando questionado sobre o fato de a Caixa ter buscado a AGU para instalar uma câmara de arbitragem como forma de regularizar os repasses atrasados pelo Tesouro. Ele também garantiu não existir "um centavo" atrasado para a Caixa. Foi enfático:

O Ministério Público, perante o TCU, entrou com requerimento na semana passada para que o Tesouro e o BC sejam inspecionados por causa das "pedaladas fiscais". O que o senhor acha disso?

Augustin: É o serviço do TCU fazer essa análise cotidianamente, nenhuma excepcionalidade nisso. Quando aprovam nossas contas é porque fazem inspeções especiais aqui. Toda vez que há evento

---

[80] A íntegra da entrevista é publicada neste livro, na seção Apêndice/Epílogo.

em jornal, o analista vai lá e olha aquele evento. Eles fazem isso cotidianamente. Já analisaram o nosso serviço. É raro um momento em que não há inspeção do TCU. É o serviço deles.

O Tesouro não atrasou e não está atrasando o repasse de nenhuma despesa?
Augustin: O Tesouro está cumprindo rigorosamente a legislação, a LRF e o decreto de programação orçamentária e financeira.

Não tem atraso?
Augustin: Não.

Nenhum centavo atrasado?
Augustin: Não, nenhum. Em termos do decreto, nenhum. Outra coisa é se algum ministério, por qualquer razão, tenha atrasado, mas nos termos do decreto não.

O que o senhor acha da expressão "pedalada fiscal"?
Augustin: Vi essa expressão pela primeira vez numa reportagem de vocês. Se puderem me explicar o que estamos falando fica mais claro.

Os economistas dizem que se trata de uma postergação de pagamentos para melhorar pontualmente as despesas do governo federal.
Augustin: Bem, vamos lá. Por definição, primário é o que foi pago. Então qualquer técnico que diga isso desconhece o que é primário. Primário é o que é pago. É um conceito econômico.

Mas se atrasa o pagamento, o primário só se realiza quando você finalmente paga.
Augustin: Exato. Atrasar um pagamento é uma discussão sobre competência e caixa. É o mesmo que alguém dizer que deveria estar na receita um tributo que alguém não pagou. Isso não faz o menor

sentido. Porque o primário é um conceito econômico. A receita que um determinado contribuinte não pagou não pode estar no primário porque o efeito econômico dela não ocorreu. A discussão de primário não tem a ver com competência, mas com fluxo. Tem a ver com o efeito econômico desse fluxo. Se existe receita de competência do período "A" e ela não foi paga pelo setor público, o efeito econômico não é afetado por isso. Se alguém diz que tem atraso no pagamento do setor público, não está falando do resultado primário do setor público. As pessoas misturam o conceito de primário com a competência.

O senhor está falando do PSDB?
Augustin: Estou falando dos técnicos que eu tenho lido nos jornais. Eram governo naquela época. Vejam os dados.

O sr. acha que essas análises de pedaladas têm foco político?
Augustin: Os nomes dos analistas... aliás, nunca vejo essa relação no jornal. São pessoas que estavam no governo quando isso foi feito e eles conhecem perfeitamente o critério de primário. O que precisamos olhar é a sustentabilidade de médio e longo prazo.

Ele também desafiou os críticos da política fiscal do governo a apresentar provas de que havia atrasos nos repasses do Tesouro, criticando indiretamente economistas como Mansueto Almeida e José Roberto Afonso, que já tinham trabalhado no gabinete do senador tucano Tasso Jereissati, do Ceará, além do economista Felipe Salto, também ligado ao PSDB. Por fim, Augustin repudiou o termo "pedalada fiscal" e negou que o governo tivesse infringido a Lei de Responsabilidade Fiscal. A entrevista foi publicada no fim do mesmo dia no *Broadcast* e no dia seguinte na edição impressa do jornal *O Estado de S. Paulo*.[81]

---

[81] "Tesouro nega atrasos em pagamentos", em *O Estado de S. Paulo*, 26/08/2014, por Adriana Fernandes e João Villaverde.
http://economia.estadao.com.br/noticias/geral,tesouro-nega-atrasos-em-pagamentos-imp-,1549606.

HISTÓRIA AGORA

Para Augustin aquilo tudo era um assunto encerrado. Ele terminou a entrevista e foi para a sede da AGU ter o encontro já detalhado aqui neste livro com Luís Inácio Adams, embora nenhum de nós naquele momento soubesse disso. O assunto estava sendo, mais uma vez, levado para um terreno da discrição absoluta pelo governo e o acirramento eleitoral ajudava ao transferir todos os holofotes para a sucessão presidencial.

Duas semanas depois daquela entrevista, no entanto, o ministro do TCU aceitou o requerimento do procurador Júlio Marcelo de Oliveira. Os documentos então foram preparados para que uma ampla auditoria fosse iniciada. A investigação sobre a equipe econômica do governo Dilma começou sem alarde em 22 de setembro de 2014, poucos dias antes das eleições presidenciais.

CAPÍTULO 5.
O GOVERNO SOB INVESTIGAÇÃO

> "Nada mostra mais claramente o caráter de uma sociedade e de uma civilização do que a política fiscal adotada pelo seu setor político."
>
> Joseph Schumpeter, economista e cientista político austríaco.

O auditor Antônio Carlos Costa D'Ávila Carvalho Júnior chegou à sede do Tesouro Nacional, em Brasília, com uma pasta na mão. Nos documentos que carregava estava a autorização formal que o Tribunal de Contas da União (TCU) deu a ele para conduzir uma extensa inspeção no Tesouro, no Banco Central e nos contratos fechados entre os ministérios do Trabalho, do Desenvolvimento Social, das Cidades e da Previdência com os bancos públicos (Caixa, Banco do Brasil e BNDES). Foram atribuídas a D'Ávila duas missões complexas: decifrar o enigma por trás da estranha conta de R$ 4 bilhões mantida por um banco privado fora do radar do Banco Central e apurar se os atrasos propositais no repasse de recursos do Tesouro a bancos públicos, as chamadas "pedaladas fiscais", estavam mesmo ocorrendo.

No Tesouro, D'Ávila foi recebido por Márcio Leão Coelho, funcionário de carreira e então chefe de gabinete de Arno Augustin. Gentil no trato com os colegas mesmo nos momentos mais tensos, Coelho ocupara nos últimos anos posições de proximidade com o chefe, cuja personalidade é oposta à dele. Os níveis de tensão

HISTÓRIA AGORA

interna tinham aumentado desde a rebelião do fim de 2013, e as seguidas revelações de problemas na condução das contas públicas aumentaram o distanciamento entre Augustin e o resto da equipe. O clima no Tesouro era de silêncio surdo. O fato de ter diante de si um experiente auditor do TCU também não ajudava Coelho a manter o bom humor naqueles tempos.

"Precisamos da documentação sobre a liberação de recursos do Tesouro aos ministérios para o pagamento de aposentadorias e pensões do INSS, benefícios do Bolsa Família, seguro-desemprego e abono salarial", disse o auditor.

D'Ávila e Coelho já se conheciam antes daquele encontro no Tesouro. No microuniverso do poder em Brasília, os técnicos com conhecimento avançado de política fiscal e orçamentária pertencem a um cosmo ainda mais restrito. Todos se conhecem. D'Ávila participara da Secretaria de Macroavaliação Governamental (Semag) por quase dez anos no TCU antes de migrar para a Secretaria de Controle Externo da Fazenda Nacional, a Secex Fazenda, responsável pela fiscalização do Tesouro, Banco Central e bancos públicos. Seu contato com os técnicos do governo para verificação de diversas ações ao longo dos anos fora profundo. Além disso, antes de se tornar auditor do tribunal, D'Ávila trabalhara no Banco Central justamente no período de introdução da Lei de Responsabilidade Fiscal (LRF).

Paranaense de Londrina, D'Ávila começou a trabalhar como menor aprendiz numa agência do Banco do Brasil em Cambé (PR) aos catorze anos de idade. Foi no começo de 1983, no mesmo momento em que a economia brasileira sofria os efeitos da dura crise que levaria mais de uma década até ser domada. Com a crise, o fim da ditadura militar se acelerava e os partidos políticos de oposição ao regime começaram a aflorar. D'Ávila servia café aos funcionários e clientes do BB no segundo andar da agência em Cambé na área onde os contratos de financiamento rural eram fechados. Em outubro de 1984, com dezesseis anos, ele fez a prova de contabilidade, matemática, português e conhecimentos bancários oferecida internamente no banco e passou para a chamada carreira administrativa. Só pôde assumir ao completar dezoito anos, em maio de 1986. O Brasil, então, vivia o auge do Plano Cruzado e a redemocratização após a superação da ditadura militar. Naquele período em que começou a trabalhar na mesma agência de Cambé, mas como funcionário de carreira do BB, o governo José Sarney sancionava a Lei do Colarinho Branco e promovia as primeiras reformas de modernização da contabilidade fiscal do setor público, em parceria com o Fundo Monetário Internacional (FMI). Foi criada a Secretaria do Tesouro Nacional e extinta a chamada "conta movimento", mantida pelo governo no BB, dando mais poder ao Banco Central na supervisão do sistema financeiro e no controle e adequação das contas públicas, junto com o Tesouro.

No final de 1986, D'Ávila pediu transferência de Cambé para trabalhar no Cesec em Londrina. Era o centro de processamento de dados do Banco do Brasil, onde seu pai trabalhava. Mais próximo da família e seguindo os passos do pai, D'Ávila assentou na cidade onde nascera. Lá, se casaria em 1994 e faria carreira. Por dez anos ele trabalhou na área de informática do banco em Londrina. Em junho de 1996, o BB convocou um concurso interno para a formação de novos gestores. Foram mais de 40 mil inscritos. O banco, então, usou um sistema de atribuição de pontos a cada item do currículo para determinar os 3 mil melhores, aptos a realizar a prova. Depois do teste, os detentores das mil melhores notas passaram à fase final, de perfil psicológico. Ao final, D'Ávila foi aprovado com a 23ª maior nota entre todos os participantes, sendo o segundo colocado no Paraná. Estava entre os selecionados para o curso de finanças para gestão de negócios na Fundação Instituto de Administração (FIA) da Universidade de São Paulo (USP). Após o curso ele participou de uma seleção de vagas para a unidade de negócios corporativos do BB em Curitiba, mas dessa vez não passou. Quando voltou para seu emprego original em Londrina, D'Ávila ficou apenas um mês e

HISTÓRIA AGORA

pediu demissão em dezembro de 1996. Foi trabalhar com o pai, que formara uma consultoria financeira depois de ter se aposentado do BB. Estudou para conseguir uma habilitação de segurador e abriu uma corretora de seguros. Obteve o registro na Susep e com isso trabalhou ao longo de 1997. As dificuldades econômicas do país naquele momento também atingiram a família no interior do Paraná. A empresa foi fechada em fevereiro de 1998. Prestes a completar trinta anos de idade e casado havia quatro, D'Ávila estava desempregado pela primeira vez na vida.

Meses mais tarde, o Banco Central abriu um concurso para aumentar o número de técnicos da instituição. Uma rara abertura de vagas naquele momento de crise fiscal e controle de gastos promovidos pela equipe econômica do governo Fernando Henrique Cardoso. D'Ávila tentou e passou. Mudou para Brasília com a esposa durante a Copa do Mundo, em julho de 1998. Em outubro daquele ano, passou para a Divisão de Finanças Públicas do Departamento Econômico (Depec) do Banco Central. Naquele mês, FHC se reelegeu presidente da República e um acordo com o Fundo Monetário Internacional (FMI) foi finalizado. O governo brasileiro começou a introduzir novos instrumentos de avaliação e controle fiscal, como parte das exigências do FMI pelo dinheiro emprestado. Depois da crise instaurada pela violenta desvalorização do real em janeiro de 1999, o governo foi forçado a acelerar as reformas internas e alterar o relacionamento que mantinha com os entes federativos e os diversos bancos públicos, além de estabelecer uma política de metas de inflação e da formação anual de uma economia de recursos fiscais primários para o pagamento dos juros da dívida pública, o instrumento chamado de superávit primário. O economista Armínio Fraga assumiu o BC em abril de 1999 com essas missões.

Era preciso organizar as dívidas estaduais e municipais e também formular uma lei de responsabilidade fiscal. Com a participação central do economista José Roberto Afonso, o Congresso aprovou a nova lei após pouco mais de um ano de debates, e o texto foi sancionado por FHC em maio de 2000. Enquanto isso, o BC mudava seus controles internos e a contabilidade pública ganhava foco. Na área de finanças públicas do BC, D'Ávila acompanhou todo o processo de formação de novas estatísticas e de aderência do setor público às formas mais modernas de contabilidade e controle fiscal de outubro de 1998 até meados de 2004, inclusive com a transição feita por Fraga a Henrique Meirelles quando Luiz Inácio Lula da Silva venceu as eleições presidenciais e sucedeu a FHC.

Em junho de 2004, D'Ávila resolveu mudar de carreira. Passou em concurso para ser auditor do Tribunal de Contas da União (TCU), onde tomou posse em setembro daquele ano e passou a integrar a Secretaria de Macroavaliação Governamental. Logo na primeira auditoria da Semag nas estatísticas fiscais com a participação de D'Ávila, realizada no início de 2005, o TCU determinou ao Banco Central a edição de um Manual de Estatísticas Fiscais. O documento que nasceu dessa auditoria deveria servir como base de atuação do BC no tratamento das informações fiscais do setor público. Dez anos depois, esse documento seria usado pelo TCU como prova de contradição e descumprimento de normas pelo próprio Banco Central no processo das pedaladas fiscais.

D'Ávila trabalharia na Semag por nove anos. Durante esse período, em 2011, ele chegou a ser premiado com o segundo lugar no Prêmio do Tesouro Nacional, criado pela instituição e pela Escola de Administração Fazendária (Esaf) nos anos 1990 para selecionar as melhores monografias nas áreas de finanças públicas e contabilidade. O trabalho de D'Ávila, "Coordenação entre políticas fiscal, monetária e cambial: a sistemática de repasse de resultados entre o Banco Central e o Tesouro", detalhava a sistemática criada pelo governo anos antes para transferir ganhos cambiais do BC ao Tesouro e criticava o fato de que o mecanismo poderia funcionar como um financiamento do BC ao Tesouro. Ao todo, sessenta e sete monografias foram inscritas no prêmio do Tesouro naquele ano e o segundo lugar na área de política fiscal e dívida pública concedido ao auditor do TCU foi um caso incomum: tradicionalmente, os premiados sempre foram servidores do BC, do Tesouro ou do Instituto de Pesquisa Econômica Aplicada (Ipea). O certificado de premiação a D'Ávila foi assinado em 7 de dezembro de 2011 pelo então secretário do Tesouro, Arno Augustin. Eles não se conheciam — e seus caminhos só voltariam a se cruzar anos mais tarde.

Em 2013, D'Ávila deixou a Semag e passou a atuar como auditor para a Secretaria de Controle Externo da Fazenda Nacional (Secex Fazenda) no TCU. Era lá que ele estava quando a investigação sobre a equipe econômica de Dilma Rousseff proposta pelo procurador Júlio Marcelo de Oliveira, do Ministério Público de Contas (MPC), foi aberta, em agosto de 2014.

Dois economistas servidores do governo federal que assistiram aulas de finanças públicas dadas por D'Ávila desde 1999 em Brasília caracterizaram o auditor como "obcecado" na verificação de aderência das ações governamentais às regras vigentes, "viciado" nos manuais de contabilidade redigidos pelo próprio Banco Central e "chato" com detalhes. Neste caso, cabe um adendo do técnico que ainda permanece no BC: "chatos todos somos, é nosso trabalho; mas ele sempre foi um pouco além: sua interpretação das leis e dos regimentos internos sempre foi literal e visceral".

No começo de outubro de 2014, D'Ávila estava no Tesouro Nacional com um requerimento do TCU para inspecionar a equipe econômica. A chuva tinha voltado a cair na capital federal, encerrando a seca daquele ano e dando vida ao cerrado. Na política, o primeiro turno das eleições tinha se encerrado e a presidente Dilma Rousseff enfrentaria o senador tucano Aécio Neves no segundo, que seria disputado no fim do mês. Uma correção de rota no relacionamento entre o Tesouro e a Caixa já tinha começado em setembro, o que implicaria um forte aumento dos gastos federais e, portanto, uma

PERIGOSAS PEDALADAS

deterioração do quadro fiscal nacional. Mas essas informações só seriam divulgadas nos dias finais de outubro — depois, então, da realização do segundo turno eleitoral.

D'Ávila estava no Tesouro e não tinha, ainda, qualquer informação sobre o que estava acontecendo, além daquilo que tinha sido divulgado nos jornais. Coelho pediu tempo para registrar cada um dos pedidos feitos pelo auditor. D'Ávila aguardou sentado na pequena sala no terceiro andar do Ministério da Fazenda. Depois, juntos, revisaram cada um dos protocolos que mais tarde seriam repassados às áreas responsáveis na instituição e terminariam por ser assinados por Augustin, autorizando a liberação. Tratar-se-ia de um expediente estritamente oficial, uma vez que nenhum documento poderia ser escondido do TCU. Os técnicos do Tesouro, inclusive, trabalhariam para que tudo fosse entregue de forma expressa a D'Ávila.

No fim do dia, Coelho e Lindemberg de Lima Bezerra, conhecido como Bergy, e que tinha sido o primeiro chefe de gabinete de Augustin no Tesouro, conversaram no gabinete. O tom era grave. Ambos sabiam que o final da história seria dramático. Depois de tantos meses de tensão interna e de manhãs tomadas de reuniões com o chefe inconformado com reportagens nos jornais, agora haveria um olhar externo sobre todos os documentos e poucos, além de Augustin e Marcus Aucélio, sabiam a real extensão dos problemas. O Tesouro estava sob investigação.

Quando a auditoria começou, D'Ávila reuniu-se com Charles Santana, auditor da equipe da Secex Fazenda, e decidiu que seria preciso ter reuniões presenciais com a maior parte dos envolvidos. Juntos na sala quase ao final do corredor no quarto andar do prédio 3 do TCU, eles passaram a limpo todos os documentos que seriam necessários para que a auditoria fosse realizada e determinaram a estratégia que seria empregada. Embora a inspeção basicamente se desse sobre um grande número de documentos de diferentes áreas do

HISTÓRIA AGORA

governo, D'Ávila entendeu que por existir uma divergência entre os órgãos (notadamente entre o Tesouro Nacional e a Caixa Econômica Federal), os encontros com os técnicos envolvidos poderiam permitir aos auditores do TCU obter as motivações e as versões por trás dos dados. Habitualmente, as auditorias promovidas pelo Tribunal de Contas são feitas eletronicamente: os auditores solicitam documentos e justificativas por *e-mail* e recebem as respostas também por *e-mail*. O trabalho de auditoria é solitário e baseia-se, principalmente, na leitura de documentos e na confrontação destes com as leis e normas do setor público. Mas para a auditoria da equipe econômica do governo federal no processo das pedaladas fiscais, D'Ávila decidiu fazer isso pessoalmente. Após a fase inicial de planejamento do trabalho no gabinete dos auditores, que durou de 22 de setembro a 3 de outubro, a fase de execução, com a coleta de documentos e a realização de entrevistas, começou em 6 de outubro.

Os dois auditores, D'Ávila e Santana, foram à Caixa, ao Banco do Brasil, ao Conselho Curador do Fundo de Garantia por Tempo de Serviço (CC-FGTS), ao Ministério do Trabalho, ao Ministério do Desenvolvimento Social, ao Instituto Nacional do Seguro Social (INSS), ao Banco Central e ao Tesouro Nacional, além de realizar reuniões por teleconferência com técnicos do BNDES, cuja sede fica no Rio de Janeiro. Foram nove órgãos inspecionados. Em nenhum momento sofreram represálias ou má vontade. Todos os documentos solicitados foram entregues de forma expressa e todas as reuniões ocorreram em clima cordial.

D'Ávila teve desde reuniões grandes até encontros quase individuais nos diversos órgãos e instituições da equipe econômica do governo. Na sede da Caixa, os auditores sentaram-se com quinze técnicos e advogados da instituição, representantes das áreas jurídica, de programas sociais, informática e de auditoria interna. Para que todos os dados demandados por D'Ávila fossem entregues, a Caixa solicitou prorrogação de prazo e foi atendida. No Ministério do

Trabalho, as reuniões foram com integrantes da secretaria-executiva, a coordenadoria-geral de Planejamento e Orçamento e com membros do Fundo de Amparo ao Trabalhador (FAT). Também no Ministério do Desenvolvimento Social, os encontros se deram com a secretaria--executiva e integrantes da área jurídica e do corpo operacional do programa Bolsa Família. No Banco do Brasil, a reunião ocorreu com integrantes da chamada "área de governo" do banco em Brasília, para obter informações sobre o operacional do Plano Safra e detalhes sobre os estoques mantidos pelo Tesouro Nacional e registrados na contabilidade do banco, além de informações sobre o pagamento de benefícios previdenciários. No INSS, D'Ávila e Santana se reuniram com os técnicos responsáveis pelas chamadas "áreas meio" da instituição, isto é, as que recebem os recursos do Tesouro e que transferem esse dinheiro para as instituições financeiras.

No Tesouro, a auditoria demandou mais energia. Os dois auditores tiveram reuniões com diversas áreas. Os encontros foram com técnicos e coordenadores de programação financeira, operações de crédito do Tesouro e de resultados fiscais. Em nenhuma delas houve envolvimento de Augustin.

No Banco Central, também, os auditores do TCU tiveram mais de uma reunião. O primeiro encontro se deu com técnicos da área de auditoria interna e da Procuradoria-Geral do Banco Central. Os encontros subsequentes foram com o pessoal do Departamento Econômico (Depec), onde D'Ávila tinha trabalhado por seis anos.

A execução terminou em 31 de outubro. Naquele momento, Dilma já tinha sido reeleita presidente da República e os dados fiscais de setembro tinham acabado de ser divulgados pelo Tesouro Nacional e o Banco Central, demonstrando piora acentuada dos indicadores do setor público.

Depois de levantados todos os documentos e realizadas todas as reuniões, D'Ávila e Santana passaram vinte e um dias na sede do tribunal analisando os dados, cruzando as informações e redigindo o relatório de conclusão da auditoria.

Caça-fantasmas

O relatório final da auditoria conduzida por D'Ávila ficou pronto em 12 de dezembro de 2014. Naquele momento, toda a direção do Ministério da Fazenda já sabia que não faria parte do segundo mandato da presidente Dilma Rousseff.

Guido Mantega atingiria, ao final, oito anos, nove meses e quatro dias como ministro da Fazenda, o segundo mais longevo de toda a história da pasta criada pelo rei de Portugal, dom João VI, quando chegou ao Brasil em 1808. Arno Augustin concluiria sete anos e sete meses no Tesouro Nacional, o período mais longo de poder na história da instituição. Além deles, sairiam também os economistas Márcio Holland, que comandara a Secretaria de Política Econômica (SPE) por todo o mandato de Dilma, e Dyogo Oliveira, que atuava como secretário-executivo desde a saída de Nelson Barbosa do cargo, em junho de 2013. Apenas Oliveira continuaria no governo — passou a ser o secretário-executivo do Ministério do Planejamento, que agora seria comandado por Barbosa, que voltara ao poder. Holland passaria quatro meses na Universidade Columbia, nos Estados Unidos, antes de retornar à Fundação Getulio Vargas (FGV) em São Paulo, para onde também Mantega voltaria após cumprir a quarentena exigida de funcionários públicos. Augustin deixaria o Tesouro para reassumir o comando da Democracia Socialista (DS) no Rio Grande do Sul.

Parecia o fim de uma era. O governo seria o mesmo, mas a política econômica estava prestes a mudar radicalmente, com a entrada do economista Joaquim Levy no Ministério da Fazenda. Reeleita, Dilma parecia ter ganhado força política para continuar conduzindo o poder federal.

PERIGOSAS PEDALADAS

Mas a conclusão da investigação dos auditores do TCU sobre as contas públicas fez com que os fantasmas do passado continuassem pairando sobre o segundo mandato.

Dilma tomou posse pela segunda vez na tarde de 1º de janeiro de 2015 e começou ali a trabalhar com sua nova equipe econômica para conduzir um duro ajuste fiscal, como forma de corrigir os excessos de seu primeiro mandato. Dez dias depois da posse, os fantasmas ressurgiram. O relatório final da área técnica do TCU foi revelado em reportagem do *Estadão*.[82] Os auditores apontavam que o governo pendurara nos bancos públicos uma dívida crescente, forçando as instituições a carregar em seus balanços um buraco cada vez maior e que essas práticas não eram previstas na Lei de Responsabilidade Fiscal.

Assinado por D'Ávila, como coordenador do trabalho, e por Santana, o documento dos auditores partia de dados obtidos no Tesouro Nacional, Banco Central e ministérios responsáveis pelos pagamentos de seguro-desemprego e abono salarial (Trabalho), Bolsa Família (Desenvolvimento Social), aposentadorias (Previdência) e o uso de recursos do FGTS para o financiamento de obras do programa Minha Casa, Minha Vida (Cidades). Além disso, foram usados os balanços mais recentes de duas instituições financeiras públicas, o BNDES e o Banco do Brasil. Nesses casos, os balanços eram referentes a junho de 2014.

Em oitenta páginas, os auditores apresentaram suas apurações sobre os atrasos nos repasses do Tesouro aos ministérios e aos bancos públicos; sobre o caso dos R$ 4 bilhões encontrados pelo Banco Central numa instituição financeira privada em maio do ano anterior; e sobre o adiamento nas transferências do Tesouro dos *royalties* de

---

[82] "Relatório do TCU responsabiliza Tesouro por pedaladas fiscais", em *O Estado de S. Paulo*, 11/01/2015, por Adriana Fernandes e João Villaverde.
http://economia.estadao.com.br/noticias/geral,em-relatorio-tcu-responsabiliza-tesouro-por-peda-ladas-fiscais,1618132.

petróleo devidos a Estados e Municípios. "A equipe não encontrou limitações para a execução de seus trabalhos, exceto no que tange ao agendamento de algumas reuniões, prejudicado pelo fato de a inspeção ter sido realizada em período eleitoral, o que acabou dificultando a conciliação de agenda de alguns gestores. No entanto, tal limitação não impediu a realização dos trabalhos, posto que todas as reuniões necessárias à execução da inspeção puderam ser realizadas em tempo hábil", registraram D'Ávila e Santana.

A auditoria comprovou que o Tesouro transferia recursos com atraso, e de forma insuficiente, aos ministérios e, assim, a Caixa usou dinheiro próprio para continuar pagando em dia programas obrigatórios do governo federal. Adicionalmente, os auditores obtiveram do Banco Central a comprovação de que, até o fim de agosto de 2014, os saldos negativos nas contas da Caixa não eram registrados pelo BC nas estatísticas oficiais da dívida pública. Isto é, o objetivo principal da manobra do Tesouro era atingido: os beneficiários continuavam recebendo em dia, porque a Caixa continuava pagando, e a dívida pública não aumentava, apesar dos passivos novos criados pelo Tesouro na instituição.

Segundo o Departamento de Supervisão Bancária do Banco Central, ao final de agosto de 2014, a Caixa "registrou em seu ativo R$ 1.740,5 milhões em valores a receber do Governo Federal, referentes a pagamentos relativos a programas sociais (Bolsa Família, Abono Salarial e Seguro-Desemprego). Esses valores foram registrados na subconta Cosif de uso interno da Caixa, 1.8.8.65.99.48 — Programas Sociais, conta não abrangida na coleta automática de dados da apuração do resultado fiscal".

Tal qual ocorrera no caso da conta de R$ 4 bilhões mantida por um banco privado fora do radar do BC, a conta onde a Caixa registrava as dívidas geradas pelo Tesouro também não fazia parte do sistema do BC para formação da estatística fiscal oficial do setor público. No caso dos R$ 4 bilhões, esse volume tratava-se de um crédito do

PERIGOSAS PEDALADAS

governo que depois de três meses fora, enfim, encontrado pelo BC. Já a conta da Caixa registrava um débito do governo, mas que também passara ao largo do sistema do Banco Central.

As dívidas do Tesouro com o devido ao FGTS, pelo adiantamento de recursos ao programa Minha Casa, Minha Vida, e ao devido ao Banco do Brasil e ao BNDES por causa das equalizações de juros também não eram incorporadas pelo BC na dívida pública.

No caso da relação entre o Tesouro, os ministérios e a Caixa, a auditoria levantou dados que apontavam o início dos atrasos nos repasses: em julho de 2013, no caso do abono salarial; e agosto, para o caso do seguro-desemprego. De agosto de 2013 a julho de 2014, em todos os meses a conta da Caixa abastecida com recursos do Ministério do Trabalho obtidos com o Tesouro Nacional fechou com saldo negativo para o pagamento de seguro-desemprego. Isto é, a Caixa usara recursos próprios.

> Com base nos dados encaminhados pelo Ministério do Trabalho, podem ser feitas as seguintes observações: 1) em 2014, até o dia 28 de novembro, a conta de suprimentos referente ao Seguro-Desemprego ficou com saldo positivo em apenas quinze dias: três em janeiro, quatro em setembro e oito em novembro; 2) os demais dias do ano apresentaram saldo negativo; 3) de 14 de janeiro a 29 de agosto de 2014, o saldo permaneceu negativo todos os dias.[83]

À exceção dos gastos com aposentadorias e pensões, pagos pelo INSS (que não é uma instituição financeira), a auditoria não fez distinção entre os atrasos do Tesouro aos bancos públicos. Atrasos repetidos foram comprovados também entre o Tesouro e o INSS, mas neste caso havia o registro no Banco Central. A manobra não gerava o mesmo impacto das pedaladas com os bancos públicos e

---

[83] Relatório de Fiscalização, Fiscalis 621/2014, TC 021.643/2014-8, página 49, parágrafo 303.

com o FGTS. Apesar disso, os auditores provaram que, de janeiro a maio de 2014, o Tesouro não atendeu aos pedidos de recursos do INSS, transferindo com atraso o dinheiro necessário para o pagamento de aposentadorias e pensões públicas. O atraso mais volumoso foi verificado em abril. No dia 29 daquele mês, o INSS solicitou R$ 3,51 bilhões ao Tesouro. Não recebeu. O dinheiro só chegou três dias depois, em 2 de maio.

Ao final, a auditoria de D'Ávila apontava, com evidências baseadas em documentos e dados do próprio governo, que a LRF tinha sido infringida com as pedaladas fiscais praticadas pelo Tesouro Nacional. Além disso, a auditoria indicou que houve incorreção do Banco Central ao não registrar os passivos do Tesouro com os bancos e com o FGTS no indicador oficial de endividamento público, mascarando, portanto, a real situação das contas públicas. Finalmente, D'Ávila e Santana concluíram ser necessário também que o BC aprimorasse seus instrumentos de verificação dos passivos do governo nas instituições financeiras de modo geral, para evitar a repetição de episódios como o misterioso caso dos R$ 4 bilhões em créditos do governo encontrados em uma conta paralela de um banco privado em maio de 2014, depois de passar três meses consecutivos fora do radar do Banco Central.

Logo após o Natal algumas cópias do relatório começaram a circular entre técnicos do Tesouro, do BC e dos bancos públicos. Caiu como uma bomba. Uma cópia chegou às mãos do autor deste livro e de Adriana Fernandes na noite da primeira sexta-feira do ano, 2 de janeiro de 2015. A reportagem seria publicada sete dias depois no *Broadcast* e no domingo, 11 de janeiro, tomaria a capa do caderno de Economia do *Estadão*, também com chamada na primeira página do jornal.

O documento final dos auditores foi entregue no gabinete do procurador Júlio Marcelo de Oliveira, do Ministério Público de Contas (MPC), que tinha sido o responsável pelo pedido inicial

PERIGOSAS PEDALADAS

da inspeção. Antes de a auditoria chegar ao plenário de ministros do TCU para ser votada, ela precisaria receber um parecer do MPC. Oliveira teria que dizer se, diante das provas apresentadas pelos auditores, as pedaladas constituíam ou não uma infração à lei. Somente depois disso, o ministro relator, Múcio, de posse dos achados dos auditores e da avaliação de Oliveira decidiria seu voto e apresentaria aos demais ministros.

A partir daquele momento, meados de janeiro de 2015, dois movimentos começaram. De um lado, Oliveira e técnicos de seu gabinete, como seu assessor Fernando Camargo, começaram a análise da auditoria. De outro, o advogado-geral da União, Luís Inácio Adams, e o procurador-geral do Banco Central, Isaac Menezes Ferreira, decidiram que era preciso se aproximar do TCU, tanto do corpo técnico quanto dos políticos que cumprem a função de ministros da Corte de Contas, para apresentar o lado do governo. Adams, inclusive, já tinha proposto internamente que todos os contratos de prestação de serviços fechados pela Caixa com os ministérios fossem alterados, como forma de evitar qualquer repetição dos problemas de 2013 e 2014 e também para evitar controvérsias de interpretação.[84]

Por fim, o advogado Arnaldo Sampaio de Moraes Godoy, consultor-geral da União e que participara de reuniões na AGU para tratar do conflito entre a Caixa e o Tesouro Nacional no ano anterior, formulou longo parecer técnico que ficou pronto em 31 de março e foi passado a Adams para avaliação. Segundo seu entendimento, não foi estabelecida uma operação de crédito entre a Caixa e seu controlador por causa dos atrasos nos repasses de recursos do Tesouro, uma vez que os contratos fechados entre a Caixa e os ministérios eram de prestação de serviço. Godoy, inclusive, cita a imprensa, e em

---

[84] "Governo vai mudar contratos com a Caixa para evitar acusações de pedaladas fiscais", em *O Estado de S. Paulo*, 11/02/2015, por João Villaverde e Adriana Fernandes.
http://economia.estadao.com.br/noticias/geral,governo-vai-mudar-contratos-com-a-caixa-para--evitar-acusacoes-de-pedaladas-fiscais,1633008.

particular a reportagem do *Estadão* que revelava o relatório técnico dos auditores do TCU, dizendo que o assunto das pedaladas fiscais guardava "intensa carga ideológica" na mídia.

"A questão tem recebido recorrente atenção da imprensa, que matiza os fatos como indicativos de pedaladas fiscais, ou de contabilidade criativa, expressões com as quais a mídia teria definido demonstrações contábeis de Arno Hugo Augustin Filho (...) a quem a imprensa acusou de ter tentado 'melhorar artificialmente o resultado das contas públicas', em *O Estado de S. Paulo*, Caderno Economia e Negócios, domingo 11 de janeiro de 2015. Pode-se confirmar que o assunto guarda intensa carga ideológica."[85] No mesmo dia, Adams aprovou o parecer.

Esses movimentos, embora ocorressem à luz do dia, não ganharam a atenção devida do Palácio do Planalto. As preocupações nos primeiros 100 dias do segundo mandato de Dilma eram com o ajuste fiscal sendo implementado desde janeiro pelo novo ministro da Fazenda, Joaquim Levy, seguido das eleições para a presidência da Câmara dos Deputados (vencidas por Eduardo Cunha, do PMDB do Rio de Janeiro) e dos novos capítulos da Operação Lava-Jato. Finalmente, as manifestações de rua, que voltaram a ganhar corpo em março de 2015, também ganhavam uma atenção maior.

"As pedaladas fazem parte do passado", disse informalmente ao autor uma autoridade do governo, ministro no Palácio do Planalto, tanto em 2014 quanto no início do segundo mandato de Dilma, pouco antes da Páscoa. Tal qual ocorrera até então, o assunto era tratado como um tema menor dentro do governo. Sempre havia outra prioridade a ser enfrentada. Pedidos de entrevistas e esclarecimentos feitos à presidente da República sobre o tema eram negados imediatamente. Até o dia 6 de abril, a autoridade do Planalto parecia estar certa. O assunto tinha, mais uma vez, desaparecido, e assim parecia

---

[85] Parecer ASMG/CGU/AGU/001/2015, de 31/03/2016, encaminhado no dia seguinte à Câmara de Conciliação e Arbitragem no caso Caixa e Tesouro, segundo o Termo de Conciliação 16/2014/CCAF/CGU/AGU-CRN.

corroborar sua visão. De modo geral, o assunto tinha praticamente desaparecido do noticiário desde o fim de agosto de 2014.[86] Quase sete meses tinham se passado e a agenda era outra.

Naquele dia, no entanto, os fantasmas voltaram com tudo, e a partir de então, não mais deixariam o governo em paz.

A condenação por crime fiscal

O procurador Oliveira assinou seu parecer no fim da tarde de 6 de abril, liberando o documento para o gabinete do ministro José Múcio Monteiro, dois andares acima do seu, no prédio principal do Tribunal de Contas da União em Brasília. Múcio era o relator do caso das pedaladas e já tinha em mãos o relatório final dos auditores. No dia 7 de abril, o parecer do procurador era destaque nas edições de *O Estado de S. Paulo* e *O Globo*.[87]

De posse das constatações de D'Ávila e Santana, o procurador entendeu que os atrasos do Tesouro no repasse de recursos públicos obrigatórios a instituições financeiras controladas pelo próprio governo constituíram uma operação de crédito e, assim, violaram o artigo 36 da Lei de Responsabilidade Fiscal. O artigo veda que uma instituição financeira pública conceda empréstimos ao próprio controlador, e foi isso que, segundo Oliveira, aconteceu com as pedaladas. Sem os recursos do Tesouro, os bancos foram forçados a continuar operando suas obrigações com recursos próprios, gerando uma dívida com o governo, que seria paga em algum momento do futuro, com correção por juros.

---

[86] Com exceção feita à reportagem do *Estadão* de 11 de janeiro revelando o relatório técnico dos auditores do TCU comprovando as pedaladas com documentos do governo.

[87] "Para MP, pedaladas do Tesouro eram empréstimos disfarçados", em *O Estado de S. Paulo*, 07/04/2015, por João Villaverde e Adriana Fernandes. *http://economia.estadao.com.br/noticias/geral,para-mp--pedaladas-do-tesouro-eram-emprestimos-disfarcados-imp-,1665023* e "Pedalada fiscal desrespeitou a lei, diz parecer do Ministério Público", em *O Globo*, 07/04/2015, por Martha Beck: *http://oglobo. globo.com/economia/pedalada-fiscal-desrespeitou-lei-diz-parecer-do-ministerio-publico-15799401*.

HISTÓRIA AGORA

O artigo 36 da LRF é considerado um dos "pilares" da lei por aquele que é provavelmente o economista mais próximo da figura de "pai fundador" da LRF, o carioca José Roberto Afonso, especialista em contas públicas que trabalhou em sua formulação nos anos de 1999 e 2000. O artigo faz parte da subseção "Das Vedações", tem uma frase apenas e prevê o seguinte:

> É proibida a operação de crédito entre uma instituição financeira estatal e o ente da Federação que a controle, na qualidade de beneficiário do empréstimo.[88]

Era esse o cerne de toda a discussão que foi levada à câmara de arbitragem da Advocacia-Geral da União (AGU) e ao conselho de administração da Caixa pelos advogados de sua área jurídica. A Caixa é controlada pelo governo federal e usou recursos próprios para pagar programas que devem ser 100% bancados com dinheiro do governo apenas. Se esse procedimento, verificado de julho de 2013 a setembro de 2014 quase sem interrupções, fosse interpretado como uma operação de crédito, o governo estaria em apuros.

O artigo 36 da LRF foi criado para acabar com uma prática muito comum entre os governadores e a própria União nos anos 1980 e 1990, que era a de usar os próprios bancos para fechar buracos orçamentários. A promiscuidade entre governos e seus bancos gerava não apenas uma complexidade na análise das contas de cada parte, mas problemas de solvência para as instituições. Os casos limites foram os mais famosos: o Banco do Brasil e a Caixa quase quebraram em 1996, além de uma miríade de bancos públicos estaduais, como o Banerj (do Rio de Janeiro) e o Banespa (de São Paulo). Uma das funções da LRF, sancionada em maio de 2000, era evitar e proibir a repetição de manobras com as contas públicas.

---

[88] Artigo 36 da Lei Complementar nº 101, de maio de 2000, a Lei de Responsabilidade Fiscal (LRF).

PERIGOSAS PEDALADAS

Entre os conceitos de operação de crédito firmados pela LRF estão os orçamentários e os extraorçamentários. No primeiro caso estão as operações clássicas, realizadas para obter ou gerar uma fonte de recursos capaz de cobrir uma necessidade de despesa prevista no orçamento. No segundo caso estão aquelas contratadas para suprir uma insuficiência de caixa. Na LRF, essas são chamadas de Antecipações de Receita Orçamentária (ARO). O artigo 38 diz o seguinte: "A operação de crédito por antecipação de receita destina-se a atender insuficiência de caixa durante o exercício financeiro".

Para o procurador do Ministério Público de Contas encarregado pelo caso, a auditoria do TCU com dados da própria equipe econômica não deixava dúvidas: o governo infringira a Lei de Responsabilidade Fiscal ao realizar uma operação de crédito por meio de um adiantamento de receitas feito por instituições financeiras controladas pelo próprio governo.

Nove dias após a conclusão do parecer de Oliveira, os ministros do TCU colocaram o processo das pedaladas fiscais em julgamento na Corte. A sessão ocorreu na tarde da quarta-feira, 15 de abril. Relator do caso, o ministro Múcio decidiu seguir as recomendações de Oliveira. Votou pela condenação do governo, num movimento que por muito tempo o governo demorou a compreender, uma vez que os laços políticos de Múcio com o ex-presidente Luiz Inácio Lula da Silva sempre foram claros e profundos. Até então, nenhuma decisão de Múcio em casos muito sensíveis aos governos petistas tinha sido tomada sem que o ministro levasse em consideração sua amizade com Lula. No julgamento das pedaladas, no entanto, a surpresa estava dada: Múcio seguiu as recomendações do procurador. Além de considerar as pedaladas ilegais, Múcio também criticou o Banco Central em seu voto, apontando irregularidade da autoridade monetária:

Ainda não compreendo como é que dezenas de bilhões de reais em passivos da União tornaram-se imperceptíveis ou indiferentes aos olhos do Banco Central, não obstante constarem devidamente registrados nos ativos das instituições credoras e terem sido rapidamente flagrados pelos auditores do TCU. Afinal, se as dívidas que escaparam ao controle do Banco Central tivessem sido detectadas desde o seu surgimento, as irregularidades apontadas neste processo provavelmente não ganhariam grandes proporções nem se estenderiam por tanto tempo.[89]

Com Múcio votaram todos os demais ministros da Corte de Contas. O governo terminou o dia culpado, por unanimidade, pela violação da Lei de Responsabilidade Fiscal.

Com o julgamento, o tribunal também decidiu que deveria se posicionar sobre a atribuição de responsabilidade de dezessete autoridades federais envolvidas nas pedaladas. Entre elas estavam Guido Mantega, Arno Augustin e Marcus Aucélio, além dos presidentes das instituições financeiras (Caixa, BB e BNDES), os ministros das pastas envolvidas (Trabalho, Desenvolvimento Social, Cidades e Planejamento) e o presidente do Banco Central. Tão logo terminou a sessão, o governo entrou com dois pedidos de reconsideração. O embargo de declaração foi, dias depois, negado pelo tribunal. O outro era um recurso de mérito. De um lado, a AGU argumentava que o TCU considerara os contratos de prestação de serviços fechados entre a Caixa e os ministérios como operações de crédito e que isso era errado. De outro, a procuradoria-geral do Banco Central argumentava não ser correta a incorporação das dívidas geradas pelo Tesouro com as novas pedaladas nas estatísticas fiscais. Esses recursos foram enviados para a Secretaria de Recursos do TCU ainda em abril. Eles somente seriam liberados para a decisão final do tribunal em dezembro, na última sessão do ano.

Durante esse período, o TCU ainda analisaria as dezessete peças de defesa formais enviadas por cada um dos envolvidos no

---

[89] Voto do relator, acórdão 825/2015 do TCU, página 88.

PERIGOSAS PEDALADAS

julgamento das pedaladas. O jornal *Valor Econômico* revelou, então, que Arno Augustin tinha deixado um documento assinado de próprio punho em seu penúltimo dia de trabalho em que dizia ser o único responsável pela decisão de liberar gastos da programação financeira.[90] A data, 30 de dezembro de 2014, fora registrada à caneta no documento.[91] Nele, Augustin dizia que "as solicitações de liberações de recursos são encaminhadas para a chefia imediata, a saber, subsecretário de Política Fiscal e diretor de Programas, com vistas a submeter ao secretário do Tesouro a decisão quanto ao atendimento das liberações solicitadas. De posse das informações, o secretário do Tesouro Nacional decide o montante a ser liberado em cada item da programação financeira".[92] Quando a nota foi assinada, o relatório final da auditoria realizada por D'Ávila, do TCU, já começara a circular no próprio Tesouro.

Seis meses depois era hora de uma explicação mais completa sobre o assunto: Augustin apresentou sua defesa formal, assinada por ele e um integrante da Advocacia-Geral da União. Foi enviada ao TCU na data limite estabelecida pelo julgamento, 17 de junho. Seis dias depois, o documento, de 123 páginas, foi obtido e revelado pelo *Estadão*.[93] Sua principal linha de defesa surpreendeu os auditores do tribunal e também os bancos públicos. Augustin frisou que não podia ser responsabilizado pela decisão da Caixa Econômica Federal de usar recursos próprios para continuar pagando em dia os benefícios do seguro-desemprego,

---

[90] "Augustin assume responsabilidade pelas pedaladas fiscais", em *Valor Econômico*, 19/06/2015, por Leandra Peres.

[91] "Em documento, ex-secretário do Tesouro assumiu responsabilidade por pedaladas fiscais", em *O Estado de S. Paulo*, 19/06/2015, por Adriana Fernandes. *http://economia.estadao.com.br/noticias/geral,em-documento--ex-secretario-do-tesouro-assumiu-responsabilidade-por-pedaladas--fiscais,1709795.*

[92] Nota técnica 06/2014, Coordenação-Geral de Programação Financeira (Cofin) e Subsecretaria de Política Fiscal (Supof), assinada pelo secretário do Tesouro Nacional, 30/12/2014.

[93] "Arno diz ao TCU que seus atos tinham qualidade e roupagens de licitude", em *O Estado de S. Paulo*, 23/06/2015, por Adriana Fernandes e João Villaverde. *http://economia.estadao.com.br/noticias/geral,arno-diz-ao-tcu-que-seus-atos-tinham-qualidades-e-roupagens-da-licitude,1711434.*

do abono salarial e do Bolsa Família. Esta tinha sido uma decisão da Caixa e dos ministérios responsáveis pelos programas.

> Não era de minha competência a execução, realização e pagamento das despesas do seguro-desemprego e abono salarial, e que se houve decisão do pagamento dessas despesas pela instituição financeira sem o recebimento prévio dos recursos financeiros, isso decorreu da geração e/ou envio de arquivo eletrônico a cargo do Ministério do Trabalho ou da própria Caixa, o que possibilitou a realização dos pagamentos aos beneficiários finais do programa, não devendo ser a mim imputada tal responsabilidade haja vista que não sou e nunca fui executor/gestor das despesas do seguro-desemprego e abono salarial.

No caso das dívidas crescentes penduradas pelo Tesouro Nacional no Banco do Brasil e no BNDES pelo não pagamento das equalizações de juros devidas aos dois bancos pelos financiamentos agrícolas e pelo Programa de Sustentação de Investimento (PSI), respectivamente, Augustin reconheceu os débitos, mas negou que essas dívidas tenham representado uma operação de crédito entre os bancos e o Tesouro. Ele disse que o governo, ao não pagar o que devia ao BB e ao BNDES, estava "apenas descumprindo dispositivos normativos".

> Ao não efetuar o pagamento da equalização prevista em lei, a União está, em um ato unilateral, apenas descumprindo dispositivos normativos e deixando de realizar uma despesa orçamentária, sem, portanto, a existência de uma relação contratual de operação de crédito (...) quando deixou de cumprir, a União tornou-se simplesmente inadimplente com os bancos credores da subvenção, em virtude de descumprimento de dispositivo normativo (portaria) e não contratual.

Augustin também reforçava a linha de defesa geral do governo Dilma Rousseff ao dizer que atrasos pontuais no repasse de recursos que sustentam "programas sociais diversos" já tinham sido verificados "desde 1994". Na defesa, Augustin comparou as pedaladas fiscais de sua gestão, concentradas em 2013 e 2014, aos meses em que a conta social da Caixa Econômica Federal fechou com saldo negativo desde janeiro de 1994, isto é, durante os sucessivos governos de Itamar Franco, Fernando Henrique Cardoso e Luiz Inácio Lula da Silva.

Além da comparação com o passado, Augustin usou um argumento polêmico para se defender dos atrasos nos repasses de recursos públicos. Na tentativa de mostrar que a relação entre a Caixa e os ministérios era de prestação de serviço, e que, portanto, não teria existido uma operação de crédito quando a Caixa usou dinheiro próprio para pagar despesas federais na falta de recursos do Tesouro, Augustin citou dois contratos de prestação de serviços do próprio TCU. O ex-comandante do Tesouro, inclusive, usou o fac-símile dos documentos em sua defesa.

Um dos contratos citados era entre o TCU e a Fundação Universidade de Brasília (FUB), e o outro se dava entre o TCU e a empresa City Service Segurança, para serviço de brigada de incêndio para o TCU. "A existência de regra específica para casos de atraso de pagamento é comum em contratos de prestação de serviço, como é possível observar em contratos celebrados pelo próprio Tribunal de Contas da União", relatou Augustin na sua defesa.

Por fim, o ex-secretário do Tesouro alegou "boa-fé" em todas as suas ações nos sete anos e sete meses à frente da instituição.

> Em que pese reconhecer a importância de que possam ser aperfeiçoados os procedimentos de execução financeira, em todas as situações apontadas como ilegais ou irregulares pelo TCU, busquei ser zeloso na execução de minhas atribuições em cumprimento aos dispositivos que regem o sistema de programação orçamentária e financeira, o que reveste meus atos de boa-fé.

Dois dias depois, o jornal *Folha de S.Paulo* revelou a defesa formal apresentada pelo ex-ministro da Fazenda, Guido Mantega, ao TCU. Enquanto Augustin dizia não poder ser responsabilizado pelas decisões da Caixa e dos ministérios, Mantega, por sua vez, dizia não poder ser responsabilizado por decisões de Augustin no caso do não pagamento do que era devido pelo governo ao Banco do Brasil e ao BNDES.

> O secretário do Tesouro Nacional estabelece o montante a ser liberado em cada item da programação financeira, determinando que sejam adotadas as providências para a operacionalização das liberações de recursos por ele autorizadas.[94]

Mantega citava, também, o documento assinado por Augustin em 30 de dezembro de 2014, em que chamava para si a responsabilidade pela programação financeira.

Por último, os ministérios em suas defesas apresentadas ao TCU negaram que a relação entre eles e a Caixa fosse de operação de crédito, o que é vedado pela Lei de Responsabilidade Fiscal, mas sim de prestação de serviço. Na defesa entregue ao tribunal pela então ministra do Desenvolvimento Social, Tereza Campello, na noite de 12 de junho, havia também a comparação dos atrasos nos repasses do Tesouro aos ministérios, e destes com a Caixa, com o que ocorrera no governo tucano de FHC. Responsável pelo Bolsa Família, a ministra assinou sua defesa junto da advogada da União Vaneza Bertuci.

> O contrato Ministério do Desenvolvimento Social (MDS)-Caixa é um contrato administrativo de prestação de serviços sui generis (...) Mensalmente, de acordo com as datas acordadas, a Caixa solicita

---

[94] "Mantega culpa ex-secretário do Tesouro por pedaladas", em *Folha de S.Paulo*, 25/06/2015, por Natuza Nery, Gustavo Patu e Dimmi Amora.

PERIGOSAS PEDALADAS

ao MDS os recursos financeiros necessários ao pagamento da folha de benefícios, facultando-se ao MDS enviá-los integralmente ou parceladamente. Os recursos financeiros ficam depositados numa conta suprimento, específica para o Programa Bolsa Família, cabendo ao MDS deixá-la com saldo positivo. Eventualmente, de maneira excepcional, é possível que a conta suprimento fique com saldo negativo. Em ambos os casos, negativo ou positivo, o saldo da conta suprimento deve ser corrigido, diariamente, pela taxa extramercado do Banco Central. Obviamente, o saldo positivo gera rendimento para a União/MDS; e o saldo negativo, para a Caixa.[95]

Para reforçar a defesa geral apresentada pelo governo, o advogado-geral da União, sempre destacara, a partir daí, que o governo fechara 2014 com um saldo positivo com a Caixa nas contas destinadas ao pagamento do Bolsa Família, do seguro-desemprego e do abono salarial. A lógica por trás dessa linha de defesa era fazer uma análise anual das contas e não mensal. Isto porque o saldo mensal tinha sido mantido negativo, pelos atrasos do Tesouro, até o mês de setembro de 2014, quando os repasses voltaram a se regularizar. Os dados fiscais de setembro foram divulgados em 29 de outubro, após a realização do segundo turno das eleições presidenciais. A análise anual das contas na Caixa, no entanto, apontava para o fechamento no azul, ou positivo, em 2014.

A revelação da defesa da ministra do Desenvolvimento Social ocorreu no mesmo dia em que o relatório técnico do TCU sobre o Balanço Geral da União de 2014 ficou pronto. O barulho a partir daí seria quase ensurdecedor. Para os técnicos, as inconsistências apresentadas pelo governo nas contas eram grandes, como a falta de registro, pelo governo, das pedaladas fiscais do Tesouro Nacional no

---

[95] "Defesa do governo nega crime fiscal", em *O Estado de S. Paulo*, 14/06/2015, por João Villaverde. *http://economia.estadao.com.br/noticias/geral,defesa-do-governo-nega-crime-fiscal,1705476.*

endividamento público total. Diante dos achados dos auditores, a gestão Dilma Rousseff estava diante de uma situação quase inédita: as contas federais de 2014 poderiam ser reprovadas pelo tribunal.

A reprovação das contas federais

Todos os anos, o TCU, criado com apoio do jurista e ex-ministro da Fazenda Rui Barbosa no segundo ano da República, em 1890, faz a análise das contas da União referentes ao ano anterior. Ou seja, em 2014, por exemplo, os ministros do tribunal analisaram — e aprovaram — o Balanço Geral da União referente ao ano de 2013, apresentado pelo governo Dilma Rousseff. Assim, em 2015 seria a vez de os ministros analisarem as contas federais de 2014. Como em toda análise de balanço federal, a Corte pode dar três definições: aprovação total, aprovação com ressalvas ou reprovação. No primeiro caso, o TCU concorda com tudo o que o governo apresentou sobre suas operações no ano anterior. No segundo caso, mais comum, o tribunal aprova o desempenho federal, mas apresenta recomendações de mudanças pontuais em procedimentos do governo, que normalmente são acatados ou então discutidos em detalhes posteriormente. No último caso, da reprovação, a situação seria diferente: isso praticamente nunca tinha acontecido.

Agora, no entanto, havia um precedente do próprio tribunal: o julgamento das pedaladas fiscais realizado em 15 de abril terminara com uma condenação unânime da equipe econômica pela infração da Lei de Responsabilidade Fiscal. Oficialmente, o julgamento ainda não tinha sido concluído, porque a análise do recurso do governo estava pendente. Mas o precedente estava aberto e o governo sabia que, combinado com o clima político, uma reprovação das contas era possível.

Baseado nas experiências americana e francesa, Rui Barbosa era ministro da Fazenda quando pressionou para que o recém-instaurado

PERIGOSAS PEDALADAS

governo republicano criasse um órgão de controle externo para fiscalizar o cumprimento das leis e o adequado uso do dinheiro público. O Tribunal de Contas nasceu com essa função, embora contasse com um vício de origem: o TCU é vinculado ao Poder Legislativo, tendo dois terços dos responsáveis pelas decisões — os ministros — indicados pelo Congresso Nacional, e um terço pelo Executivo a partir de negociações com os parlamentares. Desde sempre, o TCU passou a ter corpo técnico escolhido por concurso público, com as atribuições de auditoria, inspeção e produção de relatórios, e ministros oriundos majoritariamente do mundo político, isto é, ex-deputados e ex-senadores, muitos deles ainda com laços com colegas que permaneciam no Congresso.

O esforço de Rui Barbosa, eternizado com um busto colocado no saguão térreo da sede do TCU em Brasília, rendeu um tribunal que evoluiu ao longo dos anos para a Corte de Contas que chegou em 2015 com o seguinte desenho: um órgão de poder administrativo, capaz de atribuir multas, embargar obras e serviços, fazer valer leis, e que, também, uma vez por ano faz uma avaliação do Balanço Geral da União referente ao ano anterior. Há ainda um Ministério Público de Contas, que atua somente para casos dentro do tribunal, e um corpo técnico de auditores responsáveis pela inspeção e fiscalização dos recursos públicos empregados pela União. Esse trabalho todo era encaminhado aos ministros, escolhidos por indicação política e majoritariamente ex-parlamentares, para que dessem seu veredicto. Tudo seguindo o disposto pelos artigos 70 a 75 da Constituição de 1988.

No caso da avaliação das contas federais, no entanto, as decisões do TCU não são definitivas. Esses são os únicos processos em que o TCU produz, na realidade, um parecer que é encaminhado ao Congresso Nacional, responsável pela decisão final sobre as contas federais. Os parlamentares recebem, todos os anos, os pareceres do TCU e podem seguir ou não a indicação do tribunal. No artigo 71 da Constituição de 1988 estão dispostas as funções modernas do

HISTÓRIA AGORA

TCU. Nele, estão verbos como "julgar", "aplicar", "sustar", "fiscalizar" e "prestar", todos de caráter definitivo, com exceção ao estipulado justamente no inciso primeiro, quando trata da análise das contas federais. Neste caso, a Constituição prevê que cabe ao TCU produzir um "parecer prévio":

> "Art. 71. O controle externo, a cargo do Congresso Nacional, será exercido com o auxílio do Tribunal de Contas da União, ao qual compete:

> I — Apreciar as contas prestadas anualmente pelo Presidente da República, mediante parecer prévio que deverá ser elaborado em sessenta dias a contar de seu recebimento".

De Marechal Deodoro, primeiro presidente da República, a Dilma Rousseff, primeira mulher a chegar à Presidência, somente em 1937 o TCU rejeitou as contas federais em seu parecer prévio. Naquele episódio, o Balanço Geral da União referente ao ano anterior, isto é, 1936, foi reprovado pela Corte de Contas. O presidente da República responsável por aquelas contas, Getúlio Vargas, considerou o ato inaceitável e trocou praticamente todos os ministros da Corte como represália. Naquele ano, o presidente instituiu o regime ditatorial chamado Estado Novo.

Desde então, por mais de sete décadas, o TCU sempre aprovou as contas apresentadas pelos sucessivos presidentes da República, eventualmente apontando ressalvas. Mas sempre, por setenta e sete anos, o TCU aprovou as contas apresentadas pelos diversos presidentes da República, incluindo Dilma, que teve as contas de 2011, 2012 e 2013 aprovadas pelo TCU, ainda que ressalvas pontuais tenham sido feitas em todos esses anos.

Agora, o quadro era diferente. O relatório técnico dos auditores do TCU na análise do Balanço Geral da União de 2014 chamava as pedaladas de "passivos ocultos" e apontava que, somente naquele ano, elas atingiram R$ 37,15 bilhões na soma entre Caixa, Banco do Brasil e BNDES.[96] Além disso, os auditores apontavam para a omissão do Banco Central no cálculo da dívida pública: os passivos gerados pelo Tesouro nos bancos e FGTS deveriam ser registrados pela autoridade monetária.

Dois meses depois, no início de agosto, Adams foi ao TCU entregar as quase 1,1 mil páginas de defesa do governo para o processo de análise de contas federais de 2014. De imediato parecia haver uma inconsistência na parte da defesa preparada pelo Banco Central.

O caso do FGTS

Segundo auditoria nos dados federais, a equipe econômica do governo tinha deixado de pagar R$ 18,3 bilhões ao FGTS ao fim de 2014. O fundo tinha adiantado recursos para o financiamento do programa habitacional Minha Casa, Minha Vida e não tinha recebido em troca o pagamento devido pelo governo. Além disso, os auditores que analisaram as contas de 2014 verificaram aquilo que D'Ávila e Santana tinham investigado no caso específico das pedaladas fiscais meses antes: esse passivo criado pelo Tesouro não era registrado pelo Banco Central no indicador oficial de endividamento do setor público brasileiro.

Na defesa, o governo justificou que o FGTS não é uma instituição financeira e que, portanto, não faria parte do escopo de análise do Banco Central no cálculo da dívida pública. O BC argumentou que se fosse forçado a seguir o entendimento dos auditores do TCU, a dívida pública fugiria do "padrão metodológico adotado desde 1991".[97]

---

[96] "Relatório do TCU diz que governo omitiu R$ 37 bi em dívidas em 2014", em *O Estado de S. Paulo*, 14/06/2015, por João Villaverde, Fábio Fabrini e André Borges. *http://economia.estadao.com.br/noticias/geral,relatorio-do-tcu-diz-que-governo-omitiu-r-37-bi-em-dividas-em-2014,1705474*.

[97] "Resposta Contas do Governo", documento da AGU, páginas 21, 22 e 23. *http://www.agu.gov.br/pdf/resposta_contas_do_governo.pdf*.

HISTÓRIA AGORA

O problema é que o Banco Central tinha sim passivos do governo no FGTS registrados na dívida pública. Eles, no entanto, estavam camuflados numa operação complexa envolvendo uma estatal chamada Empresa Gestora de Ativos (Emgea), criada pelo ex-presidente Fernando Henrique Cardoso em junho de 2001. A Emgea nasceu com o objetivo de retirar do balanço da Caixa Econômica Federal os ativos e passivos "podres", isto é, de difícil retorno aos cofres da instituição. Sem esse peso no balanço, a Caixa poderia aumentar suas operações a partir daquele momento e diminuir seu risco de capital. A Emgea, por outro lado, teria como missão única e específica a busca do dinheiro perdido em ativos de difícil retorno e o pagamento de passivos da Caixa — estes estavam concentrados no FGTS.

Em junho de 2001, quando nasceu, a Emgea assumiu uma dívida de R$ 25,6 bilhões, em valores da época, com o FGTS. Imediatamente após a criação da nova estatal, o Banco Central fez o registro desse montante na dívida pública. O passivo da Emgea com o FGTS foi inscrito na rubrica "Outros Débitos", dentro de "Empresas Estatais Federais" na estatística oficial de dívida pública do BC. Naquele mês de junho de 2001, a rubrica "Outros Débitos" foi aumentada justamente em igual valor referente a dívida da Emgea com o FGTS. Desde então, o Banco Central contabiliza, todos os meses, esse passivo na estatística oficial. A Emgea foi procurada a comentar para reportagem do autor deste livro sobre esse problema na defesa do governo. À época, a estatal confirmou ao autor que ainda carregava em balanço.

Por fim, o próprio Manual de Finanças Públicas, editado pelo BC em 2005 como resposta a uma determinação do TCU, aponta que "o endividamento público com o FGTS" deve ser incluído nas estatísticas fiscais. Se o manual do BC prevê a inclusão das dívidas com o FGTS e os passivos de uma estatal, o fundo dos trabalhadores, com a Emgea, já era devidamente registrado pela autoridade monetária.

PERIGOSAS PEDALADAS

Por que, então as dívidas criadas pelos atrasos do Tesouro Nacional no repasse de recursos ao FGTS em 2014 não poderiam ser?

O Banco Central foi procurado, e dois técnicos me receberam na sede da autoridade monetária, em Brasília, em 9 de agosto. Segundo a argumentação do BC, as dívidas com o FGTS somente poderiam ser registradas na dívida pública caso fossem resultado de uma "reestruturação", tal qual a realizada pelo governo federal entre maio e junho de 2001, quando da criação da Emgea. Naquela oportunidade foram levantados os ativos e passivos da Caixa no FGTS e transferidos para a Emgea, que passou a ser a responsável pelo pagamento do que era devido e pela recuperação dos ativos de difícil retorno. Tanto foi assim, argumentou o Banco Central, que os ativos registrados no balanço da Emgea também entraram na dívida pública, na rubrica "Outros Créditos", anulando, portanto, o impacto fiscal. Com os novos passivos criados pelo Tesouro no FGTS, graças aos atrasos no pagamento do que era devido ao fundo que antecipara recursos ao programa federal Minha Casa, Minha Vida, não havia uma reestruturação a ser feita.

Após a publicação da reportagem,[98] a percepção dos auditores do TCU era clara: o governo temia, entre outras consequências, o aumento da dívida pública no momento em que os passivos gerados pelo Tesouro Nacional com as pedaladas fossem registrados.

O caso do FGTS e a batalha de versões e entendimentos sobre as contas públicas foi o mais complexo: durante o período de análise da defesa do governo pelo tribunal, entre julho e agosto, duas novas informações surgiram, jogando luzes sobre as manobras feitas pelo Tesouro. Desta vez, os problemas eram de mais simples compreensão — envolviam as pedaladas com a Caixa Econômica Federal, com os programas obrigatórios, com o Banco do Brasil e com as dívidas por causa da "equalização de juros" devida pelo governo.

---

[98] "O governo Dilma cometeu um erro em sua defesa das pedaladas?", em *O Estado de S. Paulo*, 12/08/2015, por João Villaverde. *http://economia.estadao.com.br/blogs/joao-villaverde/o-governo-dilma-cometeu-um-erro-em-sua-defesa-das-pedaladas/ e http://politica.estadao.com.br/noticias/geral,auditores-do-tcu-apontam-falha-sobre-fgts-em-defesa-de-petista--imp-,1741654.*

HISTÓRIA AGORA

A explosão da dívida pendurada no BB

Na inspeção comandada pelos auditores D'Ávila e Santana no fim de 2014, o aumento da dívida do Tesouro com o Banco do Brasil foi levantada apenas para 2013 e 2014. Os auditores, inclusive, não entenderam naquele momento tratar-se de uma operação de crédito entre o BB e o governo, diferente do que ocorrera com as pedaladas com a Caixa e o BNDES, uma vez que as portarias do Ministério da Fazenda para o programa PSI operado pelo banco de fomento incluíam prazos e condições de pagamentos, estabelecendo assim um compromisso financeiro entre as partes. No caso do BB, a compreensão de que havia uma operação de crédito partiu do procurador Oliveira e depois foi acompanhada por todos os ministros do TCU.

Os auditores apontaram para o aumento da dívida do Tesouro com o BB e, principalmente, para o fato de que ela não era registrada pelo Banco Central, o que permitia ao governo apresentar um dado fiscal melhor do que deveria ser na prática. Mas esses achados estavam restritos a 2013 e 2014. Um levantamento mais extenso, portanto, era necessário. Foi o que ocorreu em julho, quando os dados que indicavam a evolução dos passivos num período de dez anos foram revelados em reportagem do *Estadão*.

A análise de quarenta e um balanços trimestrais do Banco do Brasil, referentes ao período entre janeiro de 2005 e março de 2015, revelou que a dívida do Tesouro Nacional no banco tinha saltado 1.692% em termos nominais, saindo de R$ 919,6 milhões para os R$ 16,4 bilhões registrados no balanço do primeiro trimestre de 2015, divulgado no fim de junho.

Todas as dívidas estavam registradas em três rubricas distintas: "Tesouro Nacional — equalização de taxas — safra agrícola", "Títulos e créditos a receber — Tesouro Nacional" e "Alongamento do crédito rural — Tesouro Nacional", e eram referentes principalmente aos financiamentos do Plano Safra, que deveriam ter taxas de juros equalizadas pelo Tesouro Nacional.

PERIGOSAS PEDALADAS

À época, o Banco do Brasil informou que o salto no volume dos passivos do Tesouro era resultado do aumento expressivo do crédito subsidiado para o setor agrícola oferecido pelo banco como parte da política do governo. No Plano Safra 2004/2005, os desembolsos do BB para o campo foram de R$ 25,8 bilhões. Dez anos depois, no Plano Safra 2014/2015, o volume chegara a R$ 73,3 bilhões. "Consequentemente, aumentou o volume de recursos equalizáveis", disse o BB por meio de sua assessoria de imprensa. De fato, o volume aumentara — mas, ao mesmo tempo, o Tesouro diminuíra os pagamentos, como Augustin tinha admitido em sua defesa formal ao TCU.

A revelação do grande aumento das pedaladas do Tesouro no BB, em 11 de julho, apontava também para o fato de a dívida continuar subindo em 2015, isto é, já durante o segundo mandato de Dilma.[99]

Dívida total pendurada pelo Tesouro no Banco do Brasil (em R$ milhões).
Fonte: Balanços do Banco do Brasil

O primeiro grande salto no valor devido pelo Tesouro ao Banco do Brasil ocorreu em 2010, o último do governo Lula. Entre 2005 e 2009, a média anual de passivo pendurado pelo governo no BB fora

---

[99] "Dívida do Tesouro Nacional com o Banco do Brasil chega a R$ 16,4 bilhões", em *O Estado de S. Paulo*, por João Villaverde, 11/07/2015. http://economia.estadao.com.br/noticias/geral,divida-do-tesouro-nacional-com-o-banco-do-brasil-chega-a-r-16-4-bilhoes,1723357.

de R$ 1,18 bilhão. Em 2010, a dívida total salta a R$ 5,82 bilhões. Nos dois primeiros anos do governo Dilma, em 2011 e 2012, o passivo total do Tesouro no banco público permanece neste mesmo patamar. Então um novo salto é verificado em 2013, quando a dívida vai a quase R$ 9,1 bilhões. No ano seguinte, 2014, mais um aumento expressivo: o passivo do Tesouro chega a R$ 14,72 bilhões. Por fim, no primeiro trimestre de 2015, a dívida continuou aumentando, batendo R$ 16,48 bilhões ao fim de março.

Na investigação tocada por D'Ávila e Santana, do TCU, na equipe econômica no fim de 2014, o Banco Central informara que apenas as dívidas registradas pelo BB como "alongamento de crédito rural — Tesouro Nacional" eram registradas na dívida pública do Brasil. As duas outras rubricas que registravam também dívidas do Tesouro com o banco, "Tesouro Nacional — equalização de taxas — safra agrícola" e "Títulos e créditos a receber — Tesouro Nacional", não eram.

Assim, apenas a menor parte dessa dívida do Tesouro era registrada nos dados oficiais do Banco Central. Isto porque a rubrica "alongamento de crédito rural" apontava um passivo de R$ 1,4 bilhão em junho de 2014. Já as duas outras contas, que não eram registradas pelo BC, somavam R$ 9,7 bilhões.

Como também ocorria para a dívida do Tesouro com o BNDES por causa das equalizações de juros devidos ao banco de fomento no âmbito do programa PSI, os auditores já tinham apontado para a irregularidade nos atos do Banco Central:

> As equalizações são despesas orçamentárias correntes que devem ser pagas ao longo do processo de execução do orçamento. Ou seja, espera-se que o devedor (União) efetue, periodicamente, o pagamento das equalizações ao respectivo credor (BB). Quando, no entanto, referidos pagamentos não são efetuados e, ao estoque da respectiva dívida, passam a ser apropriados juros, não há dúvida de que o credor está concedendo uma espécie de financiamento ao devedor.[100]

---

[100] Relatório de Fiscalização, Fiscalis 621/2014, TC 021.643/2014-8, parágrafos 116 e 117.

De Itamar a Dilma: a Caixa e o Tesouro

Poucos dias depois dos dados do Banco do Brasil serem revelados foi a vez de os números históricos da Caixa Econômica Federal virem à tona.

Desde abril o governo usava como linha de defesa o fato de que atrasos no repasse de recursos do Tesouro à Caixa ocorreram em governos anteriores, ainda que em menor medida. Comparações com o passado foram repetidas, inclusive nas peças de defesa apresentadas pelas autoridades envolvidas no julgamento das pedaladas pelo TCU. "Se for para revisar o passado, é preciso condenar todos", disse Adams em entrevista concedida em Brasília em 23 de julho.[101]

Cinco dias depois, os dados históricos da Caixa foram revelados. De posse de tabelas com o saldo registrado no final de cada mês nas contas usadas pela instituição para pagar o seguro-desemprego, o abono salarial e o Bolsa Família foi possível comparar o desempenho de cada transação durante o mandato de cada presidente. Para o Bolsa Família havia o registro mensal desde o início do programa, em outubro de 2003. Para o seguro-desemprego e o abono salarial, o registro mensal começava em janeiro de 1994, último ano de mandato de Itamar Franco, que assumira após o *impeachment* de Fernando Collor. Todas as três séries terminavam em abril de 2015. Assim, para o caso dos programas sociais mais antigos, os dados em mãos contavam a história da relação entre a Caixa e o Tesouro durante o ano final de Itamar, os dois mandatos de FHC (1995-2002), os dois mandatos de Lula (2003-2010), o primeiro mandato de Dilma (2011-2014) e os primeiros quatro meses de seu segundo mandato (janeiro-abril 2015).

---

[101] "Se for para revisar o passado, é preciso condenar todos", diz Adams, em *O Estado de S. Paulo*, 24/07/2015, por João Villaverde, Vera Rosa e Tânia Monteiro. *http://politica.estadao.com.br/noticias/geral,se-for-para-revisar-passado--e-preciso-condenar-todos,1730928.*

HISTÓRIA AGORA

Sempre que o saldo final do mês era positivo, isso significava que a Caixa terminara aquele período com um excesso de recursos do Tesouro — ou seja, havia um montante que sobrara como resíduo após o pagamento dos programas. Por outro lado, um saldo final negativo representava volume insuficiente de recursos do Tesouro. Em outras palavras: a Caixa tinha usado dinheiro próprio para continuar pagando os beneficiários em dia.

Para o caso do seguro-desemprego, que é a maior dessas três despesas, a comparação com o passado trazia informações importantes. Durante os oito anos de mandato de FHC, a conta da Caixa terminou no vermelho em seis meses e nunca de forma continuada, ou seja, dois meses consecutivos de saldo negativo. O desempenho fora quase o mesmo durante seu sucessor: nos oito anos de Lula, o saldo negativo na conta da Caixa para o seguro-desemprego fora verificado em sete meses. Com Dilma, a situação era diferente. Mesmo com menos tempo de mandato (cinquenta e dois meses, entre janeiro de 2011 e abril de 2015, ante os noventa e seis meses que ambos Lula e FHC governaram), Dilma tinha, sob sua gestão, um quadro muito mais negativo do que os demais: por vinte e um meses a Caixa teve a conta de seguro-desemprego fechando no vermelho. Havia também um grande período em que isso ocorreu de forma consecutiva: entre os meses de agosto de 2013 e setembro de 2014.[102]

Os dados foram gerados pela própria Caixa Econômica Federal e também pelo Banco Central. No caso do BC houve despacho do presidente da autoridade monetária, Alexandre Tombini, assinado à mão em 17 de junho de 2015, e repassado ao deputado Beto Mansur, primeiro-secretário da Câmara dos Deputados. "Encaminho à Vossa Excelência, a propósito, o anexo Ofício 9980/2015-BCB/Diret, de 17 de junho de 2015, subscrito pelos Diretores de Fiscalização e de Política Econômica e pelo Procurador-Geral

---

[102] "Pedalada de Dilma impactou benefício durante vinte e um meses", em *O Estado de S. Paulo*, 28/07/2015, por Daniel Carvalho e João Villaverde. *http://politica.estadao.com.br/noticias/ geral,pedalada-de-dilma-impactou-beneficio-durante-21-meses--imp-,1733124*.

do Banco Central do Brasil, com as informações referentes sobre o assunto", escreveu Tombini. O documento foi recebido oficialmente pela Câmara às 16h10 do dia seguinte. Ele conta com informações idênticas àquelas repassadas por Miriam Belchior, então presidente da Caixa, ao ministro da Fazenda, Joaquim Levy, por meio do ofício 190/2015/CAIXA no dia 3 de junho. O ofício fora também assinado por José Carlos Medaglia Filho e Marcio Percival Alves Pinto, então vice-presidente de governo e vice-presidente de finanças e controladoria da Caixa.

NT VIGOV/VIFIC 0004/15   fl. 4/4

7.1.2   Bem verdade que em alguns períodos houve, de fato, saldos negativos episódicos, isto desde 1994, o que de forma alguma pode configurar, repita-se, hipótese de antecipação de receita ou operação de crédito.

7.1.3   De igual forma, se for considerado o maior saldo negativo no mês, verificamos que a mesma sistemática de fluxo de caixa já era verificada desde aquela época, o que reforça a ideia lançada nas linhas precedentes, conforme anexo II.

7.2   Diante do exposto, resta claro que a prática é regular. Pensar diferente seria desconsiderar ditames de ordem pública, notadamente a previsão da Lei 8.666/93 como legislação de regência da relação contratual em comento.

7.3   Daí a conclusão de que a CAIXA simplesmente seguiu no cumprimento dos calendários de pagamento, na regular forma do direito, entendimento esse corroborado pela Advocacia-Geral da União, por meio do Parecer ASMG/CGU/AGU/01/2015, de 31/03/2015.

7.4   Por fim, para prestar o atendimento requerido, no que se refere aos Programas Bolsa Família, Seguro Desemprego e Abono Salarial, encaminhamos os anexos III, IV e V, respectivamente, com as informações solicitadas nos itens 1 a 3 do RIC em comento, salientando mais uma vez as observações lançadas nas linhas 7.1, 7.1.1, 7.1.2 e 7.1.3.

7.4.1   Para o período de janeiro a junho de 1994, quanto aos programas Seguro Desemprego e Abono Salarial, os valores históricos apurados apresentavam-se em cruzeiros reais e portanto para permitir a adequada comparação foram divididos por 2.750 objetivando a padronização das moedas.

8   Colocamo-nos à disposição para os esclarecimentos que forem necessários.

É o que temos a relatar.

JOSE CARLOS MEDAGLIA FILHO
Vice-Presidente de Governo

MARCIO PERCIVAL ALVES PINTO
Vice-Presidente de Finanças e Controladoria

As informações da Caixa, cedidas pela própria instituição financeira e confirmadas pelo Banco Central, são as seguintes:

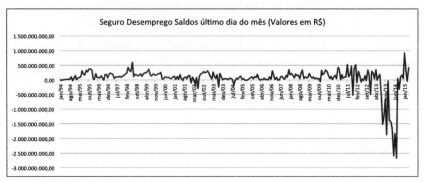

Seguro Desemprego - saldos (em R$) verificados no fim de cada mês - 1994-2015
Fonte: Dados da Caixa Econômica Federal repassados pela CEF e pelo Banco Central

No primeiro ano registrado pela Caixa, o último do governo Itamar Franco, há dois saldos negativos na conta usada pela instituição financeira controlada pelo governo para o pagamento do seguro-desemprego: em fevereiro, de R$ 15,4 milhões, e em outubro, de R$ 21,4 milhões. Fernando Henrique Cardoso assume em janeiro de 1995 e até o final de seu penúltimo ano são dois saldos negativos apontados, sendo o primeiro em setembro de 1996, de R$ 3,3 milhões, e o segundo em julho de 2001, de R$ 12,5 milhões. Em seu último ano, 2002, há quatro déficits, sendo o menor deles, de R$ 298 mil, em março, e o maior, de R$ 293,8 milhões, em junho. Os outros dois números negativos são em janeiro (R$ 98,8 milhões) e em abril (R$ 171,4 milhões). Lula toma posse em janeiro de 2003. Em todo o seu primeiro mandato são cinco saldos negativos espalhados no período, sendo o primeiro em setembro de 2003, com R$ 236,4 milhões, seguido de R$ 160,3 milhões e de R$ 2,7 milhões em agosto e setembro de 2004 respectivamente e os últimos em abril e maio de 2005, com R$ 2,8 milhões e R$ 10,4 milhões. No segundo

PERIGOSAS PEDALADAS

mandato inteiro, isto é, entre janeiro de 2007 e dezembro de 2010, a Caixa registrou dois meses de saldo negativo, em abril de 2007, de R$ 340 mil, e depois em novembro de 2009, de R$ 61,1 milhões. Dilma assume em janeiro de 2011, e no fim de seu primeiro ano há o primeiro registro de déficit na conta do seguro-desemprego (em novembro, de R$ 520,1 milhões). Em 2012, são cinco meses: fevereiro (R$ 88,3 milhões), maio (R$ 65,6 milhões), julho (R$ 16,7 milhões), setembro (R$ 8,8 milhões) e em dezembro (R$ 496,9 milhões). Já em 2013, os números negativos aumentam e tomam seis meses, sendo o primeiro em maio (R$ 4,6 milhões) e então os outros cinco de forma consecutiva entre agosto e dezembro. É quando, também, o saldo negativo supera a marca de um bilhão de reais pela primeira vez, em setembro (R$ 1,51 bilhão). Depois, também em outubro (com déficit de R$ 1,28 bilhão) e em dezembro (R$ 1,87 bilhão) a barreira é quebrada. No último ano de seu primeiro mandato, o ano eleitoral de 2014, há déficit em todos os meses, de forma seguida, entre janeiro e julho, e depois também em setembro, sendo que entre fevereiro e julho, o saldo devedor do Tesouro fica sempre muito acima de R$ 1 bilhão. Os dois maiores valores negativos da série são registrados neste ano, sendo R$ 2,66 bilhões em julho e R$ 2,59 bilhões em maio. Por fim, há um último saldo negativo do Tesouro apontado nos dados da Caixa para o seguro-desemprego, registrado em março de 2015, já no segundo mandato de Dilma, no valor de R$ 44,5 milhões. Ao todo, portanto, há dois saldos negativos sob Itamar (sendo apenas um ano de análise), seguido de seis saldos em oito anos de FHC, sete déficits em oito anos de Lula e nada menos do que vinte e um meses negativos em quatro anos e quatro meses de Dilma Rousseff.

CAIXA ECONÔMICA FEDERAL

NT VIGOV/VIFIC 0004/15   ANEXO IV   fl. 1/6

Vice-Presidência de Governo
Diretoria Executiva Programa Bolsa Família e Benefícios Sociais
Superintendência Nacional Benefícios Sociais

Valores em R$
SEGURO DESEMPREGO (Jan/1994 – Abr/2015)

Mês/Ano	SALDOS ÚLTIMO DIA DO MÊS
jan/94	13.059.305,52
fev/94	-15.401.683,11
mar/94	5.548.762,15
abr/94	12.455.872,37
mai/94	15.847.627,45
jun/94	16.150.619,12
jul/94	33.863.948,85
ago/94	24.300.470,00
set/94	106.695.584,89
out/94	-21.477.117,87
nov/94	51.722.093,71
dez/94	148.855.019,36
jan/95	12.657.517,16
fev/95	77.191.874,04
mar/95	83.312.479,49
abr/95	118.292.332,03
mai/95	313.410.828,84
jun/95	188.307.505,14
jul/95	174.086.758,31
ago/95	334.913.306,37
set/95	275.475.491,27
out/95	377.995.666,98
nov/95	377.537.573,90
dez/95	336.771.911,30

Fonte: Sistema Financeiro - SISFIN

Valores em R$
SEGURO DESEMPREGO (Jan/1994 – Abr/2015)

Mês/Ano	SALDOS ÚLTIMO DIA DO MÊS
jan/96	45.940.336,85
fev/96	21.225.028,26
mar/96	207.503.995,43
abr/96	83.883.147,29
mai/96	87.149.156,48
jun/96	66.978.199,77
jul/96	140.755.354,24
ago/96	69.454.831,01
set/96	-3.388.269,13
out/96	179.308.728,43
nov/96	195.087.107,83
dez/96	66.862.527,27
jan/97	196.560.958,75
fev/97	230.297.039,12
mar/97	208.887.074,81
abr/97	183.776.952,62
mai/97	54.443.025,12
jun/97	100.386.955,52
jul/97	108.835.960,92
ago/97	97.640.499,51
set/97	125.687.530,20
out/97	96.600.555,58
nov/97	121.872.003,93
dez/97	154.523.465,53

NT VIGOV/VIFIC 0004/15   ANEXO IV   fl. 6/6

Vice-Presidência de Governo
Diretoria Executiva Programa Bolsa Família e Benefícios Sociais
Superintendência Nacional Benefícios Sociais

Valores em R$

| SEGURO DESEMPREGO (Jan/1994 – Abr/2015) ||
Mês/Ano	SALDOS ÚLTIMO DIA DO MÊS
jan/14	-36.250.580,34
fev/14	-1.373.523.982,99
mar/14	-1.427.389.597,75
abr/14	-1.644.065.955,52
mai/14	-2.591.185.834,75
jun/14	-1.823.180.468,16
jul/14	-2.667.230.891,65
ago/14	46.573.761,35
set/14	-311.054.424,74
out/14	107.206.775,94
nov/14	170.493.268,05
dez/14	50.235.401,93
jan/15	918.688.464,81
fev/15	294.427.909,29
mar/15	-44.541.050,31
abr/15	412.656.860,89

Fonte: Sistema Financeiro – SISFIN

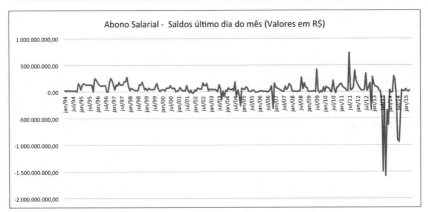

Abono Salarial - saldos (em R$) verificados no fim de cada mês - 1994-2015
Fonte: Dados da Caixa Econômica Federal repassados pela CEF e pelo Banco Central

HISTÓRIA AGORA

Os dados referentes ao programa abono salarial revelam situações semelhantes, embora em proporções menores devido ao peso inferior da política nas contas públicas. Diferente do seguro-desemprego, com o abono salarial não há qualquer registro de déficit no repasse de recursos do governo à Caixa entre janeiro de 1994 e agosto de 2001. Os primeiros saldos negativos são registrados somente no penúltimo ano do governo FHC e todos no segundo semestre. O primeiro foi de R$ 18,5 milhões em setembro, seguido de R$ 24,7 milhões e de R$ 22,2 milhões em novembro e dezembro, respectivamente. Os saldos voltam para o terreno positivo em 2002 e continuam assim sob Lula, que assumiu a Presidência em janeiro do ano seguinte. Há um número maior de déficits na Caixa, com R$ 145,1 milhões em setembro e R$ 98,5 milhões em novembro. Em 2004, foram também dois meses que terminaram com a Caixa precisando de recursos do Tesouro, em agosto (R$ 81,4 milhões) e novembro (R$ 264,4 milhões). Em 2005, três meses: outubro, com insuficiência de R$ 8,4 milhões, em novembro, com R$ 11,7 milhões e finalmente em dezembro, com R$ 2 milhões. Entre janeiro de 2006 e maio de 2009 somente em novembro de 2006 houve saldo negativo na conta, de R$ 312 milhões. Em 2009, surgem então três déficits: em junho (de R$ 1,7 milhão), setembro (R$ 24,3 milhões) e em novembro (R$ 11,7 milhões). Em 2010, ano final de Lula, a Caixa fechou outros dois meses com saldos negativos na conta abastecida com recursos do Tesouro para o pagamento do abono salarial, sendo R$ 8,6 milhões em junho e R$ 25,4 milhões em setembro. Dilma assume o Palácio do Planalto e o primeiro saldo negativo somente aparece em novembro de 2012, de forma pontual, no valor de R$ 338,7 milhões. É a partir de julho de 2013 que o quadro muda: durante todo o segundo semestre daquele ano, a Caixa fechou no vermelho por falta de recursos do Tesouro. Em agosto e em outubro, o saldo negativo supera a marca de um bilhão de reais, sendo R$ 1,49 bilhão e R$ 1,58 bilhão respectivamente. Depois do saldo positivo em janeiro de 2014, há dois déficits consecutivos em fevereiro e março, e finalmente quatro seguidos entre junho e setembro do ano eleitoral, sendo o mais elevado de R$ 938,5 milhões em agosto.

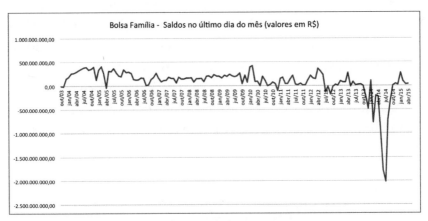

Bolsa Família - saldos (em R$) verificados no fim de cada mês - 2003-2015
Fonte: Dados da Caixa Econômica Federal repassados pela CEF e pelo Banco Central

As informações do Bolsa Família mostram que nos dois primeiros meses do programa, a Caixa fechou no vermelho, com saldos negativos de R$ 10,5 milhões e de R$ 13,9 milhões em outubro e novembro de 2003, respectivamente. A partir de dezembro daquele ano, o saldo passa a ser positivo — os meses fechavam sempre com mais recursos do Tesouro do que o efetivamente necessário para o pagamento dos benefícios. De dezembro de 2003 a julho de 2010 apenas em abril de 2005 houve saldo negativo, de R$ 39,3 milhões. No último ano de Lula, no entanto, dois números vermelhos são registrados, em agosto (de R$ 107 mil) e em dezembro (de R$ 104,9 milhões). Dilma assume em janeiro de 2011 e os saldos mensais terminam no positivo em todos os meses até junho de 2012. A partir daí o quadro muda: há quatro saldos negativos consecutivos entre julho e outubro de 2012 antes da situação voltar para o azul em novembro. Novo déficit em maio de 2013, de R$ 17,8 milhões. Mas é a partir de outubro que a situação passa a ser de saldos negativos continuados, começando com o saldo devedor do Tesouro de R$ 1,1 milhão, subindo a R$ 480,6 milhões em dezembro. Correção em janeiro. De fevereiro a setembro de 2014, em todos os oito meses houve déficit para a Caixa. É também a primeira vez em toda a série que os saldos negativos superam a marca de um bilhão de reais: em maio (R$ 1 bilhão), junho (R$1,78 bilhão) e o maior de todos em julho (de R$ 2,01 bilhões). Entre outubro de 2003, quando foi criado, e dezembro de 2010, a conta da Caixa usada para o pagamento do programa terminou com déficit em cinco meses. Sob Dilma, num período menor (de janeiro de 2011 a abril de 2015), os saldos foram maiores, consecutivos (em diferentes períodos de 2012, 2013 e principalmente 2014) e somaram dezesseis meses.

BANCO CENTRAL DO BRASIL

1

TABELAS REFERENTES AO QUESITO 1

Tabela I – Outubro de 2003 a Dezembro de 2007

Valores em R$

Mês/Ano	Bolsa Família Saldo	Mês/Ano	Bolsa Família Saldo
Out/03	-10.582.143,54	Jan/06	293.370.859,14
Nov./03	-13.969.215,39	Fev./06	267.314.459,74
Dez/03	150.933.247,63	Mar/06	136.318.630,28
Jan/04	185.231.548,53	Abr./06	122.849.369,31
Fev./04	259.289.160,81	Mai/06	131.879.944,92
Mar/04	264.747.358,05	Jun/06	168.920.864,70
Abr./04	289.261.445,61	Jul./06	165.805.537,98
Mai/04	321.756.271,37	Ago./06	13.427.084,22
Jun/04	354.624.072,97	Set/06	23.787.451,88
Jul./04	381.542.870,92	Out/06	139.724.300,82
Ago./04	393.890.477,72	Nov./06	177.071.352,25
Set/04	337.331.123,55	Dez/06	265.754.571,11
Out/04	355.829.502,15	Jan/07	161.696.730,56
Nov./04	397.195.318,68	Fev./07	85.172.990,10
Dez/04	122.611.301,22	Mar/07	115.483.045,38
Jan/05	335.017.669,84	Abr./07	121.552.406,74
Fev./05	408.825.903,69	Mai/07	181.797.921,65
Mar/05	262.384.041,04	Jun/07	160.137.018,74
Abr./05	-39.337.998,81	Jul./07	156.795.058,81
Mai/05	313.743.550,37	Ago./07	64.127.266,51
Jun/05	305.258.835,60	Set/07	185.274.280,90
Jul./05	366.518.378,58	Out/07	147.322.695,85
Ago./05	280.752.032,02	Nov./07	145.273.769,10
Set/05	215.140.833,50	Dez/07	163.642.665,57
Out/05	196.212.131,53		
Nov./05	341.244.201,08		
Dez/05	282.198.358,55		

Fonte: Caixa - Sistema Financeiro – SISFIN
Nota: Programa Bolsa Família criado em Outubro de 2003.

PERIGOSAS PEDALADAS

BANCO CENTRAL DO BRASIL

. 2

Tabela II – Janeiro de 2008 a Dezembro de 2011

Valores em R$

Bolsa Família		Bolsa Família	
Mês/Ano	Saldo	Mês/Ano	Saldo
Jan/08	161.851.494,20	Jan./10	394.923.033,45
Fev./08	170.405.222,71	Fev./10	418.168.710,75
Mar/08	78.587.288,25	Mar/10	87.704.327,72
Abr./08	152.107.830,56	Abr./10	91.989.202,95
Mai/08	152.883.612,96	Mai./10	245.001,72
Jun/08	159.793.487,23	Jun/10	193.173.423,53
Jul./08	89.549.031,49	Jul./10	104.582.198,90
Ago./08	201.134.756,73	Ago./10	-107.319,63
Set/08	205.642.440,86	Set/10	21.821.149,37
Out/08	171.365.037,51	Out/10	71.583.768,22
Nov./08	230.986.166,84	Nov./10	41.964.370,67
Dez/08	203.926.031,80	Dez/10	-104.998.492,78
Jan./09	201.220.010,76	Jan./11	149.779.791,22
Fev./09	164.776.974,36	Fev./11	175.833.611,61
Mar/09	219.370.285,07	Mar/11	40.303.127,35
Abr./09	196.061.559,32	Abr./11	45.640.947,68
Mai./09	238.850.941,02	Mai./11	141.728.903,86
Jun/09	206.577.686,95	Jun/11	212.832.352,86
Jul./09	189.870.968,59	Jul./11	30.569.725,82
Ago./09	211.108.100,13	Ago./11	16.163.846,87
Set/09	263.104.672,31	Set/11	46.330.296,43
Out/09	40.530.004,31	Out/11	13.267.279,77
Nov./09	222.375.718,68	Nov./11	14.713.266,42
Dez/09	73.635.407,88	Dez/11	116.103.587,18

Fonte: Caixa - Sistema Financeiro – SISFIN

Diretor de Fiscalização / Diretor de Política Econômica / Procurador-Geral
SBS Quadra 3, Bloco B, Edifício Sede -- 70074-900 – Brasília (DF)
Telefones: (61) 3414-2442 / (61) 3414-3231 / (61) 3414-4848
E-mail: secre.difis@bcb.gov.br / secre.dipec@bcb.gov.br / pggab.pgbcb@bcb.gov.br

HISTÓRIA AGORA

BANCO CENTRAL DO BRASIL

3

Tabela III – Janeiro de 2012 a Abril de 2015

Valores em R$

Bolsa Família		Bolsa Família	
Mês/Ano	Saldo	Mês/Ano	Saldo
Jan/12	215.334.464,68	Jan/14	109.543.541,40
Fev./12	158.849.935,48	Fev./14	-773.711.666,20
Mar/12	146.725.821,98	Mar/14	-203.909.568,16
Abr./12	361.727.954,73	Abr./14	-227.528.796,39
Mai/12	299.731.094,71	Mai/14	-1.000.977.160,39
Jun/12	233.268.297,71	Jun/14	-1.782.220.351,39
Jul./12	-135.050.743,05	Jul./14	-2.018.357.317,39
Ago./12	-12.819.178,45	Ago./14	-711.025.490,45
Set/12	-182.967.467,57	Set/14	-286.935.708,95
Out/12	-18.318.870,25	Out/14	6.411.319,34
Nov./12	22.581.974,93	Nov./14	42.188.456,66
Dez/12	7.337.218,13	Dez/14	22.374.579,05
Jan./13	102.064.792,48	Jan/15	273.228.175,45
Fev./13	76.627.828,48	Fev./15	95.515.415,74
Mar/13	72.594.517,70	Mar/15	31.872.147,05
Abr./13	270.638.934,87	Abr./15	37.383.628,65
Mai/13	-17.806.510,13		
Jun/13	80.952.861,45		
Jul./13	7.938.566,16		
Ago./13	26.302.131,66		
Set/13	27.889.113,73		
Out/13	-1.199.183,78		
Nov./13	-226.459.371,20		
Dez/13	-480.681.312,20		

Fonte: Caixa - Sistema Financeiro – SISFIN

Diretor de Fiscalização / Diretor de Política Econômica / Procurador-Geral
SBS Quadra 3, Bloco B, Edifício Sede – 70074-900 – Brasília (DF)
Telefones: (61) 3414-2442 / (61) 3414-3231 / (61) 3414-4848
E-mail: secre.difis@bcb.gov.br / secre.dipec@bcb.gov.br / pggab.pgbcb@bcb.gov.br

PERIGOSAS PEDALADAS

Os dados apresentados pela Caixa também contavam com o maior saldo diário negativo desde 1994. Isto é, o dia em que a conta usada pela instituição para pagar o Seguro-Desemprego, por exemplo, ficou com o maior buraco por falta de recursos do Tesouro Nacional. Os dados tiveram correção monetária pelo IGP-M até abril de 2015, o que é correto, uma vez que permitem, assim, comparar sem erros de quantificação valores de anos distantes, como 1994, com anos do governo Dilma. Os cálculos também foram feitos pela própria Caixa.

Essa comparação revelou também informações importantes. Não apenas houve saldo negativo maior nos meses entre 2012 e 2014, mas também dentro de cada mês, houve dias em que o buraco foi maior — mesmo quando a comparação se deu com anos do final da era FHC, em 2001 e 2002, quando a taxa de desemprego do país foi muito superior àquela verificada na gestão Dilma, o que justificaria um aumento dos gastos com seguro-desemprego pela Caixa e, consequentemente, um eventual descasamento entre os repasses necessários e obrigatórios do Tesouro.

No governo Itamar, o maior saldo diário negativo foi registrado em 3 de março de 1994, quando a moeda ainda era o cruzeiro real (a conversão para o real para fins de cálculo foi feita pela própria Caixa Econômica Federal). Naquele dia, a Caixa fechou a conta de seguro-desemprego com um saldo negativo de R$ 584,9 milhões. Nos oito anos (1995-2002) de FHC, o maior saldo negativo diário foi registrado em 26 de maio de 2000, de R$ 928,7 milhões. Nos oito anos (2003-2010) de governo Lula, o maior saldo diário negativo foi registrado em 30 de setembro de 2003, com R$ 475 milhões. O maior saldo negativo diário somente romperia a marca de 1 bilhão de reais no governo Dilma Rousseff, e isso ocorreu pela primeira vez em 8 de dezembro de 2011. Em outros catorze dias, depois, a conta da Caixa financiada com recursos do Tesouro fecharia com saldo negativo superior a esse valor, sendo o maior de todos registrado em

30 de dezembro de 2013, com R$ 3,621 bilhões, e o segundo mais elevado em 12 de agosto de 2014, de R$ 3,024 bilhões.[103]

Segundo sempre defendeu o governo, o simples registro de atraso em governos anteriores ao de Dilma e posteriores a maio de 2000, quando foi sancionada a Lei de Responsabilidade Fiscal já configuraria uma infração à LRF, segundo o entendimento do TCU, e nem por isso o tribunal tinha criado problema no passado.

Na apresentação aos senadores, feita por Adams e por Nelson Barbosa durante audiência pública na Comissão de Assuntos Econômicos (CAE) em 14 de julho, os ministros de Dilma foram diretos: "Todas as ações abordadas pelo TCU já ocorreram em outros anos e são baseadas em metodologias que nunca foram apontadas como irregularidades graves pelo TCU em gestões passadas". Quando foram ao Senado, os ministros já tinham conhecimento dos dados levantados pela própria Caixa e pelo Banco Central com informações de atrasos mensais e diários em diversos programas obrigatórios desde 1994. Do lado do TCU, a justificativa foi dada pelo procurador do Ministério Público de Contas, Júlio Marcelo de Oliveira: os auditores do tribunal nunca tinham feito uma inspeção tão detalhada da relação entre o Tesouro Nacional e os bancos públicos, em especial com a Caixa, de modo que problemas no passado não foram percebidos pela Corte de Contas. Além disso, o procurador apontava para o fato de que os atrasos nos repasses do Tesouro eram "pontuais" nas gestões de FHC e de Lula e passaram a ser repetidos e ampliados na gestão Dilma.

Duas fontes da Caixa afirmaram ao autor que levaram esses dados a Hereda, o presidente da instituição, enquanto a câmara de arbitragem na AGU estava aberta. Eles queriam subsidiar Hereda

---

[103] Coincidentemente, no dia seguinte seriam publicadas as reportagens do *Estadão* e da *Folha* revelando que havia uma câmara de arbitragem aberta na AGU a pedido da Caixa para resolver o impasse gerado pelos sucessivos e crescentes atrasos do Tesouro no repasse de recursos para o pagamento de programas obrigatórios.

de informações. Segundo um deles, o temor era grande, porque o claro descompasso entre o que estava ocorrendo na gestão Dilma com o que tinha sido verificado nos governos de Fernando Henrique Cardoso e Lula poderia ser invocado como uma infração à Lei de Responsabilidade Fiscal. De acordo com este vice-presidente, que tem anos de serviços prestados à Caixa, os atrasos do passado eram decorrentes de "problemas pontuais na liberação da quantia necessária exata", enquanto o que ocorrera sob Dilma era uma "política deliberada do Tesouro" para apresentar gastos menores. Ambos os dirigentes da Caixa falaram em Brasília, sob a condição de anonimato. Hereda foi procurado diversas vezes pelo autor para se pronunciar, mas o chefe de gabinete dele na secretaria de desenvolvimento econômico do governo baiano, Marco Aurélio Cohim, respondeu ao autor deste livro por mensagem eletrônica que o ex-presidente da Caixa não faria "qualquer tipo de manifestação, comentário ou entrevista sobre o tema".[104]

Lula e a "internacionalização" das pedaladas

Na primeira vez em que tratou publicamente sobre as pedaladas, o ex-presidente Lula justificou que as manobras feitas por Dilma serviram para continuar pagando programas sociais e trabalhistas importantes. Lula falou durante evento em São Bernardo do Campo (SP), em 13 de outubro. Ele disse que Dilma tinha "pedalado sim", mas que tinha feito isso com interesse social, para continuar mantendo programas de pé. No mesmo dia, Dilma usou a mesma defesa ao discursar no congresso da Central Única dos Trabalhadores (CUT) em São Paulo, quando, também, chamou de "golpismo descarado" a tentativa de afastá-la da Presidência por causa das pedaladas.

---

[104] Mensagem enviada por *e-mail* ao autor em 02/09/2016.

HISTÓRIA AGORA

Dois dias depois, no entanto, a organização Contas Abertas produziu um levantamento com todas as pedaladas confirmadas pelo TCU feitas pelo Tesouro com a Caixa (com as despesas sociais e trabalhistas) e com o BB e o BNDES. O documento do Contas Abertas apontava para uma história diferente: "Maioria das 'pedaladas' foi para grandes empresas e agronegócio".[105] Os valores devidos ao Banco do Brasil, decorrentes do financiamento subsidiado ao Plano Safra; e ao BNDES, por causa dos empréstimos do Programa de Sustentação ao Investimento (PSI), eram muito superiores àqueles devidos à Caixa por causa de atrasos nos repasses ao seguro-desemprego, ao abono salarial e ao Bolsa Família. A análise do Contas Abertas seria rapidamente disseminada nas redes sociais e repercutida pelos jornais.

Foi neste contexto, em meados de outubro, que o tema ganhou também repercussão internacional, ao ser tratado em detalhes pelo economista inglês Martin Wolf, um dos mais influentes analistas econômicos do mundo.

Na tarde de 15 de outubro, dois dias após Lula e Dilma justificarem as pedaladas fiscais como alternativa para sustentar programas sociais, o analista inglês, que é colunista do jornal britânico *Financial Times*, ex-técnico do Banco Mundial e autor de livros como "*Por que a Globalização Funciona*", concedeu uma entrevista de duas horas, por telefone, ao autor deste livro.

Wolf defendeu as medidas econômicas feitas pelo governo brasileiro na resposta à crise mundial de 2008-2009, mas disse ter sido um exagero o excesso de estímulos dados a partir de 2011, quando o quadro global era outro. "Países com problemas estruturais não devem fazer forte expansão fiscal. O caso de países emergentes que sequer são 'triplo A' ou mesmo 'duplo A' é ainda mais claro: a forte e duradoura expansão fiscal traria problemas para os países, e entendo que houve sim um

---

[105] "Maioria das 'pedaladas' foi para grandes empresas e agronegócio", em *Contas Abertas*, 15/10/2015, por Dyelle Menezes. *http://www.contasabertas.com.br/website/arquivos/12064.*

exagero no Brasil." Sobre as pedaladas fiscais, Wolf disse que países "bem administrados" não precisam recorrer a esse tipo de manobra:

No campo fiscal, o governo Dilma Rousseff também praticou manobras contábeis para melhorar as contas públicas entre 2012 e 2014, notadamente as "pedaladas fiscais". O governo alega que esses atrasos nos pagamentos do Tesouro aos bancos públicos foram decorrentes da baixa arrecadação e, também, que todos os governos fazem isso. O que o senhor acha?

Wolf: Sei que práticas semelhantes foram feitas em países que passaram por dificuldades extremas, como a Grécia e a Itália, em anos recentes, com atrasos nos pagamentos aos fornecedores do estado. Não conheço prática semelhante em países como os Estados Unidos e outros da Europa, ao menos no campo federal. Entendo que países bem administrados não precisam recorrer a esse tipo de manobra. Mas há um problema inevitável que surge com manobras como esses atrasos.

Qual?

Wolf: Este processo de atrasar pagamentos e transferências obrigatórias produz uma dívida nova do setor público. O governo pode não pagar no presente, mas terá que pagar no futuro, correto? Então, o governo terá que, no futuro, aumentar impostos ou cortar de outras áreas para fazer esses pagamentos que ficaram atrasados. Essa dívida, também, mostra que as contas públicas de países que recorrem a essas manobras não são tão transparentes. Qual é a dívida real de um país? Tudo aquilo que o setor público deve e, em algum momento, pagará. Atrasar no presente gera um problema para o futuro.

O governo alega que tem corrigido boa parte dessas "pedaladas", embora ainda existam muitos atrasos aos bancos públicos.

Wolf: Esses atrasos acontecem em países em crise, mas realmente não deveriam. Esse tipo de prática não pode ser legitimada. É apenas

HISTÓRIA AGORA

uma forma de um governo evitar um confronto com a realidade. Mas não é possível fazer isso por muito tempo. Uma hora o governo terá que pagar, não é? E se não puder aumentar impostos ou cortar outras despesas para arcar com essa dívida nova? O governo vai dar um calote? Esse comportamento fiscal não pode ser justificado. Aqui não se trata de uma posição de esquerda ou de direita. Todos devem pensar que o governo, qualquer governo, tem uma obrigação moral de ter contas públicas verdadeiras.[106]

O debate técnico, nos campos econômico e jurídico, no entanto, estava prestes a terminar. Naquele momento, meados de outubro, o assunto já estava praticamente capturado pelo mundo político.

Quando o Ministério Público de Contas (MPC) apresentou parecer aos ministros da Corte sugerindo a rejeição do Balanço Geral da União de 2014 por causa dos problemas encontrados pelos auditores, o clima político já tinha tomado conta. Em 26 de julho, um domingo, protestos em São Paulo e Brasília pediram ao TCU que rejeitasse as contas do governo. Durante os meses de agosto e setembro e até a sessão de análise das contas, realizada em 7 de outubro, manifestantes acendiam velas em frente ao tribunal com os dizeres "S.O.S. TCU". Já havia a compreensão na oposição e nos movimentos contrários à presidente Dilma Rousseff que a rejeição das contas de 2014 era o caminho que levaria ao *impeachment.*

---

[106] "O Brasil precisa de um duro aperto fiscal, diz Martin Wolf", em *O Estado de S. Paulo*, 18/10/2015, por João Villaverde. *http://economia.estadao.com.br/blogs/joao-villaverde/um-duro-ajuste-fiscal-e-inevitavel-para-o-brasil-diz-martin-wolf/.*

CAPÍTULO 6.
O IMPEACHMENT

"Um governo incapaz de controlar seus negócios fiscais e monetários acabará por ser incapaz de atingir a expansão e a igualdade. O preço de políticas irresponsáveis em todos os países e todos os séculos precisa ser pago eventualmente."

John Schulz, historiador americano pela Universidade de Yale.
Especialista na história financeira brasileira do século XIX.

Dilma decidiu partir para o ataque quando as pedaladas começaram efetivamente a contaminar o clima do Congresso e das ruas, logo após o julgamento que terminou com a condenação do governo em 15 de abril.

A presidente colocou a área jurídica de seu governo para escancarar publicamente o que seria sua defesa a partir dali: em coletiva à imprensa realizada na tarde da sexta-feira, 17 de abril, na sede do Ministério da Justiça, o governo negou o crime fiscal e disse ainda que prática idêntica àquela condenada pelo TCU tinha sido praticada pelo ex-presidente Fernando Henrique Cardoso (PSDB) em 2001. A coletiva foi conduzida pelo então ministro da Justiça, José Eduardo Cardozo, o advogado-geral da União, Luís Inácio Adams, e o procurador-geral do Banco Central, Isaac Menezes Ferreira.[107] Dilma estava segura de que seu governo não cometera nenhuma infração. As primeiras vozes do PSDB que surgiram falando em usar

---

[107] "Atraso nos repasses do Tesouro começou no governo FHC, diz ministro da Justiça", em *O Estado de S. Paulo*, 18/04/2015, por Beatriz Bulla. *http://politica.estadao.com.br/noticias/geral,atraso-nos-repasses-do-tesouro-comecou-no-governo-fhc-diz-ministro-da-justica,1671984.*

HISTÓRIA AGORA

as pedaladas como *impeachment* eram logo rechaçadas pelo Planalto: como o próprio TCU deixara claro no julgamento, as práticas tinham como responsáveis integrantes de seu governo, mas não a presidente diretamente. Também o senador Aécio Neves, presidente nacional do PSDB, falara naquele dia que era preciso tratar o *impeachment* com "cautela", uma vez que o TCU incriminara diretamente apenas os integrantes da equipe econômica e não a presidente. Mas o gatilho político já tinha sido acionado: o líder de seu partido no Senado, Cássio Cunha Lima, da Paraíba, já defendia que a condenação das pedaladas fiscais pelo tribunal de contas era, afinal, a base formal para a sustentação de um pedido de *impeachment*.[108]

No dia seguinte, a temperatura aumentou ainda mais. Instado a comentar o caso, o ministro do TCU Augusto Nardes disse durante o fórum de empresários realizado anualmente por João Dória (PSBD) em Comandatuba (BA), que a presidente da República poderia sim "ser responsabilizada" pelas pedaladas fiscais, embora ela não estivesse arrolada no processo julgado pela Corte de Contas.[109]

Esse depoimento de Nardes foi o primeiro de uma série que duraria exatamente seis meses. Ele era o relator do processo de análise de contas federais de 2014, e seus movimentos passaram a ser acompanhados de perto não só pela responsabilidade em suas mãos, mas porque, logo de partida, ele deu mostras de que estava disposto a comentar o caso.

Político conservador, Nardes se filiou à Arena antes de completar vinte anos de idade, e pelo partido que dava sustentação ao regime militar começou a carreira política como vereador em sua cidade

---

[108] "Líderes de oposição dizem que decisão do TCU abre caminho para pedido de *impeachment*", por Isadora Peron, em *O Estado de S. Paulo*, 16/04/2015.
http://politica.estadao.com.br/noticias/geral,lideres-de-oposicao-dizem-que-decisao-do-tcu-abre--caminho-para-pedido-impeachment,1671183.

[109] "Ministro do TCU diz que Dilma pode ser responsabilizada por pedaladas fiscais", em *O Estado de S. Paulo*, 18/04/2015, por Elizabeth Lopes e Pedro Venceslau. *http://economia.estadao.com.br/noticias/geral,ministro-do-tcu-diz-que-dilma-pode-ser-responsabilizada-por-pedaladas-fiscais,1672406.*

natal, Santo Ângelo, no interior do Rio Grande do Sul. No fim dos anos 1980 migrou para o partido de Paulo Maluf, que fora o último candidato presidencial do regime militar. Pelo PP, Nardes foi eleito deputado federal em 1994 e depois reeleito duas vezes. Era deputado em 2005 quando foi escolhido pelo então presidente Luiz Inácio Lula da Silva para ser ministro do TCU. Dez anos depois ele estava diante de um dos casos mais dramáticos da história da Corte de Contas. A partir de abril, sua rotina mudou: passou a conceder quase três entrevistas por dia a rádios e jornais regionais, além de atender repórteres dos jornais nacionais e de televisão. Ele percorreu os principais centros, em especial em seu estado, em palestras a empresários. Em praticamente todas as ocasiões o ministro daria declarações que apimentariam ainda mais um caso muito quente.

Um dia antes da data em que seria realizada a primeira sessão de análise das contas do governo Dilma, em 16 de junho, Nardes declarou aos jornalistas que seu voto "não seria pela aprovação com ressalvas" do balanço do governo, sinalizando, portanto, que seu voto seria ou pela improvável "aprovação plena" ou pela reprovação. Nove dias depois, em seminário em São Paulo, Nardes disse que "não adianta o Arno Augustin dizer que foi ele o responsável; as contas são da presidente Dilma". Uma semana depois, em 3 de julho, Nardes diria ao *Estadão* que seria "muito difícil o governo conseguir justificar as distorções em seu balanço". Quatro dias mais tarde, ao jornal *O Globo*, ele diria que "não há golpe nenhum, as instituições têm de funcionar e têm de ser fortes, então reforço que não há sentimento de golpismo aqui".

Durante todo aquele período entre abril e outubro, uma mesma história se repetiria: Nardes daria declarações dando indicações claras de que rejeitaria as contas federais com base nas pedaladas fiscais; o governo continuaria comparando a situação de 2013 e 2014 à de antecessores (Lula e FHC), ao mesmo tempo em que criticava Nardes por antecipar seu voto, (o que é proibido pela Lei de Magistratura, à qual os ministros do TCU estão submetidos); por fim, a oposição no Congresso, formada por PSDB, DEM, PPS, Solidariedade, PSB e setores rebelados do PSD e do PMDB comandados pelo presidente da Câmara, Eduardo Cunha, buscaria a todo momento sustentar que Dilma deveria sofrer o *impeachment* por ter infringido a Lei de Responsabilidade Fiscal e atentado contra as finanças públicas.

Também durante todo esse período, Adams, o advogado Rafaelo Abritta, também da AGU, e o procurador do Banco Central, Isaac Ferreira, buscaram os ministros do TCU, um por um, para prestar esclarecimentos sobre os pontos levantados pelos auditores nas contas do governo. Do outro lado, o procurador do Ministério Público de Contas, Júlio Marcelo de Oliveira, também percorreu todos os gabinetes para expor suas razões, justificando uma condenação da gestão Dilma. Também líderes da oposição, como Aécio Neves, chegaram a visitar alguns ministros da Corte, em especial o relator Augusto Nardes.[110]

Adams, Cardozo e também Nelson Barbosa, então ministro do Planejamento, intensificaram as idas ao Congresso para participar de audiências públicas na Câmara e no Senado para tratar das pedaladas e diminuir a temperatura do assunto. Em uma delas, Barbosa falou aos deputados em 6 de maio que, de fato, as pedaladas tinham atingido volume "muito excessivo", mas que elas já tinham sido reduzidas desde o fim de 2014 e que se encontravam então em "patamares mínimos".[111] Cardozo participaria de audiência na Câmara em 11 de agosto para apelar aos deputados que levassem em consideração que o governo não poderia ser culpado por repetir manobras feitas por governos anteriores. Ao deixar a

---

[110] "Aécio visita ministros do TCU e diz esperar que Dilma seja condenada por pedaladas", por Isadora Peron, em *O Estado de S. Paulo*, 16/06/2015. *http://economia.estadao.com.br/noticias/geral,aecio-visita-ministros-do-tcu-e-diz-esperar-que-dilma-seja-condenada-por-pedaladas,1707452.*

[111] "Valores foram muito expressivos, diz ministro sobre pedaladas fiscais", por João Villaverde, em *O Estado de S. Paulo*, 06/05/2015. *http://economia.estadao.com.br/noticias/geral,valores-foram-muito-excessivos-diz-ministro-sobre-pedaladas-fiscais,1682254.*

Câmara, ele disse ao autor deste livro que confiava "em um julgamento isento" pelo TCU.[112]

Os ministros do tribunal de contas concederam ao governo um prazo inédito para formular uma defesa prévia ao relatório técnico produzido pelos auditores da Corte no processo das contas de 2014. A decisão foi confirmada pelo Supremo Tribunal Federal. Assim, entre meados de junho, quando originalmente aconteceria a sessão no TCU, e o início de outubro, o governo contou com pouco mais de 100 dias para desenvolver sua peça final de defesa. Uma primeira parte, com pouco mais de mil páginas, foi entregue pessoalmente por Adams ao presidente do TCU, ministro Aroldo Cedraz e a Nardes em 22 de julho. A segunda parte, com 950 páginas, foi entregue em encontro semelhante no dia 11 de setembro. Desta vez, era grande o contingente de jornalistas, repórteres fotográficos e cinegrafistas na porta do gabinete da presidência do TCU. Na saída, Adams questionou "se houve crime (com as pedaladas), por que passou no passado?"

Durante todo esse período, entre junho e outubro, também a relação entre a presidente Dilma Rousseff, o PT e o PMDB mudou muito. No Congresso, os parlamentares petistas passaram a criticar abertamente a política de ajuste fiscal tocada pelo ministro da Fazenda do próprio governo Dilma. Enquanto isso, o PMDB passou a fazer movimentos mais organizados na linha contrária à de Dilma, se afastando da presidente. No começo do processo, ainda em julho, o então ministro da Aviação Civil, Eliseu Padilha, chegou a declarar que as contas federais de 2014 diziam respeito ao PMDB e não apenas a Dilma. Homem forte e de confiança do vice Michel Temer, o gaúcho Padilha declarou, literalmente, o seguinte: "Nós somos base de sustentação do governo, e essas contas de 2014 dizem respeito a uma gestão de que o PMDB participou. Portanto, à luz da

---

[112] "Confio que o TCU fará julgamento isento, diz Cardozo", por João Villaverde, em *O Estado de S. Paulo*, 11/08/2015. *http://tv.estadao.com.br/politica,cardozo-confio-que-o-tcu-fara-um-julgamento-isento,458310.*

HISTÓRIA AGORA

decisão, o PMDB vai obrigatoriamente se manifestar, mas não pode ser esquecido, por ninguém, que o PMDB participava do governo, é governo. Tinha vice-presidente no mandato anterior, essas contas têm participação do PMDB e de todos os partidos da base".[113]

Aos poucos, o discurso mudaria, com o afastamento de Padilha (que deixaria a gestão Dilma ainda naquele ano) e do PMDB, comandado por Temer, presidente nacional licenciado do partido.

Quando o mês de outubro começou, o suspense em Brasília era grande. A oposição e parte rebelada da base aliada do governo contavam com a reprovação das contas pelo TCU para basear o pedido de *impeachment* de Dilma, enquanto o governo fechava estratégia de defesa para evitar o pior cenário.

Em 1º de outubro, o procurador-geral do Ministério Público de Contas, Paulo Bugarin, liberou seu parecer sobre o processo: ele recomendava aos ministros do TCU que reprovassem as contas de 2014 do governo Dilma Rousseff. Ele estava baseado nos achados dos auditores. Os documentos, dos auditores e do MPC, foram entregues a Nardes, a quem cabia formular o voto e apresentar aos demais ministros. O parecer prévio de Nardes, liberado aos colegas naquela noite, vinha com a decisão: o relator iria rejeitar as contas do governo federal.[114] A revelação caiu como uma bomba no Planalto.

Adams entendeu que as indicações claras de voto dadas por Nardes ao longo de seis meses tinham contaminado os demais ministros, impossibilitando que a versão da defesa tivesse o mesmo peso na formação do voto de cada um. Sua visão de advogado era a mesma da presidente Dilma e dos ministros de seu núcleo político no Palácio do Planalto e também do economista Barbosa. Havia um consenso

---

[113] "Prever decisão é correr risco de errar, diz ministro", por Erich Decat, em *O Estado de S. Paulo*, 11/07/2015. *http://politica.estadao.com.br/noticias/geral,prever-decisao-e-correr-risco-de-errar--diz-ministro,1723483*.

[114] "Relator pede rejeição das contas de Dilma em 2014", por Fábio Fabrini e João Villaverde, em *O Estado de S. Paulo*, 02/10/2015. *http://politica.estadao.com.br/noticias/geral,relator-pede-rejeicao-das-contas-de-dilma-em-2014,1773321*.

PERIGOSAS PEDALADAS

no governo de que era preciso buscar o Supremo Tribunal Federal (STF) para barrar a análise do TCU sustentando suspeição de Nardes, tendo como base as vedações da Lei da Magistratura.

O pedido ao Supremo, no entanto, não foi discreto. O governo decidiu convocar uma entrevista coletiva no domingo, 4 de outubro, e anunciar a decisão. A cerimônia, transmitida ao vivo pela *Globo News*, foi realizada na sede da AGU e contou com Adams, Barbosa e o ministro da Justiça, José Eduardo Cardozo. Com o pedido protocolado no Supremo, todos os três poderes estavam, então, envolvidos na disputa política. No mesmo dia, Nardes liberou nota oficial dizendo que o governo, com aquele movimento, estava querendo "cercear a liberdade do TCU".

A semana começara com um suspense ainda maior no ar. A sessão de análise pelo TCU estava marcada para a quarta-feira, 7 de outubro. Por três dias, Brasília aguardou em suspense o posicionamento do ministro Luiz Fux, a quem coube, por sorteio, decidir se concedia ou não a liminar favorável ao governo.

Na segunda-feira pela manhã, outro ministro do tribunal de contas, Bruno Dantas, falou publicamente sobre as pedaladas fiscais, dizendo "ter certeza" de que o governo tinha infringido a Lei de Responsabilidade Fiscal. Ele falou com jornalistas após participar de seminário promovido na Fundação Getulio Vargas (FGV) no Rio de Janeiro. Dantas também disse não ser possível comparar as pedaladas praticadas pelo governo Dilma com práticas semelhantes de presidentes anteriores. "Antes eram valores reduzidos, usados para viabilizar o sistema. Não há base comparativa", disse ele.[115]

Ainda na segunda-feira, Adams protocolou oficialmente no TCU também um pedido para que os ministros afastassem Nardes

---

[115] "'Pagamento de contas de programas sociais por bancos públicos infringe a lei', diz ministro do TCU", em *O Estado de S. Paulo*, 05/10/2015, por Idiana Tomazelli e Vinicius Neder. *http://politica.estadao.com.br/noticias/geral,pagamento-de-contas-de-programas-sociais-por--bancos-publicos-infringe-a-lei--diz-ministro-do-tcu,1774764.*

da relatoria do processo de análise das contas do governo Dilma. Visivelmente mais irritado e sem assessores, Adams foi sozinho ao tribunal e foi recebido pelo presidente, Cedraz. Pouco falaram. Dali, o advogado-geral da União seguiu de carro para uma cerimônia na sede do Superior Tribunal de Justiça (STJ), a poucos quilômetros do TCU. Inconformado com as seguidas declarações de Nardes e antecipando que os demais ministros do TCU não só não afastariam ele do caso como provavelmente seguiriam seu voto pela reprovação das contas do governo, Adams chegou irritado ao STJ. Antes de subir ao salão principal, falou com os poucos jornalistas que conseguiram acompanhá-lo de um tribunal a outro, que Nardes, como magistrado, deveria se comportar como o juiz Sérgio Moro, responsável na 1ª instância de Curitiba (PR) pelas investigações conduzidas pelo Ministério Público Federal e a Polícia Federal no âmbito da operação Lava-Jato. "Moro só fala nos autos, esse deveria ser o comportamento do Nardes também", disse ele.[116]

Na terça-feira o coro engrossou. Cardozo afirmou que a análise no TCU estava prejudicada pela contaminação política e Nelson Barbosa reforçou que "Nardes tem que se afastar do caso". De outro lado, Aécio Neves liderou comitiva de parlamentares do PSDB, do DEM e do PPS para uma visita a Cedraz, na presidência do TCU, para demonstrar apoio ao tribunal de contas e a Nardes. Na saída do encontro, cercado de jornalistas, Aécio declarou que o TCU "vem sendo atacado de forma vil e grosseira" pelo governo federal e que os parlamentares foram prestar um apoio político e formal à instituição. No fim do dia, a vinte e quatro horas do julgamento e ainda aguardando a posição de Fux, o governo entrou com mandado de segurança ao STF, desta vez alegando que o TCU não seguia o Código de Processo Civil (CPC) ao analisar a suspeição de Nardes na mesma sessão que analisaria o

---

[116] "Adams compara Nardes com Moro para criticar ministro do TCU", por João Villaverde, em *O Estado de S. Paulo*, 05/10/2015. *http://politica.estadao.com.br/noticias/geral,adam-compara-nardes-com-moro-para-criticar-ministro-do-tcu,1774956.*

processo por ele relatado. Os ministros do TCU tinham decidido realizar as duas análises de uma vez, no dia seguinte.

Quando a quarta-feira, dia 7 de outubro, chegou, o clima era de suspense. O tribunal estava vazio e dois ministros afirmaram ao autor naquela manhã, antes da decisão de Fux ser tomada, que acreditavam que o governo conseguiria a liminar. No início da tarde, no entanto, Fux liberou sua decisão: ele não aceitou os argumentos do governo. Quando o posicionamento do ministro do Supremo foi liberado, imediatamente o cenário mudou. Em poucos minutos chegaram dezenas de manifestantes contrários a Dilma para a porta do TCU, convocados por movimentos como o "Vem Pra Rua".

A sessão estava cheia de parlamentares da oposição, entre eles um dos principais aliados de Eduardo Cunha, o deputado e líder sindical Paulo Pereira da Silva, do Solidariedade, que se sentou ao lado de Adams. Na sustentação oral de defesa, Adams fez um último apelo: as pedaladas não tinham constituído uma operação de crédito e, portanto, não tinham infringido a Lei de Responsabilidade Fiscal e, ainda que em menor medida, também tinham sido praticadas em governos anteriores. Ele invocou o princípio da segurança jurídica ao dizer que se o TCU entendia agora serem incorretas as operações, que a punição fosse iniciada a partir daquele momento e que atos de 2014 não poderiam sofrer com essa mudança de compreensão da Corte de Contas.

Essa não foi a avaliação dos ministros. Primeiro eles já tinham, em uma sessão preliminar, decidido negar o pedido de suspeição de Nardes protocolado pelo governo. Minutos antes da sessão começar, o ministro estava em plenário conversando com os colegas. Ele deixou o plenário por alguns minutos, enquanto eles decidiam pela sua permanência, e então Nardes estava de volta, agora para comandar a sessão das contas. O relator leu seu voto pela reprovação das contas do governo e foi seguido por todos os demais ministros. Dantas, inclusive, elogiou o trabalho do procurador Júlio Marcelo de Oliveira em seu voto pela rejeição do balanço federal apresentado por Dilma Rousseff. Fora a primeira reprovação de contas federais em setenta e sete anos.

No dia seguinte, o parecer chegou ao Congresso Nacional e Nardes, no TCU, comentou que "havia indícios" de que as pedaladas tinham continuado em 2015. Sua referência era clara: de fato, o próprio balanço trimestral divulgado pelo Banco do Brasil apontava para um aumento da dívida pendurada pelo Tesouro Nacional na instituição. O posicionamento de Nardes, no entanto, tinha brasa do fogo político — ao dizer que as pedaladas continuavam em 2015, isto é, no segundo mandato de Dilma, ele abria o caminho para um processo de *impeachment* tal qual desejava a oposição. No dia 10, o procurador Júlio Marcelo de Oliveira liberou novo parecer, cravando que o governo continuava infringindo a Lei de Responsabilidade Fiscal em 2015 por causa do aumento do passivo no BB. Dois dias depois, o advogado Flávio Caetano, que defendia a presidente Dilma Rousseff em processo no Tribunal Superior Eleitoral (TSE) sobre suposta irregularidade no financiamento da campanha pela reeleição, disse que seria leviano por parte da oposição querer usar o parecer de Oliveira para sustentar o afastamento de Dilma. Foi nesse contexto que o ex-presidente Lula e também Dilma começaram a apresentar a defesa política das pedaladas, ao argumentarem que as manobras foram feitas com o intuito de continuar sustentando programas sociais em períodos de dificuldades de arrecadação. No dia 15, o pedido de *impeachment* da presidente foi apresentado pelos juristas Hélio Bicudo, Miguel Reale Jr. e Janaína Paschoal para a Câmara dos Deputados. Tal qual os pedidos anteriores, que começaram a ser protocolados em abril por Miguel Reale Jr., esse parecer estava sustentado nas pedaladas, mas contava com o precedente da reprovação das contas federais pelo TCU, as evidências de infração à LRF no mandato em vigor e a edição de decretos de suplementação orçamentária, apontados pelo TCU como violação das leis orçamentárias. Segundo os juristas, a presidente tinha, com isso, infringido também a Lei dos Crimes de Responsabilidade, a chamada Lei do *Impeachment*.

A partir daquele momento, meados de outubro, o pedido dos juristas passou a ser a margem de manobra e negociação política entre os parlamentares rebelados da base de Dilma, a oposição e o Palácio do Planalto. Pouco a pouco, a partir dali o PMDB foi deixando a base do governo e passando a atuar ao lado de parlamentares da oposição.

Com a popularidade da presidente no nível de um dígito, as investigações da Operação Lava-Jato se aproximando dos líderes partidários do Congresso e o crescente distanciamento entre Dilma e seu vice, Michel Temer, o pedido de *impeachment* era como uma nuvem que passou a pairar sobre Brasília. Todos, no governo e fora dele, sabiam que dadas as condições políticas do momento, era preciso apenas uma base formal para que um pedido de afastamento de Dilma fosse consumado pelos parlamentares. O clima de suspense era claro: no foco da Lava-Jato, Cunha aproveitaria a reprovação das contas federais pelo TCU para dar o gatilho no *impeachment*?

Adams e o ministro-chefe da Casa Civil, Jaques Wagner, foram até o presidente do Senado, Renan Calheiros, do PMDB de Alagoas, entregar a defesa técnica e política do governo no caso das contas reprovadas pelo TCU. O encontro, no gabinete da presidência na tarde de 4 de novembro, foi uma oportunidade para o governo apelar aos parlamentares da Casa vizinha, a Câmara. Os ministros de Dilma diziam que a posição do tribunal de contas era apenas um parecer, uma sugestão, e que a decisão final sobre as contas federais de 2014 cabia ao Congresso Nacional. Enquanto isso, Cunha era cada vez mais apertado pelas crescentes revelações da Lava-Jato.

Logo em seguida, uma nova avalanche de eventos terríveis e graves fez com que a sensação de "crise permanente" tomasse conta, de uma vez, do país. No dia 5 de novembro, uma barragem de rejeitos de minério de ferro da empresa Samarco se rompeu, no interior de Mariana, em Minas Gerais, desatando o maior desastre natural da história

HISTÓRIA AGORA

do Brasil, matando trabalhadores e arrasando famílias, negócios e cidades inteiras no caminho até o oceano Atlântico. Controlada pela Vale e pela anglo-australiana BHP Billiton, a Samarco inicialmente lavou as mãos de sua clara responsabilidade, o que tornou o assunto mais difícil de ser digerido pelos brasileiros. Apenas três semanas depois, o país acordou com um novo choque, desta vez sem envolver mortes e desastres, mas sim o centro político federal e um jovem bilionário do sistema financeiro. O senador Delcídio do Amaral, do PT do Mato Grosso do Sul, foi preso pelos investigadores da Lava-Jato por tentativa de obstrução das apurações. No mesmo dia, 26 de novembro, o banqueiro André Esteves, controlador do BTG, também foi preso. Foi como uma bomba. As prisões se somaram, então, à paralisia econômica por causa do corte de investimentos públicos e das empresas estatais, notadamente a Petrobras; às demissões de trabalhadores nas empreiteiras e na indústria; ao aumento do custo de vida decorrente da inflação elevada por, entre outros fatores, fortes reajustes na conta de luz (mantida artificialmente baixa em 2013 e 2014 e corrigida em janeiro de 2015) e no preço dos combustíveis; à interminável crise política envolvendo os maiores partidos do Brasil escancarados no imenso esquema de desvio de recursos públicos revelado pela Lava-Jato; à primeira reprovação de contas federais em setenta e sete anos em razão das pedaladas fiscais; e às sucessivas provas contra Eduardo Cunha, presidente da Câmara.

O Brasil entrava no último mês de 2015 em estado de coma pelas sucessivas crises, que atingiam o Congresso Nacional, o Palácio do Planalto, a maior empresa do país, grandes empreiteiras do setor privado e praticamente todos os partidos políticos. Para completar, a economia caminhava para registrar a maior recessão desde 1990, quando o então presidente Fernando Collor aplicou seu duro plano econômico, que contava com o famigerado "confisco" da caderneta de poupança. A inflação estava em rota de alta desde o fim do ano anterior e acabaria fechando 2015 em elevação de quase 11%, a maior em doze anos. Para combatê-la, o Banco Central vinha continuadamente aumentando a taxa básica de juros, que já se encontrava no maior patamar do mundo, o que inibia ainda mais os negócios, com o encarecimento do crédito, já restrito pelos bancos diante da alta na inadimplência e as perspectivas cada vez mais claras que também o ano seguinte seria contagiado com toda a crise.

Pressionado pela prisão de Delcídio e pelas investigações da Lava-Jato, Cunha deixou claro ao governo que caso os parlamentares do PT no Conselho de Ética da Casa votassem pelo início do processo contra ele, sua resposta seria a abertura do *impeachment* de Dilma. O processo apontava quebra de decoro parlamentar quando Cunha declarou em sessão da CPI da Petrobras que não tinha contas na Suíça — informação negada, segundo a Procuradoria Geral da República, pelas evidências de que ele, a esposa, Cláudia Cruz, e a filha do casal movimentavam recursos de contas no país europeu.

"Eu diria que o governo está sendo chantageado. O Cunha tem uma metralhadora nas mãos, todo mundo sabe que ele e o grupo dele trabalham com essa arma. E o PSDB está só esperando. Não confiamos no Cunha, ele já colocou tanta pauta negativa para votar esse ano, que para colocar mais uma e acabar com o resto... quer coisa mais desastrosa que discutirmos agora uma pauta de *impeachment*? Nós estamos com a faca no pescoço aqui", afirmou o deputado Zé Geraldo, do PT do Pará, um dos três petistas com direito a voto no conselho de ética. Suas declarações foram dadas em 1º de dezembro, véspera da votação decisiva.[117] O PT ainda discutia internamente se "cedia à chantagem" de Cunha, segundo seus termos, deixando de votar contra o presidente da Câmara em troca da não abertura do *impeachment* de Dilma naquele momento ou se, ao contrário, votava contra o presidente da Câmara.

---

[117] "Deputado petista diz que governo sofre chantagem de Cunha", por Letícia Fernandes, em *O Globo*, 01/12/2015.
http://oglobo.globo.com/brasil/deputado-petista-diz-que-governo-sofre-chantagem-de-cunha-18194722.

HISTÓRIA AGORA

No dia seguinte, os petistas decidiram se posicionar contrários a Cunha, seguindo a maioria do conselho de ética, dando início a uma discussão sobre a saída dele da presidência e possivelmente a perda do mandato. Dito e feito, no mesmo dia Cunha começou a se mexer, exatamente como disse que faria.

Investigado por corrupção e evasão de divisas na Operação Lava-Jato e atacado pelos petistas por ter mentido na Câmara ao negar que tivesse contas no exterior, Cunha acatou, então, o pedido de *impeachment* de Bicudo, Reale Jr. e Janaína Paschoal. O processo de afastamento de Dilma foi aberto no mesmo dia, 2 de dezembro. Nova bomba no país. Enquanto Fernando Henrique Cardoso fora ameaçado pelo PT e pela CUT em 1999 com a campanha nacional "Fora FHC" e Lula, em 2005, pelo PSDB e pelo PFL com possíveis pedidos de afastamento pelo estouro do "mensalão", nunca nada tinha sido efetivamente feito institucionalmente. Agora o quadro era outro. Vinte e quatro anos depois de Collor, a sociedade brasileira estava novamente diante de um processo de *impeachment* aberto na Câmara dos Deputados.

Ato contínuo ao movimento de Cunha, Michel Temer, que era o presidente nacional licenciado do PMDB, começou a rachar publicamente com Dilma.

O vice fez isso de forma barulhenta. Escreveu uma longa carta se queixando de Dilma, que seria enviada para a presidente no dia 8 de dezembro. Na noite anterior, no entanto, ela vazou para jornalistas de praticamente todos os veículos de comunicação. Naquele dia, um dos principais aliados de Temer, o gaúcho Eliseu Padilha, também do PMDB, pediu demissão da Secretaria de Aviação Civil. A saída de peemedebistas do governo começara ali. Mas horas antes do vazamento da carta, os sinais de discussão em praça pública entre Temer e Dilma ficaram claros. A repórter Andreza Matais e o autor deste livro preparavam material elencando decretos de suplementação orçamentária editados por Temer entre 2014 e 2015, idênticos aos de Dilma citados no processo de *impeachment*. Eles tinham objetivos

PERIGOSAS PEDALADAS

e justificativas iguais aos da presidente, mas eram assinados por seu vice. Somente em 2015 foram quatro decretos de Temer, sendo um em 26 de maio, liberando R$ 7,28 bilhões, e outros três em 7 de julho, que liberaram pouco mais de R$ 3 bilhões para transferências a Estados, Distrito Federal e Municípios, além do Ministério da Saúde e outras operações oficiais de crédito. Quando procurado, por meio de sua assessoria de imprensa, Temer reagiu com uma resposta dura, enviada por escrito: ele colocara toda a responsabilidade nas costas de Dilma.[118] Pouco mais de uma hora depois, sua carta para a presidente vazou e os termos eram ainda mais duros.

A carta foi escrita de São Paulo, onde ele participara de evento fechado com empresários da Federação do Comércio do Estado de São Paulo (Fecomércio). Nela, Temer relatou ter sido um "vice decorativo" e também, indiretamente, deixava claro não poder ser responsabilizado por nenhuma decisão na área econômica tomada pelo governo do qual ele tinha sido vice-presidente por cinco anos. "Jamais eu ou o PMDB fomos chamados para discutir formulações econômicas ou políticas do país; éramos meros acessórios, secundários, subsidiários", escreveu ele, que também aproveitou para mencionar o documento "Uma Ponte para o Futuro", a plataforma econômica que o PMDB aprovara naquele ano e que recebera apoio do mercado financeiro e do setor privado. "Até o programa 'Uma Ponte para o Futuro', aplaudido pela sociedade, cujas propostas poderiam ser utilizadas para recuperar a economia e resgatar a confiança foi tido como manobra desleal."[119]

De repente, na passagem de 2015 para 2016, as labaredas do fogo político estavam por toda a parte e ninguém poderia afirmar com

---

[118] "Temer autorizou a mesma manobra usada por Dilma", por Andreza Matais e João Villaverde, em *O Estado de S. Paulo*, 08/12/2015. *http://politica.estadao.com.br/noticias/geral,temer-autorizou-mesma-manobra-usada-por-dilma,10000004177.*

[119] Íntegra da carta de Michel Temer para Dilma Rousseff, publicada pela repórter Andréia Sadi, da *Globo News. http://g1.globo.com/politica/noticia/2015/12/leia-integra-da-carta-enviada-pelo--vice-michel-temer-dilma.html.*

certeza o que aconteceria com Dilma. O governo calculava ter votos suficientes para barrar o processo na Câmara, enquanto a oposição e o PMDB, agora oficialmente do lado contrário ao da presidente, estimavam estar próximos do número necessário de deputados para fazer o processo caminhar e chegar ao Senado.

Impeachment

Nos dias finais de 2015, Rafael Mafei Rabelo Queiroz, professor da Faculdade de Direito da USP, escreveu precioso artigo em que discutia as razões antecedentes da Lei 1.079, a chamada Lei dos Crimes de Responsabilidade, ou simplesmente Lei do *Impeachment*. Entender as razões por trás da lei, que baliza o entendimento da Constituição para as condiçõcs dc afastamento do presidente da República, é importante para determinar como as peças do xadrez se moverão a seguir.

A Lei do *Impeachment* está em vigor desde abril de 1950 e serviu para fundamentar o *impeachment* de Fernando Collor e era, agora, novamente invocada para sustentar o afastamento de Dilma Rousseff. Essa é a lei que estabelece o que seriam os crimes de responsabilidade passíveis de afastamento do presidente da República. O professor da USP levantou as discussões parlamentares registradas nos anais do Senado Federal nos anos que antecederam a aprovação da lei, isto é, o período entre 1946 e 1950, para entender por que a lei é tão aberta. De acordo com a Lei do *Impeachment*, o chefe do Executivo pode ser afastado por "atuar contra a probidade da administração", mas não há qualquer especificidade adicional neste sentido — isto é, o conceito de probidade da administração fica aberto, amplo e, portanto, controverso e passível de discussão. Daí a interpretação do jurista Paulo Brossard, considerado o principal intérprete do *impeachment* no Brasil, de que processos como esses são eminentemente políticos. A exposição de motivos da lei, segundo os anais do Senado, revela que "o *impeachment*

PERIGOSAS PEDALADAS

é caracteristicamente uma instituição política, cujo objeto não consiste propriamente em castigar delitos, mas principalmente em substituir um funcionário por outro melhor no intuito de obter um bom governo".

Segundo a pesquisa de Queiroz, a Lei do *Impeachment* é fruto direto do esforço de deputados parlamentaristas que tinham lutado fortemente contra o governo centralizador de Getúlio Vargas sob o Estado Novo (1937-1945). O nome maior nessa luta era do deputado Raul Pilla, gaúcho tal como Vargas, mas que acreditava que o regime presidencialista de mandato fixo permitia um controle excessivo de poder no chefe do Executivo. Para ele, o regime parlamentarista permitiria não só uma relação política mais igual entre o Executivo e o Legislativo, como também seria canal para uma participação popular mais ativa. Sem conseguir implantar o parlamentarismo, Pilla e seus seguidores fizeram passar no Congresso a Lei do *Impeachment*, que tem inspiração claramente parlamentarista. Por isso a lei é abrangente, para permitir o julgamento político do presidente pelo Legislativo.

> No Brasil de hoje, sem que façamos uma reflexão sobre o que de fato recepcionamos da Lei 1.079/1950, fica claro que não temos nenhuma das duas coisas: busca-se a substituição de um governo, como se parlamentarismo fôssemos, mas isso levará junto a chefia de Estado, porque presidencialismo somos. Ou percebemos que é isso que está em jogo, ou perpetuaremos um regime em que temos o pior dos dois mundos: conflagração eleitoral permanente e baixa capacidade de governança política do Executivo pelo Legislativo. Essa combinação resulta na enorme instabilidade que hoje vivemos, e que reviveremos frequentemente, enquanto não fizermos um juízo fundamentado sobre os termos em que a Lei dos Crimes de Responsabilidade se compatibiliza com a Constituição.[120]

---

[120] "*Impeachment* e lei de crimes de responsabilidade: o cavalo de troia parlamentarista", por Rafael Mafei Rabelo Queiroz, de 16/12/2015. *http://brasil.estadao.com.br/blogs/direito-e-sociedade/ impeachment-e-lei-de-crimes-de-responsabilidade-o-cavalo-de-troia-parlamentarista/*.

HISTÓRIA AGORA

O estado de crise permanente fez com que o Brasil entrasse 2016 conflagrado e paralisado pela extensão das crises política e econômica iniciadas dois anos antes.

Quando o processo chegou a voto na Câmara, em 17 de abril, o clima político do país era ainda mais caótico do que fora no ano anterior. Pouco mais de um mês antes daquela sessão, a Polícia Federal fizera uma condução coercitiva do ex-presidente Lula, para colher depoimentos no âmbito da investigação Lava-Jato. Protestos populares, à esquerda e à direita, voltaram a tomar as ruas do país logo após este episódio, que ocorreu em 4 de março.[121] Dias depois, Dilma decidiu fazer de Lula seu novo ministro-chefe da Casa Civil. Grampeado com autorização do juiz Sérgio Moro, responsável pela Lava-Jato em Curitiba, Lula nunca conseguiu assumir de fato o ministério, porque um dos áudios revelados por Moro envolvia conversa com Dilma, em que a presidente dizia ter enviado a seu antecessor o termo de posse como ministro para usar "em caso de necessidade". A conversa foi liberada na tarde do dia 16 de março, quando o sigilo foi retirado por Moro. Imediatamente disseminou-se a interpretação de que Dilma tentara obstruir os trabalhos da Justiça ao dar a Lula um ministério, garantindo a ele foro privilegiado — o que transferiria a condução judicial da Lava-Jato de Moro para o Supremo Tribunal Federal, em Brasília. Por outro lado, Dilma respondeu por meio de nota oficial que entregara o termo de posse a Lula porque não saberia se ele poderia atender pessoalmente à cerimônia oficial, marcada para o dia seguinte. Horas depois, na manhã do dia 17, Lula estava no Planalto e participou do evento, assinando o termo de posse ao lado de outros novos ministros, como o jurista Eugênio Aragão, que assumiu o Ministério da Justiça. A posse de Lula,

---

[121] Um dia antes, a revista *IstoÉ*, que antecipou sua edição do fim de semana, trouxe reportagem de Débora Bergamasco em que trechos da delação premiada do ex-senador petista Delcídio do Amaral eram revelados. Delcídio disse que Dilma usou o poder da presidência para tentar evitar a punição de personalidades envolvidas na Lava-Jato e que Lula sabia do esquema de propinas organizado entre a Petrobras e as empreiteiras do setor privado. Tanto Lula quanto Dilma negaram as afirmações de Delcídio.

PERIGOSAS PEDALADAS

no entanto, foi embargada pela Justiça no mesmo dia, iniciando então um vaivém jurídico que duraria quase dois meses.

Naquele momento, em meados de março, Temer e o PMDB já tinham formalmente rachado com Dilma — com raras exceções, os parlamentares do partido comandado pelo vice-presidente da República já trabalhavam abertamente no Congresso para que o *impeachment* fosse aprovado.

A sessão de votação da admissibilidade do *impeachment* na Câmara, transmitida por rádio, televisão e internet em 17 de abril, deixou claro que as pedaladas fiscais serviram de base para voto de apenas uma minoria dos parlamentares. A maior parte dos 367 deputados que votaram pelo afastamento de Dilma não citou qualquer ponto do parecer dos juristas em análise naquela sessão. Isso também foi verdade para o outro lado, que teve 137 votos. O cálculo para cada voto foi estritamente político, e não técnico, exatamente como ocorrera em 1992 com o afastamento de Fernando Collor.

Com o debate inflamado, constitucionalistas ligados aos partidos entraram no debate público. Dias antes da sessão do *impeachment* na Câmara, Dilma realizou um evento no Palácio do Planalto com juristas, chamado "Encontro de Juristas pela Legalidade e em Defesa da Democracia". Entre os palestrantes estava o ex-desembargador Francisco de Queiroz Bezerra Cavalcanti, especializado em Direito Constitucional e professor titular na Universidade Federal de Pernambuco. Dizendo não ver como as pedaladas fiscais poderiam implicar o afastamento da presidente, Cavalcanti afirmou:

> Se o atraso no pagamento para bancos estatais, por questão de queda na arrecadação — que não afetou só o Brasil — é entendido como caso de pedalada fiscal, teríamos que afastar em torno de 16 governadores, inclusive alguns daqueles que estão defendendo o impeachment.[122]

---

[122] Declaração de Francisco de Queiroz Bezerra Cavalcanti em evento no Palácio do Planalto, 22/03/2016, *in Blog* do Planalto.
http://blog.planalto.gov.br/assunto/francisco-de-queiroz-bezerra-cavalcanti/.

HISTÓRIA AGORA

Um mês depois foi a vez do constitucionalista Alexandre de Moraes, livre-docente pela Faculdade de Direito da Universidade de São Paulo (USP) e filiado ao PSDB, dar opinião totalmente contrária à de Cavalcanti.

> Os Estados e Municípios não têm banco. A pedalada é pegar empréstimo de banco oficial. O fato existe. Esse fato é ilegal? É, pela Lei de Responsabilidade Fiscal. Esse fato ilegal é tipificado pela Lei no 1.079, a Lei do *Impeachment*? A tipicidade de crime de responsabilidade é um pouco mais aberta do que a da lei penal. Mas existe o fato, ele não é permitido pela Lei de Responsabilidade Fiscal. É possível falar juridicamente que não tem justa causa para o *impeachment*? Não.[123]

Com a crise política no Brasil se agravando, as atenções globais aumentaram. No dia 20 de abril, o jornal americano *The New York Times* publicou extensa reportagem sobre a discussão envolvendo as pedaladas fiscais e o fato de que o debate econômico e jurídico, na realidade, tinha ficado em segundo plano. Com chamada na capa do maior jornal dos Estados Unidos, a reportagem trazia diversos analistas tratando do assunto dramático do afastamento da presidente.

> Há um consenso amplo de que o governo Dilma empregou manobras orçamentárias para esconder um crescente déficit e aumentar suas chances durante uma luta dura na campanha pela reeleição em 2014 (...) mas especialistas em Direito e constitucionalistas estão divididos quanto à possibilidade dessa ação ser alçada ao nível de uma ofensa que mereça seu afastamento da Presidência. "O governo mentiu sobre a situação ruim da casa ao colocar uma janela bonita", disse Carlos Pereira, cientista político na Fundação Getulio Vargas, uma universidade de elite

---

[123] "É impossível sustentar que não há justa causa para o *impeachment*, diz Alexandre de Moraes", em *JOTA*, 21/04/2016, por Cristine Prestes.
http://jota.uol.com.br/e-impossivel-sustentar-que-nao-ha-justa-causa-para-o-impeachment-diz--alexandre-de-moraes.

PERIGOSAS PEDALADAS

brasileira. "O governo traiu a população e por isso deve ser punido." Mas os defensores da presidente dizem que essas irregularidades fiscais não qualificam como crime, o requerimento constitucional que permitiria que o Senado confirme o *impeachment*. Pedro Serrano, professor de Direito Constitucional na PUC-SP, disse que os inimigos de Dilma estão usando uma interpretação ampla da lei, num movimento que agride a jovem democracia do país. "Em qualquer país civilizado que tem instituições legais democráticas essa punição deve ser interpretada de forma restrita", disse ele. Oscar Vilhena, professor de Direito Constitucional na FGV, disse que a lei requer que o Congresso aprove mudanças no Orçamento federal e proíbe que o governo tome dinheiro emprestado de bancos controlados pelo próprio Estado. "A natureza desses crimes é administrativa", disse ele. "Não são crimes penais, então você não pode ir para a cadeia por causa deles, mas você pode perder seu mandato." Ele adicionou: "É politicamente desejável que ela perca o mandato? Esta é uma decisão que cabe ao Congresso. É uma decisão política". A prática usada pelo governo Dilma, chamada de "pedaladas fiscais", é ilegal segundo uma lei de 16 anos de vida, designada a terminar práticas orçamentárias que levaram à devastação da hiperinflação na década de 1980. Desde então, a tática de usar dinheiro de bancos estatais para temporariamente financiar o governo foi usada por inúmeros políticos eleitos, incluindo prefeitos e governadores. André Rehbein Sathler, um economista que trabalha na Câmara dos Deputados, disse que o governo Dilma descumpriu a lei ao deixar de pagar os bancos pelos gastos que eles tiveram de fazer, um movimento semelhante ao de imprimir dinheiro sem controle algum. O governo acabou pagando os bancos somente depois das eleições. "Dilma diz que outros presidentes fizeram a mesma coisa, mas só porque outras pessoas cometeram um crime não justifica os cometidos por você", disse ele.[124]

---

[124] "*Impeachable crime? Experts divided*", *in The New York Times*, 20/04/2016, página 9, por Andrew Jacobs. Tradução do autor.

Ao final, o processo de *impeachment* colocado em votação estava concentrado em dois pontos: na abertura de créditos orçamentários por meio de decretos, antes da aprovação da mudança da meta fiscal e excluindo assim a participação do Legislativo, e por uma única pedalada fiscal. Segundo os juristas responsáveis pelo parecer do *impeachment* em votação, esse comportamento de Dilma, já no segundo mandato, infringia a Lei Orçamentária e, com isso, um dos artigos da Lei do *Impeachment*, de 1950.

No primeiro caso, Dilma foi acusada de liberar R$ 2,5 bilhões em créditos orçamentários extraordinários por meio de decretos presidenciais, isto é, sem passar pelo aval do Congresso Nacional. Os decretos foram editados em julho e agosto, antes que os parlamentares aprovassem o projeto do Executivo que permitia uma nova meta fiscal para 2015. Isto é, Dilma teria liberado dinheiro baseada no cenário em que o projeto seria aprovado pelo Legislativo e não orientada na meta fiscal em vigor no momento em que o dinheiro fora liberado (julho e agosto). No fim do ano, o Congresso de fato aprovou a mudança na meta fiscal pretendida pelo governo. Em sua defesa, Dilma e seus ministros argumentavam que o desempenho fiscal e orçamentário do governo deve ser analisado sob a ótica anual e não conjuntural. Dessa perspectiva, o fato de a nova meta fiscal ter sido aprovada em dezembro seria um indicativo de que a liberação dos R$ 2,5 bilhões por meio dos decretos de suplementação orçamentária editados por Dilma em julho e agosto estava condizente, afinal, com a lei. No TCU e no Congresso, o entendimento era outro: o governo deveria seguir a meta fiscal vigente e somente liberar recursos com o consentimento dos parlamentares ou aguardar que metas atualizadas fossem aprovadas pelo Parlamento.

Em segundo lugar, o processo citava apenas uma pedalada fiscal: a dívida mantida pelo Tesouro Nacional com Banco do Brasil em 2015 como forma de cobertura pelos empréstimos do Plano Safra. Nesse caso, a violação legal seria da Lei de Responsabilidade

Fiscal, tal qual as demais pedaladas, mas o processo foi cuidadoso ao incluir expressamente essa dívida, uma vez que registrada — e confirmada pelo próprio BB — em 2015, isto é, já durante o segundo mandato de Dilma.

As pedaladas com os programas obrigatórios (seguro-desemprego, abono salarial e Bolsa Família) tocados pela Caixa deixaram o processo, uma vez que isso tinha sido sanado no final de 2014, antes, portanto, do segundo mandato de Dilma começar. Também os atrasos nos pagamentos devidos ao BNDES, ao FGTS e ao próprio Banco do Brasil anteriores a janeiro de 2015 não fizeram parte do relatório colocado em votação e discussão no Congresso. A leitura atenta da Constituição esclarece que o presidente da República somente pode ser afastado de seu mandato se cometer algum crime previsto na Lei do *Impeachment* durante o exercício de seu mandato. A lei, de 1950, e também a Constituição, de 1988, são anteriores ao instituto da reeleição (criado por FHC em 1997). E ainda que a presidente fosse a mesma, o mandato iniciado por Dilma em 2015 era distinto daquele concluído em dezembro de 2014. Foi para evitar um debate constitucional sensível no Supremo Tribunal Federal que o processo no Congresso foi restrito a atos de 2015.

No dia em que a sessão decisiva do Senado começou, na quarta-feira, 11 de maio, o advogado Fernando Marcato, professor de Direito da Fundação Getulio Vargas em São Paulo (FGV-SP), escreveu longo artigo, intitulado "Por que a lei tornou as pedaladas fiscais crime de responsabilidade", justificando o *impeachment* da presidente. Segundo ele:

> Para coibir esse tipo de prática (as pedaladas), a Lei 10.028 de outubro de 2000, aprovada cinco meses após a Lei de Responsabilidade Fiscal, inseriu no artigo 10 da Lei 1.079/50 (Lei do *Impeachment*) a alínea 7 que considera como crime de responsabilidade deixar de promover ou de ordenar o cancelamento ou amortização de operação de crédito

HISTÓRIA AGORA

realizada com inobservância do estabelecido em lei. A alteração da Lei do *Impeachment* veio tornar efetiva a proibição de empréstimos entre governo e bancos prevista na Lei de Responsabilidade Fiscal. A opção do Congresso foi, portanto, a de responsabilizar o presidente da República, governadores e prefeitos e não seus assessores ou ordenadores de despesa. Mas por que essa opção legislativa tão dura? A resposta é anterior ao Plano Real. Na década de 1980, uma das razões para a situação econômica calamitosa em que se encontrava o país era justamente a situação fiscal precária da União, Estados e Municípios. Muitos Estados vinham pedalando com suas empresas e bancos públicos. Como não tinham recursos fiscais suficientes, solicitavam aos bancos estaduais que fizessem pagamentos em seu nome ou mesmo tomavam empréstimos junto a esses bancos e, posteriormente, não pagavam. Muitas dessas operações não eram registradas como dívida dos Estados, maquiando as contas públicas (...) Para coibir essa prática, o Congresso aprovou a Lei de Responsabilidade Fiscal e a modificação da Lei do *Impeachment*, que passaram a considerar empréstimos dos governos junto ao seus bancos e empresas como crime de responsabilidade. Portanto, a interpretação da legislação sobre pedaladas não deve se ater a tecnicidades e argumentos jurídico-formais. É fundamental, antes de tudo, compreender que essa prática fere um dos pilares da estabilidade econômica do país, conquistada a duras penas nas últimas décadas.[125]

Sucessor de Adams no comando da Advocacia-Geral da União (AGU) desde 4 de março, José Eduardo Cardozo foi à comissão especial do *impeachment*, no Senado, e à sede da Ordem dos Advogados do Brasil (OAB), para argumentar que nenhuma das duas práticas tinham configurado crime. Cardozo repetia a tese da defesa geral

---

[125] "Por que a lei tornou as pedaladas fiscais um crime de responsabilidade", em *JOTA*, 11/05/2016, por Fernando Marcato.
http://jota.uol.com.br/por-que-lei-tornou-pedaladas-fiscais-crime-de-responsabilidade.

PERIGOSAS PEDALADAS

apresentada ainda no ano anterior, de que atrasos nos repasses do Tesouro aos bancos públicos tinham ocorrido também em governos passados, ainda que em menor grau, e que nunca tinham sido apontados como uma violação legal passível de afastamento do presidente da República. Além disso, Cardozo reforçava que a questão não envolvia diretamente Dilma, mas sim o comando da política econômica por se tratar de um assunto estritamente financeiro de gestão pública.

Quanto aos decretos de suplementação orçamentária, Cardozo e também o ministro da Fazenda, Nelson Barbosa, e a secretária de Orçamento do Ministério do Planejamento, Esther Dweck, explicaram diversas vezes se tratar de prática corriqueira na administração orçamentária e que o governo não poderia depender do Congresso para o simples ato de transferir recursos de uma rubrica do Orçamento para outra. Barbosa e Esther também argumentavam que os decretos não aumentaram os gastos federais, mas sim permitiam a readequação de despesas dentro do orçamento já aprovado pelos parlamentares. As explicações, em diversos fóruns, não sensibilizavam os congressistas.

Ao final, o governo passou a adotar uma defesa política como espinha dorsal: afastar Dilma Rousseff por causa das pedaladas fiscais e dos decretos de suplementação orçamentária não era um ato constitucional, mas sim um golpe parlamentar aplicado contra a presidente democraticamente eleita. Essa tese já tinha sido ensaiada pela própria presidente um ano antes, ainda em meados de 2015, e ganhou força no interregno entre a votação da Câmara e a do Senado.

A votação dos senadores atravessou a noite, terminando na madrugada de 12 de maio. O padrão se repetiu: apenas uma minoria dos parlamentares baseou seu voto no mérito do processo. Novamente fora um cálculo político.

Dilma então foi afastada da presidência e Michel Temer assumiu no início da tarde. Por mais de três meses, Dilma passaria a lutar do Palácio da Alvorada para voltar ao poder. Nesse período, Temer foi o presidente interino, despachando do Palácio do Planalto. Logo dez dias depois de tomar posse, um dos ministros mais próximos da nova gestão, o senador Romero Jucá, do PMDB de Roraima, que tinha acabado de começar a comandar o Ministério do Planejamento, deixou o cargo após a revelação de um áudio gravado no âmbito da Operação Lava-Jato em que Jucá dizia a Sérgio Machado, afilhado do partido e ex-presidente da Transpetro (2003-2014), que somente a posse de Temer poderia acabar com as investigações e "salvar todo mundo".[126]

Um mês depois, em 27 de junho, técnicos do Senado responsáveis pela perícia solicitada pela defesa de Dilma no processo de *impeachment* confirmaram, em relatório, que não havia registro de que a presidente fora responsável pelas pedaladas, mas somente pela edição dos decretos orçamentários. As pedaladas eram atos do Tesouro Nacional, vinculado ao Ministério da Fazenda, mas não havia qualquer peça documental que apontasse Dilma como autora ou mesmo ciente das operações. Nos decretos, por outro lado, a perícia verificou o que já era evidente: por serem assinados pela própria presidente, não havia como afastar sua responsabilidade. A defesa aproveitou os resultados da perícia para voltar a reforçar o discurso de golpe, mas continuou negando que a edição de decretos tivesse sido um atentado às leis orçamentárias.

Nas 223 páginas do relatório dos peritos havia, no entanto, a avaliação de que as pedaladas constituíram uma infração grave à Lei de Responsabilidade Fiscal, uma vez que ao se utilizar de instituições financeiras controladas pelo próprio governo, o Tesouro acabou sendo beneficiado por uma modalidade de financiamento, o que é vedado pela LRF. Os técnicos do Senado levantaram, inclusive, o Manual de Contabilidade do Setor Público para embasar o

---

[126] "Em diálogos gravados, Jucá fala em pacto para deter avanço da Lava-Jato", em *Folha de S.Paulo*, 23/05/2016, por Rubens Valente. *http://www1.folha.uol.com.br/poder/2016/05/1774018-em-dialogos-gravados-juca-fala-em-pacto-para-deter-avanco-da-lava-jato.shtml.*

entendimento. De acordo com esse manual, "as operações de crédito nem sempre envolvem o usual crédito em uma instituição financeira, com o consequente ingresso de receita orçamentária nos cofres públicos, como nos casos de assunção, reconhecimento ou confissão de dívidas". Ao não registrar as dívidas que mantinha no Banco do Brasil no indicador oficial da dívida pública, o governo atingia o objetivo maior das manobras, que era o de apresentar dados fiscais melhores do que eles deveriam ser na prática. Somente no fim de 2015 a contabilidade fora alterada.

Dias depois foi a vez do procurador do Ministério Público Federal (MPF) Ivan Marx, que abrira investigação em maio de 2015 para investigar se as pedaladas fiscais tinham também constituído uma infração ao Código Penal, liberar pareceres em que concluía que nem o aumento da dívida do Tesouro com o BNDES nem com o Banco do Brasil tinham infringido o regramento penal. Ele não investigou a presidente Dilma Rousseff, mas sim os atos de seus subordinados, como Guido Mantega, Arno Augustin e os presidentes dos bancos públicos, no período inicialmente inspecionado pelo TCU, isto é, no fim do primeiro mandato. Em 3 de dezembro de 2015, Mantega foi com sua advogada Cláudia Vara San Juan Araújo à sede do Ministério Público Federal em São Paulo, instalada no número 1360 da Rua Frei Caneca, prestar depoimento a Marx. Segundo o termo de declarações feito pelo procurador, Mantega reforçou sua defesa apresentada ao TCU ao afirmar que a decisão sobre os pagamentos devidos aos bancos públicos pelos ministérios era responsabilidade do Tesouro Nacional, comandado por Arno Augustin. "A operacionalização desses pagamentos era toda feita pela Secretaria do Tesouro Nacional, a quem incumbia a negociação com os ministérios", disse Mantega, segundo o registro do procurador. Ele também ouviu Augustin e Marcus Aucélio.

Apesar de afastar a ideia de cometimento de crime penal pelo governo, Ivan Marx concluiu que as pedaladas foram um ato de improbidade administrativa. Ele chamou as pedaladas de "maquiagem

HISTÓRIA AGORA

fiscal" e de operação "maliciosa", além de dizer que o fato de as estatísticas fiscais do Banco Central não captarem as dívidas geradas pelo Tesouro junto aos bancos públicos acabou criando uma "camuflagem de dívida".

Mesmo com a conclusão de improbidade administrativa e os termos duros, seu parecer, liberado em 14 de julho, foi comemorado por Cardozo, que chamou de "demolidor" para a tese do *impeachment* o achado do procurador do MPF. Fora da AGU desde o afastamento interino da presidente, Cardozo passara a atuar como advogado pessoal de Dilma. Ele também passaria a incorporar a manifestação de Ivan Marx em suas intervenções públicas e nas negociações com o Congresso, afirmando que "havia um racha" entre os procuradores do MP.

Isto porque apenas duas semanas antes dos pareceres de Ivan Marx virem à tona, o procurador do Ministério Público de Contas, Júlio Marcelo de Oliveira, voltara aos holofotes. Em 24 de junho de 2016, Oliveira liberou uma representação, com vinte e duas páginas no total, em que atribuía responsabilidades a cada uma das dezessete autoridades do governo inicialmente implicadas no julgamento original do TCU sobre as pedaladas. Oliveira entendeu ser necessário aplicar a multa prevista no artigo 58, II, da Lei 8.443 a Guido Mantega, Nelson Barbosa, Arno Augustin, Marcus Aucélio, Alexandre Tombini, Jorge Hereda, Marcelo Pereira de Amorim, Aldemir Bendine, Túlio Maciel, Dyogo Oliveira e Luciano Coutinho. A multa, para cada um, seria de R$ 58 mil, em valores de 2016. Além disso, o procurador entendeu ser necessário tornar todos inelegíveis por até oito anos. Os demais envolvidos no processo eram Adriano Pereira de Paula (coordenador-geral de operações de crédito do Tesouro), Manoel Dias (que fora ministro do Trabalho), Tereza Campello (que fora ministra do Desenvolvimento Social), Gilberto Occhi (ex-ministro das Cidades), Carlos Antônio Fernandes (secretário-executivo das Cidades) e Laércio Roberto Lemos (subsecretário de planejamento do Ministério das Cidades).[127] A justificativa apresentada para esse pedido de punições foi a seguinte: "Os fatos apurados revelaram ao país o cometimento de gravíssima fraude fiscal que permitiu a expansão de gastos primários do governo federal sem sustentação, mediante ilegal utilização dos bancos públicos federais como fonte de financiamento de despesas primárias da União e omissão dos passivos correspondentes nos registros sobre a dívida da União, com maquiagem de resultados fiscais, resultando em aumento elevado do endividamento público, perda de credibilidade do país, perda do grau de investimento, defraudação do processo eleitoral de 2014 e crise fiscal e econômica sem precedentes na história do Brasil".[128]

A estratégia de Cardozo a partir daquele momento foi apontar para o "partidarismo" de Oliveira para justificar sua motivação contrária ao governo Dilma. O advogado começou a preparar uma carta na manga, ao levantar nas redes sociais do procurador menções a manifestações de movimentos contrários a Dilma. Isto seria mais tarde explorado no julgamento final do *impeachment* no Senado.

O governo ainda usava como trunfo o fato de o senador Acir Gurgacz, do PDT de Rondônia, que era o relator do processo de análise das contas federais de 2014 na Comissão Mista de Orçamento do Congresso, ter discordado do parecer do TCU e encaminhado posição pela aprovação. A comissão terminou os trabalhos sem apreciar o relatório de Gurgacz, deixando no ar do Congresso, portanto, dois

---

[127] A representação de Júlio Marcelo de Oliveira foi encaminhada ao ministro do TCU, José Múcio Monteiro, que deverá formular seu voto — acatando ou não os pedidos do procurador — e em seguida levar a plenário para apreciação dos demais ministros da Corte. Quando essa votação terminar estará concluído, em termos administrativos, o julgamento das "pedaladas fiscais". O julgamento fora iniciado em abril de 2015, quando o governo fora condenado de forma unânime, e concluído, na fase de mérito, em dezembro daquele ano, quando os recursos do governo foram parcialmente negados, também unanimemente. Restava a atribuição de responsabilidade aos arrolados no processo. A conclusão do julgamento ainda não tinha ocorrido quando este livro foi finalizado, em setembro de 2016.

[128] Representação de Júlio Marcelo de Oliveira, do Ministério Público de Contas (MPC), assinada eletronicamente em 24 de junho de 2016.

pareceres: do TCU, pela reprovação; e do senador-relator, pela aprovação com ressalvas.[129] "Há divergência no Ministério Público, divergência no TCU e divergência no Congresso", repetiria Cardozo em entrevistas e pronunciamentos formais de defesa de Dilma. Para todo lado que se olhava havia sempre duas opiniões diametralmente opostas.

Com a guerra de versões atingindo seu clímax, dada a proximidade para o julgamento definitivo da presidente afastada, os eventos de julho e agosto seguiram uma lógica quase fixa. De um lado, Dilma sustentaria a tese de que era vítima de um golpe parlamentar. Por outro, Temer tentava garantir votos no Congresso e apoio do setor privado para reformas desejadas pelo mercado financeiro e por empresários na gestão dos gastos públicos, enquanto sinalizava que uma estabilidade política somente ocorreria com o afastamento consolidado de Dilma. Enquanto essas negociações políticas aconteciam, Temer via seu governo perder ainda mais quadros por causa da Lava-Jato. Depois de Jucá, forçado a pedir demissão dez dias após tomar posse, Temer também assinaria as exonerações de Henrique Eduardo Alves do Ministério do Turismo, e de Fabiano Silveira, do recém-criado ministério da Transparência, Fiscalização e Controle. Eduardo Cunha, seu aliado na presidência da Câmara, fora afastado do cargo por liminar do Supremo Tribunal Federal concedida à Procuradoria Geral da República (PGR) em 5 de maio. Rodrigo Janot, chefe da PGR, argumentara que Cunha usava o poder de seu cargo para atrapalhar as investigações da Lava-Jato. Cunha renunciaria em 7 de julho, mas ainda buscaria Temer para ajudá-lo a evitar uma cassação do mandato parlamentar, o que o faria perder o foro privilegiado e, assim, passar a ser investigado não pelo STF, mas pelo juiz Sérgio Moro. De início, Temer manteve o canal com Cunha aberto, inclusive recebendo o companheiro de partido em sua residência oficial, o Palácio do

---

[129] "Comissão de Orçamento chega ao fim de mandato sem votar contas do governo de 2014", por Felipe Pontes, em *Agência Brasil*, 29/03/2016. *http://agenciabrasil.ebc.com.br/politica/ noticia/2016-03/comissao-de-orcamento-chega-fim-de-mandato-sem-votar-contas-do-governo-de*.

Jaburu, mas no fim de julho ele começou a se distanciar do antigo aliado, passando a trabalhar com o deputado carioca Rodrigo Maia, do DEM, que seria eleito novo presidente da Câmara.

A consolidação da mudança no poder começou a ficar mais clara a partir de meados de julho. Petistas já faziam seus cálculos políticos levando o *impeachment* como fato concreto e antigos aliados da presidente começavam a deixar evidente a nova postura.

O comportamento do ex-czar da economia Antônio Delfim Netto exemplifica bem esse processo. Ministro da Fazenda durante o "milagre econômico" da ditadura militar, entre 1967 e 1974, e ministro da Agricultura (1979) e do Planejamento (1979-1985) durante a explosão da crise econômica que culminou na "década perdida", Delfim foi constituinte (1987-88) e deputado federal (1986-2006). Nos anos 1990, no entanto, ele se distanciou do poder federal pela primeira vez, mas se reaproximou do governo durante o segundo mandato de Luiz Inácio Lula da Silva. Ele passou a ser mentor de diversos técnicos e economistas do governo do PT entre o fim do governo Lula e ao longo de quase todo o primeiro mandato de Dilma. Delfim, inclusive, foi convidado pela própria presidente para reuniões para debater a conjuntura econômica no Palácio da Alvorada em 2011 e 2012 ao lado de Luiz Gonzaga Belluzzo e, por uma oportunidade, de Yoshiaki Nakano, diretor da escola de economia da FGV-SP e ex-secretário de Fazenda do governador Mário Covas (PSDB) em São Paulo.

Até o processo de *impeachment* ser deflagrado e o rompimento do PMDB evidenciado, Delfim Netto continuava defendendo Dilma no debate público. Quando recebeu o autor deste livro na manhã do dia 29 de julho em seu escritório, no bairro do Pacaembu em São Paulo, Delfim foi direto quando questionado sobre as pedaladas fiscais, inclusive antecipando a linha política de defesa que Dilma tomaria para si quase um ano depois: "Não gosto do que está acontecendo. Que fique claro: houve pedalada, isso é indiscutível. Mas usar as pedaladas para fazer *impeachment* é golpe. As pedaladas vêm desde antes do Fernando

(FHC). Todas as contas federais contam com práticas assim".[130] Antes mesmo do governo petista como um todo começar a falar em golpe, o habilidoso economista de oitenta e sete anos já usara a palavra e a tese.

Um ano mais tarde, no entanto, isso já era passado — em 20 de julho de 2016, Delfim chamava de "desastre" o ano de 2014 por, entre outras razões, ter terminado com um déficit fiscal do governo equivalente a 0,8% do PIB, fazendo a ressalva que este número já estava "corrigido com as pedaladas fiscais".[131]

Seguindo determinação de Temer, a cúpula do PMDB no comando do Senado preparou o terreno para que o *impeachment* terminasse em agosto. O mês que na história nacional está marcado pelo suicídio de Getúlio Vargas, em 1954; e pela renúncia de Jânio Quadros, em 1961, também marcaria o afastamento definitivo da primeira mulher a chegar à presidência da República.

O afastamento definitivo de Dilma

O último rito processual antes do julgamento em si começou durante os Jogos Olímpicos, e a exibição da sessão de debate no Senado dividiu as atenções na televisão, nas rádios e nos *sites* de notícias com as disputas de natação, ginástica artística e levantamento de peso no Rio de Janeiro, ao longo do dia 9 de agosto.

A sessão parlamentar foi comandada pelo então presidente do Supremo Tribunal Federal, Ricardo Lewandowski, e terminou somente na madrugada do dia seguinte. Dilma acompanhou as mais de dez horas de sessão pela televisão no Palácio da Alvorada, onde também trabalhava

---

[130] "A Dilma tem de enfrentar o panelaço que lhe cabe, diz Delfim Netto", em *O Estado de S. Paulo*, 01/08/2015, por João Villaverde. *http://economia.estadao.com.br/noticias/geral,a-dilma-tem-de-enfrentar-o-panelaco-que-lhe-cabe,1736464*.

[131] "Pequena inteligência ou grande desonestidade", por Antônio Delfim Netto, para o jornal *Folha de S.Paulo* e o *site* do PMDB. *http://pmdb.org.br/artigos/pequena-inteligencia-ou-grande-desonestidade/*.

PERIGOSAS PEDALADAS

em uma carta aberta aos senadores junto do ex-presidente Lula. Entre os discursos que ouviu estava o do senador Fernando Collor, do PTB de Alagoas. "O governo recebeu o país em 2010 com estabilidade política e institucional", leu Collor da tribuna, "mas a insistência na matriz macroeconômica e ao desprezar a voz das ruas, a partir de 2013, o governo tornou-se apartado da população e desconectado da realidade." Dilma também assistiu ao senador Lasier Martins, gaúcho do mesmo PDT que ela ajudara a fundar em 1981, defender o *impeachment* e citar o jurista Paulo Brossard, segundo quem o processo de afastamento definitivo do chefe do Executivo era jurídico e político ao mesmo tempo.

O processo relatado pelo senador Antônio Anastasia, do PSDB de Minas Gerais, colocado em discussão como base para o afastamento da presidente, foi pouco mencionado pelos parlamentares. Indiretamente, o senador Roberto Muniz, do PP da Bahia, tratou do assunto ao dizer ser contrário ao impedimento de Dilma pela edição de decretos de suplementação orçamentária e pela pedalada com o Banco do Brasil pelo risco de interpretações idênticas inviabilizarem práticas parecidas de gestores públicos estaduais e municipais.

Apesar da importância histórica daquela sessão, o clima no Senado não era de tensão como fora na Câmara e no próprio Senado no primeiro semestre, quando o afastamento temporário de Dilma tinha sido votado. Antes de entrar no plenário para fazer a sustentação oral da defesa da presidente, o ex-ministro da Justiça e ex-advogado-geral da União, José Eduardo Cardozo, fazia brincadeiras com repórteres.[132]

---

[132] "O ex-ministro José Eduardo Cardozo, responsável pela defesa da presidente afastada, Dilma Rousseff, disse que não fará menção a nenhum jurista 'Tomás Turbando', como ocorreu em junho, durante a Comissão Especial do *Impeachment* no Senado. Em tom de brincadeira, Cardozo disse a jornalistas que citará outra jurista de nome capcioso. 'Hoje, o Tomás Turbando não vai ser citado. Vou citar outro, Paula Tejando. A Paula Tejando é melhor', afirmou o ex-ministro. (...) Em junho, o advogado caiu em uma pegadinha na Comissão Especial do *Impeachment* no Senado ao citar o jurista 'Tomás Turbando'. Na verdade, Cardozo se referia a Thomas da Rosa Bustamante, professor de Direito da Universidade Federal de Minas Gerais (UFMG). A cacofonia aconteceu quando o advogado lia um documento relatando diversos nomes de importantes juristas com pareceres a favor de Dilma", trecho retirado de "Cardozo diz que não citará 'Tomás Turbando' em defesa de Dilma", em *O Estado de S. Paulo*, por Daniel Carvalho, 09/08/2016. *http://politica.estadao.com.br/blogs/coluna-do-estadao/cardozo-diz-que-nao-citara-tomas-turbando/*

HISTÓRIA AGORA

Seu pronunciamento, pouco depois da meia-noite, sucedeu o de Miguel Reale Jr, que falou pela acusação. Cardozo afirmou que Dilma sofria perseguição da união de dois grupos políticos, sendo um representado por aqueles que perderam as eleições presidenciais de 2014 (notadamente integrantes do PSDB, do DEM, do PPS e do PSB) e o outro formado pelos "envolvidos na Lava-Jato", numa referência quase direta aos caciques do PMDB que faziam parte do governo petista e que mudaram de lado no segundo mandato da presidente, como Eduardo Cunha, Romero Jucá e o próprio presidente interino, Michel Temer.

Sobre as questões de mérito do processo em si, Cardozo afirmou que as pedaladas "não chegavam à presidente da República" e que a edição dos decretos de suplementação orçamentária nunca tinha sido apontada pelo TCU ou pelo Congresso como lesiva à Lei Orçamentária. "Anastasia fala que ela tem ato omissivo. Essa é a tese dele, de que a presidente é a responsável por todas as regras financeiras do governo", disse ele, que depositou no Ministério da Fazenda a responsabilidade pelas operações. Ao final, afirmou: "Não há qualquer prova de que a presidente tinha conhecimento. Não há ato, não há dolo, não há nada".

Na votação, a presidente foi derrotada por cinquenta e nove votos a vinte e um. Virou ré em 10 de agosto e dois dias depois as peças finais de acusação e defesa foram protocoladas no Senado. Eram nove páginas de acusação, com a fundamentação do *impeachment*, e de outro lado um documento de 670 páginas entregue pessoalmente por Cardozo em nome da defesa de Dilma. Entre suas testemunhas de defesa, a presidente apresentou seis nomes para serem ouvidos, entre eles o dos economistas Nelson Barbosa e Luiz Gonzaga Belluzzo.

Dias antes da sessão terminal, o jurista aposentado Sydney Sanches, que fora presidente do Supremo Tribunal Federal e comandara o julgamento do *impeachment* de Fernando Collor no Senado em dezembro de 1992, disse considerar que tanto Dilma quanto Collor tinham cometido crime de responsabilidade. "As acusações contra a presidente Dilma são de que violou a Lei de Responsabilidade Fiscal, a Lei Orçamentária e a Constituição com os créditos suplementares no mandato passado, e isso continuou em 2015. Dilma e Collor usaram as mesmas manobras para encobertar os crimes de responsabilidade e de quebra do decoro no exercício do mandato. A meu ver, ela não escapa dos incisos que tratam do crime de responsabilidade. Usou de manobras para esconder a situação real e trouxe todos esses problemas para o país, que está destroçado."[133]

Naquele momento, o próprio PT já preparava o terreno político para o pós-*impeachment*. O prefeito de São Paulo, petista Fernando Haddad, já falara em uma entrevista ao vivo que considerava que a palavra "golpe" era um "pouco dura" para caracterizar o processo de *impeachment*.[134] Formado em economia e ex-ministro de Dilma, Haddad estava em campanha pela reeleição e buscava de todas as formas se dissociar do processo. Mas mesmo assim Dilma passou a se conformar com o veredicto após a última sessão de debates sobre o *impeachment* no Senado terminar com cinquenta e nove votos para torná-la ré. Politicamente seu destino já estava selado, e a partir de meados de agosto ela já sabia disso. Ela decidiu, então, marcar a reta final com dois movimentos políticos: a divulgação de uma carta à sociedade e aos senadores que a julgariam e o depoimento, em pessoa, durante o julgamento final.

Na tarde do dia 16 daquele mês, Dilma convocou os jornalistas para o Palácio da Alvorada para ler sua carta aos brasileiros e aos senadores. A presidente surgiu na sala de imprensa com uma hora

---

[133] "Comandante do processo de *impeachment* de Collor defende cassação de Dilma", em *O Globo*, 14/08/2016, por Maria Lima.
http://oglobo.globo.com/brasil/comandante-do-processo-de-impeachment-de-collor-defende--cassacao-de-dilma-19919042.

[134] "'Golpe é uma palavra um pouco dura', diz Haddad sobre *impeachment*", em O Estado de S. Paulo, 10/04/2016, por Adriana Ferraz, Pedro Venceslau e Tania Machado. *http://politica.estadao.com.br/noticias/geral,golpe-e-uma-palavra-um-pouco-dura-diz-haddad-sobre-impeachment,10000068420.*

de atraso em relação ao estabelecido. Cinco minutos antes, as televisões do país tinham acabado de transmitir a derrota, nos pênaltis, da seleção brasileira de futebol feminino para a seleção da Suécia. Por causa do foco na Olimpíada, alguns conselheiros da presidente chegaram a sugerir que a carta fosse divulgada somente após o fim do evento esportivo, ou mesmo após o julgamento final no Senado. Dilma, no entanto, decidiu fazer antes, como apelo aos senadores, de forma a tentar evitar sua cassação definitiva do poder.

Na carta, a presidente afastada não mencionou diretamente as pedaladas fiscais ou os decretos de suplementação orçamentária, mas se defendeu das acusações. "Os atos que pratiquei foram atos legais, atos necessários, atos de governo. Atos idênticos foram executados pelos presidentes que me antecederam. Não era crime na época deles, e também não é crime agora." Dilma chamou o *impeachment* de golpe e disse que o processo era frágil e juridicamente inconsistente, porque não estava baseado em um crime de responsabilidade. Ao final, disse sofrer uma injustiça e atacou duramente Eduardo Cunha, que fora o responsável pela abertura do processo de *impeachment* na Câmara. "Ao contrário dos que deram início a este processo injusto e ilegal, não tenho contas secretas no exterior, nunca desviei um único centavo do patrimônio público para meu enriquecimento pessoal ou de terceiros e não recebi propina de ninguém." Além de sua defesa e dos ataques a Cunha e indiretamente aos caciques do PMDB, que se beneficiaram com sua queda, Dilma reforçou na carta sua disposição para que um plebiscito popular fosse realizado — um novo líder para o Brasil deveria ser escolhido pelo voto, segundo ela.[135]

Depois, tanto Dilma quanto Cardozo reforçaram esses argumentos na televisão. A presidente concedeu longa entrevista ao jornalista

---

[135] "Mensagem da presidenta da República, Dilma Rousseff, ao Senado Federal e ao povo brasileiro", 16/08/2016. *https://medium.com/@dilmabr/mensagem-da-presidenta-da-rep%C3%BAblica-dilma- -rousseff-ao-senado-federal-e-ao-povo-brasileiro-9601abd5e43f#.rwqjmte4m.*

Roberto Cabrini, exibida no canal SBT na noite de 21 de agosto, e Cardozo participou do programa Roda Viva, transmitido ao vivo pela TV Cultura na noite de 22 de agosto. "Trata-se de um golpe, claro, uma vez que não há configuração de crime de responsabilidade", arrematou Cardozo aos jornalistas na bancada.

Três dias depois todas as testemunhas, de acusação e defesa, estavam hospedadas e incomunicáveis no hotel Grand Bittar em Brasília. Separadas em quartos sem televisão, telefone e acesso à internet, e tendo acompanhamento da polícia do Senado para evitar contato com qualquer pessoa nos momentos em que desciam até o *lobby*, as testemunhas favoráveis e contrárias ao *impeachment* somente poderiam deixar as dependências do hotel para ir ao Congresso prestar depoimentos durante a sessão final de julgamento.

O julgamento começou às 9 horas da quinta-feira, 25 de agosto, e de imediato discussões entre os senadores marcaram toda a manhã. Os ritos processuais em si se iniciaram somente depois das 14 horas quando a primeira testemunha sentou à mesa, a duas cadeiras de Lewandowski e de Renan Calheiros. Era o procurador do Ministério Público de Contas (MPC), Júlio Marcelo de Oliveira. De partida, Cardozo pediu a suspeição de Oliveira por ele ter compartilhado em redes sociais a convocação de atos políticos contrários a Dilma por parte de movimentos sociais. A ação de Oliveira tinha ocorrido em 2015, antes da sessão de análise das contas federais do ano anterior pelo Tribunal de Contas da União. Oliveira admitiu o ato. Presidindo a sessão, Lewandowski acatou o pedido: "Penso que, pela sua função no Ministério Público, não estava autorizado a fazê-lo. Portanto, incide-se na hipótese de suspeição". Oliveira não precisou fazer o juramento e passou a ser ouvido como "informante" no processo. Ele apresentou seu entendimento de que o objetivo das pedaladas em 2014 era não apenas "falsear" os dados fiscais, mas "abrir espaço" para um aumento de gastos com programas populares como o Financiamento Estudantil (Fies), cujo orçamento saltou dos cerca de

R$ 5 bilhões em 2013, para mais de R$ 12 bilhões em 2014, depois sendo fortemente cortado em 2015.

Às 9 horas da noite, Oliveira passou a cadeira a Antônio D'Ávila, segunda e última testemunha de acusação. D'Ávila revelou, na tribuna, que auxiliara Oliveira na confecção da representação original, de 21 de agosto de 2014, que deu início à auditoria conduzida por ele mesmo. Cardozo pediu sua suspeição, alegando desvio de função do auditor ao trabalhar junto de procurador do Ministério Público. Na réplica, D'Ávila disse ter apenas ajudado como "consultor", por entender de finanças públicas.

"Júlio Marcelo pediu que eu verificasse a representação para saber se ele não estaria falando algum tipo de besteira, foi isso", disse D'Ávila. "Vejam só, primeiro que ele (D'Ávila) ajudou a fazer a representação do Ministério Público. Pergunto: se a AGU tivesse levado à vossa senhoria a defesa da presidenta vossa senhoria teria o mesmo comportamento?", rebateu Cardozo.

Por fim, ambos discutiram sobre a pedalada do governo com o Banco do Brasil, a única a fazer parte do processo de *impeachment*, por ter sido realizada em 2015. O embate de ideias entre os dois é importante para registro, porque deixa claro como as diferentes percepções sobre o mesmo caso dividiram opiniões de juristas, economistas, especialistas em contas públicas, políticos e da sociedade em geral.

O horário se aproximava da meia-noite quando a discussão técnica entre o advogado de Dilma e o responsável pela auditoria da equipe econômica no primeiro mandato começou. Cardozo repetiu que as operações de equalização das taxas de juros do Plano Safra entre o Tesouro e o Banco do Brasil não têm prazo estabelecido, diferente das equalizações devidas pelo Tesouro ao BNDES. "Sem prazo, como pode se falar em atraso?", questionou Cardozo.

"A União deve efetuar o pagamento da equalização no mesmo instante em que o mutuário efetua o pagamento de juros na instituição financeira. Essa é a lógica intrínseca na operação de equalização de taxa de juros. Não cabe à União estabelecer prazo distinto à lógica intrínseca da operação. No caso do PSI (do BNDES) havia o estabelecimento do prazo de pagamento de vinte e quatro meses, um erro de argumentação ao associar isso ao prazo médio de carência do principal do empréstimo (concedido pelo BNDES), mas a equalização se dá em relação à taxa de juros oferecida e não ao principal emprestado. No caso dos juros, o prazo médio era inferior a três meses. No conceito do próprio governo era obrigação da União pagar de acordo com o prazo médio dos juros. Está caracterizada a operação de crédito quando a União deixa de fazer o pagamento na data prevista, e além disso há a incidência da taxa Selic para correção do que é devido", disse D'Ávila, antes de ter o microfone cortado por excesso de tempo.

"É tão assustadora essa teoria do prazo médio. O senador Anastasia se valeu de um decreto da presidente para estabelecer um prazo. Agora vossa senhoria me diz que o prazo médio é o da lógica intrínseca. Ninguém sabe qual é o atraso e querem que a presidente tenha tido dolo. A presidente deveria saber disso informada por quem? É uma tese criada para condenar uma presidente inocente. As operações do passado? Se é operação de crédito com R$ 100 milhões é operação de crédito com um real. É um grande engodo essa acusação de *impeachment*. É injusto e incorreto", atacou Cardozo.

"De fato, montante não é o que define. O que define se é ou não é operação de crédito é a utilização da instituição financeira controlada. É importante entender isso: é a utilização. Não houve no passado a utilização de instituição financeira pública para financiar uma política pública. Mas houve sim nos últimos anos, com a verificação de montantes elevados, inclusive. Não há prevaricação de algum auditor no passado", rebateu D'Ávila, na tréplica. Logo em seguida, dezoito minutos depois da meia-noite do dia 26 de agosto, Lewandowski suspendeu a primeira sessão.

O julgamento seria reaberto às 9 horas da manhã do mesmo dia, desta vez para as testemunhas de defesa de Dilma. A sessão começou

HISTÓRIA AGORA

tumultuada, com troca de empurrões entre o senador Lindbergh Farias, do PT do Rio de Janeiro, e o próprio presidente da Casa, Renan Calheiros, do PMDB de Alagoas, quando este pediu a palavra e revelou ter intercedido junto ao Supremo Tribunal Federal para evitar que a colega de Farias, a também senadora petista Gleisi Hoffmann, do Paraná, fosse indiciada. Os nervos ficaram à flor da pele e Lewandowski suspendeu a sessão. Somente depois do almoço os trabalhos foram retomados. Cardozo dispensou uma de suas testemunhas, a economista Esther Dwerk, acusada pelos tucanos de ter sido "aliciada" por Gleisi com um cargo em seu gabinete. O advogado de Dilma também se antecipou à base aliada de Temer e rebaixou o depoimento do advogado Ricardo Lodi de testemunha a informante, tal qual tinha ocorrido com Júlio Marcelo de Oliveira no dia anterior. Lodi tinha auxiliado a defesa formal de Dilma. Assim, a presidente afastada contou com quatro testemunhas em sua defesa.

Primeiro falou Luiz Gonzaga Belluzzo, economista que fora secretário de Política Econômica (SPE) no Ministério da Fazenda em 1986 e conselheiro econômico de Lula e de Dilma Rousseff. Ele disse que Dilma, em 2015, não "pedalou, mas sim despedalou", ao aplicar duros contingenciamentos de recursos públicos. "Eu só aceitei vir aqui falar (com os senadores no julgamento) porque eu considero que o afastamento da presidente pelos motivos alegados é um atentado à democracia", disse ele. Quatro horas depois foi a vez do jurista Geraldo Prado, professor de Direito da Universidade Federal do Rio de Janeiro (UFRJ). Ele disse que o processo em julgamento no Senado acusa Dilma de ter cometido, ao mesmo tempo, atos comissivos e omissivos com as pedaladas fiscais. "Não há no Direito a possibilidade de a acusação aplicar os dois atos ao mesmo tempo. Ou a presidente sabia ou ela não sabia. Cabe à acusação determinar exatamente o que quer", afirmou o professor, que completou: "Não há país no mundo em que o presidente da República é o responsável por absolutamente tudo o que ocorre em seu governo. Quanto mais complexa é a função, mais restrita deve ser a sua responsabilidade", afirmou Prado após questionamento de Cardozo. Ao longo do dia, Dilma somente parou de acompanhar seu julgamento pela televisão para uma conversa de duas horas com o senador Fernando Collor.

No dia seguinte, sábado, os senadores e os advogados de defesa e acusação questionaram Nelson Barbosa, ex-ministro de Dilma. Segundo ele, a edição dos decretos de suplementação de recursos orçamentários "seguiu estritamente o que está na lei" e que a presidente não poderia ser afastada por uma mudança de entendimento dos órgãos de fiscalização e controle. Barbosa assinara os decretos junto com Dilma em 2015. Seguindo a linha de defesa inaugurada por Adams um ano e meio antes, que o próprio Barbosa e também Cardozo repetiram aos parlamentares ao longo de 2015, o princípio da segurança jurídica deveria ser preponderante. "Não se pode retroagir com novo entendimento da aplicação da lei", disse ele no julgamento. "Isso causa uma grande insegurança para o gestor público, porque mesmo que ele siga as decisões existentes do TCU até aquela data, posteriormente essas decisões podem ser caracterizadas como irregulares. Isso tem levado os gestores públicos, até numa postura defensiva, a perguntar mais ao TCU."

Quanto à pedalada com o Banco do Brasil, a única a constar no processo, Barbosa negou mais uma vez que o aumento da dívida do Tesouro com o banco público tenha constituído uma operação de crédito entre o BB e o seu controlador, o governo. Ele citou, inclusive, nota técnica do Tesouro editada em 30 de maio, na segunda semana do governo interino Michel Temer, em que há o entendimento de que operações como essas não são de financiamento. "Autoridades do Tesouro já sob o comando do vice-presidente em exercício atestam que não é operação de crédito", disse ele. Em 30 de maio, o secretário do Tesouro ainda era Otávio Ladeira, que tinha sido efetivado no cargo por Barbosa. Três dias depois, o sucessor de Barbosa na Fazenda, Henrique Meirelles, substituiria Ladeira por Ana Paula Vescovi no comando do Tesouro Nacional.

HISTÓRIA AGORA

O julgamento foi retomado na segunda-feira, 29 de agosto, para ouvir a presidente afastada. Dilma chegou cedo ao Senado na companhia de Cardozo, das equipes de documentaristas que registravam as cenas para posterior lançamento cinematográfico e por outros convidados, entre eles o compositor Chico Buarque, o ex-presidente Lula e ex-ministros de seu governo.

Naquela mesma manhã, o presidente da Ordem dos Advogados do Brasil (OAB), Claudio Lamacchi, declarou que "chamar *impeachment* de golpe é um desserviço ao país, porque não tem golpe, o STF regrou o processo, é tudo absolutamente democrático".[136] Também naquela manhã, o ministro da Fazenda do governo interino, Henrique Meirelles, defendeu que o futuro do país estava "diretamente ligado" ao ajuste fiscal e que esse ajuste efetivamente começaria "eliminada a incerteza" do *impeachment*.[137] Considerado âncora de Michel Temer na relação com o mercado e com o setor privado, Meirelles usou sua carta de pressão política no chamado "dia D" do processo. Além disso, também o ex-marido da presidente afastada, Carlos Araújo, concedeu entrevista à jornalista Cynara Menezes, publicada em seu *blog* na véspera da defesa final de Dilma, em que dizia que o PT "está tentando fugir de sua responsabilidade", atribuindo a Dilma "todos os problemas dele, vergonhoso isso". Segundo ele, a presidente estava muito sozinha e abandonada pelo partido.[138] Por fim, o jornalista Fernando Rodrigues revelou em seu *blog* hospedado no *site* de notícias Uol que os senadores petistas continuavam oferecendo cargos em ministérios e em empresas estatais a colegas ainda indecisos, como

---

[136] "Chamar *impeachment* de golpe é desserviço, diz presidente da OAB", em Coluna do Estadão, *O Estado de S. Paulo*, 29/08/2016. *http://politica.estadao.com.br/blogs/coluna-do-estadao/chamar-impeachment-de-golpe-e-desservico-diz-presidente-da-oab/*.

[137] "Nossa missão é realizar o ajuste fiscal, diz Henrique Meirelles", por Martha Beck e Sérgio Fadul, em *O Globo*, 29/08/2016.
http://oglobo.globo.com/brasil/nossa-missao-realizar-ajuste-fiscal-diz-henrique-meirelles-20008636.

[138] "Carlos Araújo: o PT quer se ver livre da Dilma", por Cynara Menezes, em *Socialista Morena*, 28/08/2016. *http://www.socialistamorena.com.br/carlos-araujo-o-pt-quer-se-ver-livre-da-dilma/*.

PERIGOSAS PEDALADAS

forma de conseguir os votos necessários para se atingir o número de vinte e oito senadores a favor de Dilma, nível mínimo suficiente para fazê-la retornar à presidência.[139] Com tudo isso, o clima no Senado era de suspense, quando Dilma começou sua defesa. A reação política dos senadores era imprevisível.

A sessão começou às 9h39, e Dilma foi trazida ao plenário pelo presidente do Senado, Renan Calheiros, poucos minutos depois. "Não cometi os crimes dos quais sou acusada injusta e arbitrariamente", disse ela em seu discurso inicial de defesa. "As acusações a mim dirigidas são meros pretextos", continuou Dilma, citando então o primeiro dia de julgamento como evidência da "trama", segundo seu termo, por trás do golpe. "O autor da representação do Ministério Público no TCU foi reconhecido como suspeito pelo presidente do STF. Soube-se ainda pelo depoimento do auditor que ele havia ajudado a elaborar a própria representação que auditou. Fica clara a trama. São apenas pretextos para derrubar por meio de um processo de *impeachment* sem crime de responsabilidade um governo legítimo." Em seguida chamou o processo de golpe e o governo interino de Michel Temer de usurpador dos desejos das urnas eleitorais de 2014. "O que está em jogo é a autoestima das brasileiras e dos brasileiros", afirmou a presidente afastada, que então se emocionou. "Está claro que não houve crime de responsabilidade. Não é legítimo, como querem meus acusadores, afastar o chefe de Estado e de governo por não concordarem pelo conjunto da obra. Quem afasta pelo conjunto da obra é o povo", afirmou Dilma, que chamou de "destruição" da Previdência Social uma das reformas estudadas por Temer. Ela, no entanto, reconheceu indiretamente a necessidade de ajuste das contas públicas já na largada de seu segundo mandato, em janeiro de 2015, quando disse que seus esforços para o "reequilíbrio fiscal" foram

---

[139] "Aliados de Dilma tentam usar 'fisiologismo esclarecido' até último minuto", por Fernando Rodrigues, em Uol, 29/08/2016. *http://fernandorodrigues.blogosfera.uol.com.br/2016/08/29/aliados-de-dilma-tentam-usar-fisiologismo-esclarecido-ate-ultimo-minuto/.*

negados pela Câmara dos Deputados a partir de 2015 comandada então por Eduardo Cunha, citado nominalmente pela presidente.

Ao citar o processo, Dilma falou da edição de decretos de crédito suplementar sem autorização legislativa em primeiro lugar. "Respeitamos as leis em vigor. Todas as previsões legais foram respeitadas. Os decretos apenas oferecem alternativas dentro dos limites do decreto de contingenciamento que não foram afetados, por isso não afetaram em nada o cumprimento da meta fiscal", justificou a presidente. Sobre a pedalada com o Banco do Brasil, Dilma argumentou:

> A segunda denúncia dirigida contra mim neste processo também é injusta e frágil. Afirma-se que o alegado atraso nos pagamentos das subvenções econômicas devidas ao Banco do Brasil, no âmbito da execução do programa de crédito rural Plano Safra, equivale a uma 'operação de crédito', o que estaria vedado pela Lei de Responsabilidade Fiscal. Como minha defesa e várias testemunhas já relataram, a execução do Plano Safra é regida por uma lei de 1992, que atribui ao Ministério da Fazenda a competência de sua normatização, inclusive em relação à atuação do Banco do Brasil. A presidenta da República não pratica nenhum ato em relação à execução do Plano Safra. Parece óbvio, além de juridicamente justo, que eu não seja acusada por um ato inexistente. A controvérsia quanto à existência de operação de crédito surgiu de uma mudança de interpretação do TCU, cuja decisão definitiva foi emitida em dezembro de 2015. Novamente, há uma tentativa de dizer que cometi um crime antes da definição da tese de que haveria um crime.[140]

A ex-presidente da Confederação Nacional da Agricultura (CNA), senadora Kátia Abreu, do PMDB do Tocantins, foi a primeira a falar

---

[140] Discurso da presidenta da República, Dilma Rousseff, no julgamento final de *impeachment*, 29/08/2016.
https://medium.com/@dilmabr/discurso-da-presidenta-dilma-no-senado-federal-48a9359c64bd#.gc7pgzahj.

PERIGOSAS PEDALADAS

após Dilma. Ex-ministra da Agricultura entre janeiro de 2015 e maio de 2016, Kátia Abreu disse que Dilma foi a presidente "que mais fez pelo agronegócio na história" e denominou de cinismo o apelido de "pedalada" atribuído às subvenções econômicas do Plano Safra. "O Safra foi criado pelo presidente Collor e somente agora virou operação de crédito, virou crime de responsabilidade fiscal? Fica claro que o *impeachment* é uma trama", concluiu a senadora.

Em seguida, a senadora gaúcha Ana Amélia, do PP, defendeu o processo de *impeachment* e disse que "o verdadeiro golpe foi contra os milhões de jovens que ficaram desempregados e de estudantes que ficaram sem o acesso à universidade com o Fies e o ProUni", numa referência indireta aos cortes bilionários nos recursos do programa de financiamento estudantil (Fies) em 2015, após forte ampliação em 2014. Ela citou também frase de Jaques Wagner em 18 de dezembro do ano anterior, quando disse que a política econômica não era bancada pelo Ministério da Fazenda, mas sim pela presidente da República. "Sua excelência autorizou as pedaladas, ou melhor, a fraude fiscal da contabilidade criativa", complementou a senadora. Dilma respondeu defendendo a frase de Wagner com interpretação restrita e não abrangente. "Sou a responsável pela política macroeconômica, com mandato dado por 54,5 milhões de votos", contra-argumentou.

Em resposta ao senador Ricardo Ferraço, do PSDB do Espírito Santo, Dilma mencionou pela primeira vez o ex-secretário do Tesouro Nacional, Arno Augustin, e também o termo "pedalada".

Esse julgamento precisa provar que houve crime de responsabilidade, para isso não basta dizer que houve um cheque em branco além da lei. Este processo, nas suas provas e nos depoimentos das testemunhas, evidenciou que houve um integral cumprimento da lei (...). Há que provar que eu tenho culpa e, mais do que isso, que eu cometi algum ato. O que fica claro nesse processo é que, inclusive, não eu que digo, mas o próprio MPF diz que eu não participava, porque a lei, que é de

HISTÓRIA AGORA

1992 no caso das operações de crédito, que vocês chamam de operações de crédito, que é o nome que vocês dão às pedaladas. Quem diz que eu não participava é a própria peça acusatória, que comete situação absolutamente absurda, ao dizer que eu era íntima do senhor Arno Augustin, que não se sabia onde começava um e onde acabava o outro. Ora, o senhor Augustin não era, em 2015, o secretário do Tesouro Nacional, era o senhor (Marcelo) Saintive. Então, para tentar provar que créditos suplementares e as transferências do Plano Safra se utiliza de recursos indevidos. Isso sim é que é mentira.

De modo geral, Dilma apresentou aos senadores uma justificativa para o cenário econômico de crise verificado no momento de seu afastamento que envolvia uma forte piora do quadro brasileiro e internacional logo após as eleições presidenciais de 26 de outubro de 2014. Quando respondeu ao senador Aécio Neves, presidente nacional do PSDB e candidato derrotado por ela em 2014, Dilma listou o que, para ela, foram os problemas sucessivos: três dias após aquele segundo turno o banco central dos Estados Unidos colocou em prática mais um capítulo de sua estratégia de retirada de estímulos monetários, o que aguçou os mercados emergentes fazendo as moedas, como o real, se desvalorizarem, aumentando os preços dos bens importados; depois, quando iniciado o período de estiagem, o volume de água nos reservatórios do Sudeste, em especial de São Paulo e Minas Gerais, chegou a níveis mínimos históricos, forçando o uso do chamado volume morto, o que derrubou a confiança de empresários e consumidores; a queda no preço das *commodities*, o que fez cair a arrecadação de tributos que incidem sobre setores antes pujantes, como de petróleo e minério de ferro; por fim, a eleição de Eduardo Cunha para a presidência da Câmara, em fevereiro de 2015, o que iniciou uma situação de conflagração entre o governo e a Câmara, que barrou todas as medidas de reequilíbrio fiscal propostas pelo governo. "O processo de desestabilização parlamentar de meu governo foi acelerado com a eleição de Eduardo Cunha para a presidência da Câmara", disse ela. Além disso, Dilma também reforçou para Aécio que a crise contou com a instabilidade criada pelo PSDB, citando as investigações pedidas pelos tucanos sobre as urnas e sobre a campanha do PT à reeleição, e pela grande mídia que, segundo ela, fazia cobertura enviesada de sua gestão. À senadora Lídice da Mata, do PSB da Bahia, Dilma chegou a dizer que sofreu o maior "boicote parlamentar" da história do Brasil, em referência ao fato de que a Câmara, sob Cunha, ficou praticamente parada entre o início de fevereiro de 2016 até a semana de votação do processo de admissibilidade do *impeachment*, em meados de abril. Em algumas intervenções, Dilma também repetiria a frase "não houve por parte do governo nenhuma pedalada".

Já no meio da tarde, para a senadora Lúcia Vânia, do PSB de Goiás, Dilma apresentou sua visão dos movimentos do Tribunal de Contas da União (TCU) sobre as pedaladas fiscais ao longo de 2015.

Jamais, em nenhum momento de 2008 até o dia do pagamento (de todas as dívidas acumuladas com pedaladas), que foi em dezembro de 2015, houve qualquer obstáculo a essa situação. Em abril (de 2015) questiona-se essa questão dos passivos. O TCU proclama essa decisão e nós recorremos dela. Seria um peso enorme, numa conjuntura de crise, tratarmos algo que vinha desde 2008. No mínimo há que se considerar que é um princípio legal a não retroatividade da lei. Daí que pedimos o reexame porque estávamos inconformados com essa súbita mudança do TCU. Até então, nem o Senado nem tampouco o TCU tinha falado nada dessa metodologia do Banco Central. Essa metodologia (de cálculo da dívida) não é minha, é do BC e foi aplicada por governos anteriores. Pois bem, de abril até dezembro de 2015, leva o TCU um tempo para decidir definitivamente sobre a questão. A senhora há de convir que R$ 55 bilhões é algo que precisa ver como faz para ver como paga. Eles decidem que é para pagar e

HISTÓRIA AGORA

alterar a forma de registro da estatística. Queríamos pagar parcelado, mas o risco era imenso de tentar fazer um parcelamento. Então, a bem da estabilidade das regras em relação a nós, pagamos à vista. Caso não tivéssemos pago isso, a situação fiscal, obviamente, seria melhor. (...). Decidimos então que dali para frente a dívida vence de seis em seis meses. O banco apresenta a dívida e a partir daí o pagamento tem cinco dias para acontecer.

Enquanto a sessão no Senado se estendia, com os parlamentares se sucedendo nos questionamentos diretos a Dilma, confrontos entre manifestantes favoráveis à presidente e a polícia aconteciam na avenida Paulista, em São Paulo. Em Brasília, a Esplanada dos Ministérios era separada por um grande muro para evitar brigas entre manifestantes. O governo do Distrito Federal estimou em 30 mil pessoas com faixas e cartazes, contrários e favoráveis a Dilma, ao longo do dia na praça em frente ao Congresso Nacional.

A sessão terminou pouco antes da meia-noite, após catorze horas de questionamentos dos senadores e também dos advogados de acusação, Miguel Reale Jr. e Janaína Paschoal. No dia seguinte, os senadores acompanharam o posicionamento final da defesa e da acusação. De ambos os lados houve choro: Cardozo se emocionou em seu último apelo no julgamento, ao repetir que o *impeachment* não estava baseado em crimes de responsabilidade e que o afastamento de Dilma era a condenação de uma presidente inocente. Do outro lado, Janaína chorou ao pedir desculpas pela "dor" infligida a Dilma ao defender sua saída. Em seguida, o presidente do Supremo abriu a palavra para que cada um dos oitenta e um senadores defendesse suas posições, com dez minutos para cada lado. Dilma passou mais um dia no Palácio da Alvorada, acompanhando pela televisão e em reuniões políticas com Lula para discutir seu futuro. O clima no país ainda estava inflamado. No mesmo dia, a revista *Veja* revelou em seu *site* que a então vice-procuradora geral da República, Ela Wiecko, participara de uma manifestação contra o presidente interino Michel Temer realizada em Portugal em junho. Na ocasião, a procuradora foi filmada segurando cartaz com os dizeres "Fora Temer". Após a revelação ela pediu exoneração do cargo ao chefe, Rodrigo Janot, que aceitou.

O capítulo final ocorreu no último dia de agosto. A sessão de debates entre os senadores terminou na madrugada do dia 31 e horas depois eles retornaram aos trabalhos para darem seus votos e, assim, encerrar o julgamento. Dilma Rousseff foi afastada da presidência da República por sessenta e um votos, ante vinte em sua defesa. Em seguida, os senadores decidiram manter a possibilidade de Dilma ocupar cargos públicos, apesar de seu afastamento definitivo. Os senadores, com anuência de Lewandowski, interpretaram o parágrafo único do artigo 52 da Constituição de forma inovadora, separando a análise do *impeachment* daquela da inabilitação para o serviço público. Segundo a economista Mônica De Bolle, a decisão acabou criando uma espécie de "*impeachment* de coalizão", por contar com apoio de parlamentares do PMDB que tinham votado pelo *impeachment*, como o próprio presidente do Senado, Renan Calheiros.

Apesar da controvérsia final, o julgamento de *impeachment* foi concluído no início da tarde pelo presidente do Supremo Tribunal Federal após quase setenta e três horas de sessão, distribuída em seis dias. Ao final, ainda no Congresso, um dos senadores que votou pelo *impeachment*, Acir Gurgacz, do PDT de Rondônia, chegou a declarar que entendia não ter existido um crime de responsabilidade cometido por Dilma, justificando seu voto pela "falta de governabilidade". "A volta da presidente talvez causasse um problema ainda maior para a economia brasileira, que ainda não está bem", disse ele em vídeo postado em suas redes sociais.

Ao mesmo tempo, as associações de procuradores e de auditores de tribunais de conta lançaram nota conjunta, assinada também por Gil Castelo Branco, da ONG Contas Abertas, para defender a atuação conjunta do procurador Júlio Marcelo de Oliveira e do auditor Antônio D'Ávila no processo inicial das pedaladas. "Da mesma forma que não

HISTÓRIA AGORA

há qualquer tipo de suspeição na atuação conjunta entre servidores da Polícia Federal e procuradores da República do MPF, o auditor pode perfeitamente atuar em colaboração com o procurador de contas, porque ambos exercem função de investigação no âmbito do controle externo", escreveram.[141] Era uma tentativa de contrabalançar as representações feitas por senadores aliados de Dilma no Conselho Nacional do Ministério Público (CNMP) e no Ministério Público Federal (MPF) pedindo a responsabilização de Oliveira e D'Ávila nas esferas administrativa, cível e criminal por supostamente terem violado seus deveres funcionais ao terem trabalhado em conjunto na formulação do pedido inicial de investigação da equipe econômica de Dilma.

Poucas horas depois, no meio da tarde do mesmo dia, Michel Temer deixou de ser interino e foi empossado como presidente da República. Dilma, então, passou a ser ex-presidente e em seu pronunciamento, ainda de dentro do Palácio da Alvorada, disse que enfrentaria "os golpistas" de todas as formas. Temer, por outro lado, reuniu sua equipe ministerial no Palácio do Planalto logo após a posse para dizer, entre outras coisas, que era preciso que cada um deles lutasse contra "a narrativa de golpe" inaugurada por sua antecessora e antiga aliada. Ele já tinha gravado um pronunciamento à Nação, que seria transmitido na noite daquele dia por rádio e televisão. Quando suas palavras foram ao ar ele já estava em viagem oficial com destino à China, para participar da reunião do G-20, o grupo dos vinte países mais ricos do mundo. Com isso, o Brasil teve em 31 de agosto de 2016 três presidentes da República: Dilma Rousseff, como presidente afastada interinamente até o início da tarde; Michel Temer como presidente empossado até o fim da tarde e à noite o deputado Rodrigo Maia, do DEM do Rio, por ser o presidente da Câmara e o seguinte na hierarquia federal.

---

[141] Nota pública da AMPCON, AUD-TCU, ANTC, ATRICON e da ONG Contas Abertas, editada em 31/08/2016.

PERIGOSAS PEDALADAS

Enquanto tudo se desenrolava em Brasília, o professor de Direito financeiro José Maurício Conti, da USP, que participava de seminário na sede da OAB do Paraná, em Curitiba, declarou ser um "marco histórico" para o Direito financeiro, apesar de não ser "uma boa notícia" a condenação de Dilma. "A partir do que aconteceu hoje nenhum governante vai se sentir à vontade de não cumprir as normas do Direito financeiro. A violação das normas do Direito financeiro fez com que essa dura sanção fosse aplicada", disse ele.[142]

Na manhã seguinte, 1º de setembro, Dilma manteve seu ritual ao sair bem cedo com seguranças oficiais para uma volta de bicicleta pelos arredores do Palácio da Alvorada. Seus advogados de defesa ainda entraram com um mandado de segurança no Supremo Tribunal Federal alegando a nulidade do processo de *impeachment* por incompatibilidade da acusação com a Constituição. Do outro lado, o fatiamento do processo de *impeachment*, que permitiu a não inabilitação de Dilma, também foi alvo de questionamentos no STF. No dia 2, o procurador do Ministério Público Federal, responsável pelo inquérito em âmbito civil do caso das pedaladas fiscais, Ivan Marx, incluiu Dilma nas investigações. Agora sem contar com o foro privilegiado, Dilma seria ouvida pelo procurador para determinar sua participação — ou não — nas manobras realizadas pelo Tesouro Nacional durante sua gestão. Também naquele dia, o Senado aprovou mudança na lei orçamentária de 2016, ampliando o limite de decretos de suplementação que poderiam ser editados pelo chefe do Executivo. Resultado direto do *impeachment*, essa mudança, no entanto, valeria somente para aquele ano.

No domingo, 4 de setembro, uma grande manifestação, com mais de 100 mil pessoas, foi realizada na avenida Paulista em São Paulo, com gritos de "Fora Temer" combinados a "Diretas Já!". Era o início de fato de um movimento organizado pedindo a realização de novas

---

[142] "*Impeachment* de Dilma é marco histórico para o Direito financeiro, diz professor da USP", por Bárbara Pombo, em *JOTA*, 31/08/2016. *http://jota.uol.com.br/impeachment-de-dilma-e-marco-para-o-direito-financeiro-diz-professor-da-usp.*

eleições presidenciais. Dois dias depois, Dilma deixaria as dependências oficiais em Brasília e viajaria a Porto Alegre. Ela dividiria seu tempo a partir daí entre a capital gaúcha e a cidade do Rio de Janeiro.

Enquanto ainda exercia seu mandato presidencial, Dilma foi procurada mais de uma vez pelo autor deste livro a se pronunciar sobre os temas aqui abordados. Depois do *impeachment*, ela também foi procurada para falar. Por meio de seu assessor pessoal, Olímpio Cruz, a presidente não respondeu.

Temer começaria seu governo efetivo com mais uma demissão no ministério: seu primeiro advogado-geral da União, o gaúcho Fábio Medina Osório, foi demitido em 9 de setembro e no mesmo dia ele concedeu longa entrevista à revista *Veja*, dizendo que o governo comandado pelo PMDB queria "abafar a Lava-Jato".[143] Segundo ele, o ministro-chefe da Casa Civil, Eliseu Padilha, do PMDB do Rio Grande do Sul, atuara para protelar o acesso da AGU aos inquéritos de políticos no Supremo Tribunal Federal. Padilha negou as acusações. No esforço por uma agenda positiva, o presidente Temer anunciou dias depois, em 13 de setembro, um pacote de concessões de rodovias, ferrovias e aeroportos ao setor privado. Boa parte dos projetos já constava de plano semelhante de Dilma, entre eles a concessão da rodovia BR-386, no trecho entre as cidades gaúchas de Canoas e Carazinho, a cidade onde nascera o ex-secretário do Tesouro Arno Augustin.

O saldo final das pedaladas

A última tentativa do governo Dilma Rousseff para superar a crise das pedaladas fiscais ainda na questão de mérito do assunto, isto é, no campo econômico, foi dada nos últimos dias de 2015.

---

[143] "Governo quer abafar a Lava-Jato, diz AGU demitido", por Thiago Bronzatto, Marcela Mattos e Hugo Marques, em *Veja*, 09/09/2016. *http://veja.abril.com.br/brasil/governo-quer-abafar-a-lava-jato-diz-agu-demitido/*.

PERIGOSAS PEDALADAS

Tão logo assumiu a Casa Civil, o baiano Jaques Wagner começou a pressionar internamente para que as pedaladas fossem pagas logo de uma vez. Essa também era a opinião de Adams. A opção, no entanto, encontrava resistência com o então ministro da Fazenda, Joaquim Levy, porque pioraria ainda mais o quadro fiscal de 2015. Depois de negociação interna, também Nelson Barbosa, que estava de volta ao governo Dilma (agora como ministro do Planejamento), passou a se posicionar com Wagner e Adams. Levy queria aguardar o posicionamento final do TCU e nisso todos os demais concordaram.

A decisão do tribunal demorou a sair. O relator dos recursos do governo e do Banco Central no tribunal, ministro Vital do Rêgo, levou o processo para os colegas somente na última sessão de julgamento do ano, realizada na tarde da quarta-feira, 9 de dezembro. Novamente de forma unânime, tal qual ocorrera em abril e também na sessão de análise das contas federais em outubro, os ministros da Corte negaram o recurso de Dilma. Oficialmente, então, o governo estava condenado pela violação da Lei de Responsabilidade Fiscal. O tribunal deu trinta dias para a normalização dos pagamentos e também determinou ao Banco Central que, a partir daquele momento, passasse a registrar e a dar transparência para as dívidas do Tesouro Nacional com instituições públicas. Era a forma encontrada pelos auditores para evitar a repetição de pedaladas no futuro. O TCU, por outro lado, acatou boa parte dos argumentos de Isaac Ferreira, o procurador-geral do Banco Central, para que a autoridade monetária não precisasse recalcular as estatísticas fiscais de 2013 e 2014, incluindo a soma não contabilizada de pedaladas. Combinando uma postura sóbria com gestos cênicos com as mãos e um tom de voz grave quando está defendendo suas ideias, mesmo em entrevistas informais com jornalistas, Ferreira teve, tal qual Adams, uma postura elogiada dentro do tribunal até por técnicos contrários à visão do governo. Segundo eles, ambos advogados do governo "respeitaram" o tribunal, colocando-se à disposição dos ministros e também dos auditores na fase de análise dos recursos para todo tipo de esclarecimento. A vitória de Ferreira, ao convencer o TCU de que não era preciso reformar o passado, foi comemorada na diretoria do Banco Central, ciosa dos abalos na credibilidade da autoridade monetária.

Com o fim do julgamento, o sinal verde para o pagamento das pedaladas foi dado. Foi a partir de 9 de dezembro que o governo efetivamente começou a discutir a zeragem dos saldos devidos aos bancos e ao FGTS. Mas ao mesmo tempo, o fim do julgamento, com a confirmação da condenação do governo por infração da Lei de Responsabilidade Fiscal, fez aumentar o barulho dos parlamentares de oposição e do PMDB no Congresso, uma vez que reforçara o processo de *impeachment* que acabara de ser aberto por Eduardo Cunha na Câmara.

A negociação com o Congresso Nacional para permitir uma piora no resultado fiscal de 2015, decorrente do pagamento integral dessas dívidas, foi a última conduzida por Levy como ministro da Fazenda. Ele deixou o cargo em 21 de dezembro, sendo substituído por Nelson Barbosa. Com Levy saiu também Marcelo Saintive, que substituíra Arno Augustin no comando do Tesouro desde janeiro. Em seu lugar foi colocado Otávio Ladeira, que em novembro de 2013 tinha sido uma das principais vozes na apresentação feita pelos coordenadores da instituição a Augustin, no episódio do motim dos técnicos.

Imediatamente após as trocas, Barbosa, Ladeira e os técnicos da Fazenda e do Tesouro começaram a calcular o saldo total de dívidas que o governo tinha com a Caixa, o Banco do Brasil, o BNDES e o FGTS herdadas de 2014, além daquelas geradas ao longo de 2015. Também prepararam o formato do pagamento. Barbosa apresentou a ideia final para Dilma e Jaques Wagner na noite de 28 de dezembro no Palácio da Alvorada. A presidente concordou. Os pagamentos foram feitos nos dias 29 e 30 de dezembro, de forma que o governo pôde entrar 2016 com situação regularizada. Chegou-se a programar um evento grande, no Palácio do Planalto, para anunciar a medida e dar o caso como encerrado, mas rapidamente Dilma mudou de ideia. O escolhido para levar a mensagem ao grande público foi Ladeira, do auditório do Ministério da Fazenda, no piso térreo da sede em Brasília.

Para zerar as pedaladas, o governo desembolsou nada menos que R$ 55,8 bilhões em apenas dois dias. Ao longo do ano, Levy já desembolsara outros R$ 16,6 bilhões para pagar dívidas geradas pelo Tesouro em 2015. Ao todo, portanto, a conta final das pedaladas fiscais de 2014 somadas àquilo que ainda estava pendurado em 2015 atingiu mais de 72 bilhões de reais — precisamente R$ 72,376 bilhões.

"Foram pagos todos os passivos devidos", disse Ladeira. Ao BNDES, o pagamento foi de R$ 30,037 bilhões. Para o FGTS, foram R$ 22,64 bilhões. Ao Banco do Brasil, outros R$ 18,19 bilhões. Para a Caixa, o governo pagou R$ 1,509 bilhão ainda devidos sob a forma de tarifas por serviços prestados — como já se viu, as contas usadas para os pagamentos dos programas Bolsa Família, Seguro-Desemprego e Abono Salarial, que concentraram as pedaladas dos anos anteriores já tinham sido sanadas, após o fim das eleições de 2014.

Praticamente todo esse dinheiro foi sacado da chamada Conta Única do Tesouro, mantida no Banco Central. Foram R$ 70,9 bilhões que dali saíram. Desse montante, o governo levantou R$ 21,1 bilhões da emissão de títulos públicos já realizada e cujos valores estavam depositados na Conta Única. O restante, R$ 49,8 bilhões, foram sacados de outras fontes, também dentro da Conta Única. O valor final, de R$ 1,5 bilhão, que não veio da Conta Única, foi obtido pelo governo por meio de uma emissão nova de títulos — realizada no último dia útil do ano e colocada diretamente na carteira do Banco do Brasil, como parte do pagamento devido pelo governo ao banco.

Além da zeragem das pedaladas pelo Tesouro, o Banco Central também informou que a partir de janeiro de 2016 começaria a expor uma tabela da dívida pública que contasse com os passivos em instituições públicas e no FGTS que até então estavam fora do indicador oficial. Por fim, as duas instituições, Tesouro e BC, começaram a trabalhar juntas para a consolidação de um documento com informações sobre o desempenho e o real formato das contas públicas.

Este documento foi divulgado no dia 25 de maio, em parceria com o Instituto Brasileiro de Geografia e Estatística (IBGE), responsável pelos indicadores oficiais de inflação e do Produto Interno Bruto (PIB). O levantamento, chamado "Estatísticas de Finanças Públicas", trazia um compilado de informações referentes a 2014 para os três níveis de governo — federal, estadual e municipal. Segundo informou o Tesouro na oportunidade, "o objetivo desse trabalho é fortalecer e aprimorar a metodologia de apuração de estatísticas de governo por meio da harmonização de conceitos e metodologias, e do compartilhamento de informações entre as instituições participantes". Todas as expressões-chave estavam lá: "harmonização de metodologias" e "compartilhamento de informações entre as instituições". O novo método de cálculo também incorporava as dívidas com o FGTS nas estatísticas oficiais, além de contabilizar os pagamentos de todas as dívidas geradas pelo Tesouro em virtude das pedaladas.

Dias depois da divulgação desse documento, Ladeira comentou que a aprovação pelo Congresso da ampliação do limite de déficit fiscal previsto para o ano permitiria ao governo federal pagar todas as despesas previstas para 2016 dentro do mesmo ano. "Pela primeira vez em anos vamos colocar as contas em dia, não deixando despesas de um ano para o outro, sem deixar fatura para 2017", disse ele.[144]

Uma história de manobras, desavenças, diferentes interpretações de leis, discussões sobre os rumos fiscais e econômicos, julgamentos e crises políticas tinha acabado, depois de três longos anos.

---

[144] "Pela primeira vez em anos, vamos colocar as contas em dia, diz secretário do Tesouro", em *O Estado de S. Paulo*, 30/05/2016, por Eduardo Rodrigues, Adriana Fernandes e Bernardo Caram. *http://economia.estadao.com.br/noticias/geral,pela-primeira-vez-em-anos--vamos-colocar-contas--em-dia--diz-secretario-do-tesouro,10000054221.*

CAPÍTULO 7.
A POLÍTICA ECONÔMICA DO FUTURO

"Presente, passado e futuro? Tolice. Não existem. A vida é uma ponte interminável. Vai-se construindo e destruindo. O que vai ficando para trás com o passado é a morte. O que está vivo segue adiante."

Darcy Ribeiro, antropólogo brasileiro.

Quando foi realizada a reunião do Conselho Curador do FGTS, narrada na introdução deste livro, nenhum dos trinta e cinco presentes na sala 433 do Ministério do Trabalho e Emprego poderia prever o que estava por vir. Quando ouviram o então subsecretário de Política Fiscal do Tesouro Nacional, Marcus Aucélio, dizer que segundo a área jurídica do Ministério da Fazenda haveria crime de responsabilidade fiscal caso a Caixa usasse recursos próprios para pagar programas federais obrigatórios, ninguém poderia imaginar que justamente essa operação seria colocada em prática quatro anos depois.

Corria o ano de 2009, e por mais complexo que fosse o quadro de crise econômica mundial que fazia parte do presente naquele momento, deixar de transferir recursos à Caixa para os programas sociais não passava pela cabeça do ministro da Fazenda, Guido Mantega, e do chefe de Aucélio, o secretário do Tesouro, Arno Augustin. Também o então comandante da Procuradoria Geral da Fazenda Nacional (PGFN), Luís Inácio Adams, responsável em última instância pelo entendimento jurídico de que haveria uma infração legal caso a Caixa adiantasse recursos ao governo, não poderia imaginar que anos

HISTÓRIA AGORA

mais tarde seria o advogado-geral da União, escalado pelo governo a defender Mantega, Augustin e Aucélio nos julgamentos do Tribunal de Contas da União. Ou mesmo Joaquim Oliveira, então representante da Caixa naquela reunião do conselho do FGTS em maio de 2009, quando concordou com o entendimento jurídico relatado por Aucélio, que também não poderia vislumbrar que sete anos mais tarde, em maio de 2016, chegaria a assumir a presidência da Caixa Econômica Federal interinamente durante o processo de escolha do titular por Michel Temer, que assumira o Palácio do Planalto após o afastamento de Dilma Rousseff.

O quadro geral das contas públicas e o clima político que geraram o afastamento de Dilma não poderiam ser antecipados oito anos, quando os mesmos atores viviam em cenário de otimismo. Em dezembro de 2007, por exemplo, com a economia brasileira crescendo acima de 6%, as contas públicas em ordem e a inflação sob controle e na meta de 4,5%, Mantega chegou a dar uma declaração à revista *Veja* que, relida quase dez anos depois poderia sugerir uma previsão do futuro. Ao repórter Marcio Aith, que o entrevistou para a seção das páginas amarelas da revista que circulou em 10 de dezembro, Mantega declarou o seguinte: "Ninguém mais quer saber de déficit público e inflação. Se no futuro for eleito um presidente irresponsável, ele terá de se submeter às regras do jogo ou será impichado".[145]

A equipe econômica tinha consciência de que operações como aquela envolvendo a Caixa eram proibidas pela LRF, mas atos ilegais do Tesouro Nacional e do Ministério da Fazenda podem implicar o afastamento do presidente da República?

No debate político e jurídico que o Brasil foi colocado em virtude de questionáveis práticas econômicas foi possível ver um muro alto se estender diante de duas versões. De um lado, que pode ser resumido

---

[145] "Ortodoxia de esquerda: Entrevista do ministro da Fazenda, Guido Mantega, à *Veja*", em *Veja*, 10/12/2007, por Marcio Aith. *https://accounts.abril.com.br/signin/abril?produto=AAPG&url_retorno=https://acervo.veja.abril.com.br/login.*

pela fala do professor de Direito da UFRF, Geraldo Prado, a presidente não poderia ser responsabilizada por ações de seus subordinados, por mais próximos que eles fossem dela (no caso, Arno Augustin e Guido Mantega), porque ela ocupava a mais alta posição política do país e, quanto mais complexa for a função, mais restritas devem ser suas responsabilidades, de forma a evitar que um presidente de empresa multinacional ou chefe do Executivo federal pagasse por quaisquer erros cometidos por seus subordinados. De outro lado, a visão do procurador do Ministério Público de Contas, Júlio Marcelo de Oliveira, segundo quem a responsabilidade de Dilma estava estipulada pela própria Constituição, em seu artigo 84, inciso segundo, que diz que "compete privativamente ao presidente da República: exercer, com o auxílio dos ministros de Estado, a direção superior da administração federal".

Outro ponto: Adams, em 2015; e Cardozo, em 2016, apontaram o fato de que as práticas nunca tinham sido tidas como irregulares pelo TCU e que, portanto, prevaleceria o princípio da segurança jurídica. Isto é, o governo somente poderia ser cobrado se realizasse pedaladas depois que o julgamento específico do caso tivesse terminado. Do outro lado do muro de versões, o procurador Oliveira e o auditor Antônio D'Ávila repetiram em seus depoimentos durante o julgamento final de Dilma que nunca o TCU tinha realizado uma inspeção detalhada sobre a relação entre o Tesouro Nacional e os bancos controlados pela União, ou seja, práticas semelhantes feitas por antecessores da presidente tinham escapado do radar do tribunal de contas.

Por fim, os decretos de suplementação orçamentária, com a assinatura de Dilma, diferente das pedaladas, deixavam claro que havia ali responsabilidade direta da presidente. De um lado do muro, o ex-ministro Nelson Barbosa apontou para o fato de que os decretos não geraram despesas novas ao governo, eles apenas remanejaram gastos entre rubricas do orçamento em vigor após aprovação do Congresso

Nacional. Por isso, ao não criar novos gastos, a presidente não estava violando a meta fiscal que vigorava no momento em que os decretos foram editados. Do outro lado, os acusadores apontaram tanto nas sessões da comissão do *impeachment* quanto no julgamento em si para outra versão, de que o excesso de arrecadação verificado em uma fonte específica só poderia suplementar uma dotação de gasto futuro com autorização do Legislativo, o que não tinha ocorrido nos casos apontados como irregulares pelo TCU e que constavam da peça acusatória de Helio Bicudo, Miguel Reale Jr. e Janaína Paschoal. No julgamento do *impeachment* foi invocado por parlamentares trecho do artigo 4 da Lei 13.115, a lei orçamentária de 2015, que estipulava a abertura de créditos suplementares por decretos presidenciais "desde que as alterações promovidas na programação orçamentária sejam compatíveis com a obtenção da meta de superávit primário". Segundo os opositores de Dilma, quando os decretos foram editados, em julho e agosto de 2015, a presidente não seguiu a meta fiscal então em vigor, mas sua proposta de alteração enviada ao Congresso e que ainda não tinha sido aprovada pelos parlamentares.

A própria presidente justificou, em seu julgamento, que mais uma vez a prática somente fora apontada como irregular pelo TCU na sessão de análise das contas federais, realizada em 7 de outubro de 2015, criando assim uma nova jurisprudência. Dessa forma, os decretos editados antes dessa data (como os assinados em julho e agosto, que faziam parte da acusação) não poderiam ser criminalizados, seguindo o princípio da segurança jurídica. Do outro lado do muro, o entendimento era totalmente contrário: segundo o procurador do MPC, os ministros do TCU e os parlamentares contrários à Dilma, as leis orçamentárias sempre previram que deveria existir uma autorização legislativa para esse tipo de ato do Executivo e que o fato de a prática somente ter sido levantada em 2015 não a tornava invisível.

De um lado do muro a percepção clara de um "golpe parlamentar", construído meticulosamente para afastar uma presidente eleita e reeleita democraticamente e que não cometera crime de responsabilidade. De outro lado, a visão, também cristalina, de que Dilma efetivamente cometera crimes de responsabilidade ao atentar contra o item 3 do artigo 11 da Lei do *Impeachment*, que prevê o ato de "efetuar operação de crédito sem autorização legal" como um "crime de responsabilidade contra a guarda e o legal emprego dos dinheiros públicos", para o caso das pedaladas fiscais. Para o caso dos decretos de suplementação orçamentária, os artigos 4 e 10 da mesma lei, que estipulam como crimes de responsabilidade atos da presidência da República contra a lei orçamentária.

Impeachment ou golpe, Dilma foi definitivamente afastada da Presidência em 31 de agosto de 2016 após decisão da maioria dos senadores em julgamento presidido pelo chefe do Supremo Tribunal Federal.

As mudanças no jogo do poder federal foram rápidas. Embora o procurador Júlio Marcelo de Oliveira tenha continuado no Ministério Público de Contas (MPC), atuando no TCU, todos os demais atores envolvidos no enredo que se iniciara três anos antes tinham passado por uma dança de cadeiras até a conclusão da história.

O auditor Antônio D'Ávila deixou o TCU depois de doze anos. Ele passou em concurso para ser analista legislativo, na função de consultor da Câmara dos Deputados. A nomeação de D'Ávila foi assinada pelo presidente da Casa, deputado Rodrigo Maia (DEM-RJ), e publicada na edição de 15 de agosto de 2016 do *Diário Oficial da União*. Depois de trabalhar em agências do Banco do Brasil no interior do Paraná, ser técnico do Banco Central por seis anos em Brasília e auditor do TCU por doze anos, D'Ávila agora começava nova carreira, desta vez no Congresso Nacional. Ele tomou posse em 22 de agosto, e três dias depois estava na tribuna do Senado como uma das testemunhas de acusação a favor do *impeachment* de Dilma Rousseff.

O economista Mansueto Almeida, que fora um dos principais analistas a levantar dados no Siafi e a criticar manobras do governo por meio de seu *blog*, se tornou secretário de acompanhamento econômico (Seae) do Ministério da Fazenda no fim de maio de 2016, aceitando convite do novo ministro Henrique Meirelles. Três meses depois de sua posse, Almeida lançou, ao lado de Felipe Salto, o livro *Finanças Públicas: da contabilidade criativa ao resgate da credibilidade*.

O advogado Luís Inácio Adams, que fora procurador-geral da Fazenda Nacional entre 2006 e 2009 e o mais longevo advogado-geral da União, ao comandar a AGU do fim de 2009 até 3 de março de 2016, deixou o governo federal, e depois da quarentena, foi trabalhar na iniciativa privada. Começou a dar aulas no Instituto de Direito Público (IDP) e no Centro de Ensino Universitário de Brasília (Uniceub), ambos em Brasília, além de se tornar sócio do Instituto de Estudos em Relações Governamentais e Políticas Públicas (IERPP). No início de setembro de 2016, ele organizou na capital federal o primeiro seminário internacional, ao lado da George Washington University, para discutir relações governamentais e *compliance*. Em seguida, a partir do dia 5, ele começou a advogar para o escritório Tauil & Chequer Advogados.

Augusto Nardes, ministro do TCU que fora o relator do processo de análise de contas federais de 2014, foi citado pela Polícia Federal (PF) e pelo Ministério Público Federal na Operação Zelotes, que apurava o pagamento de propina de empresas a integrantes da máquina federal, em especial do Conselho de Administração de Recursos Fiscais (Carf). As investigações apontaram que Nardes teria recebido R$ 1,65 milhão de uma empresa investigada na Zelotes sob a suspeita de fraude fiscal. A propina teria sido paga ao ministro entre dezembro de 2011 e janeiro de 2012. Ele e o sobrinho foram sócios da companhia denominada Planalto Soluções e Negócios, que recebeu repasses de uma consultoria suspeita de corromper conselheiros do Carf. Nardes deixou oficialmente a empresa em 2005, quando assumiu o cargo no TCU, e sempre negou ter recebido repasses ilegais. No momento em que as contas de Dilma foram analisadas pelo tribunal, quatro ministros do TCU estavam no radar de investigadores: além de Nardes, na Zelotes, também Vital do Rêgo (que era o relator do recurso do governo no processo específico das pedaladas fiscais) era investigado no Supremo Tribunal Federal por suposta compra de votos em Campina Grande (PB); o ministro Aroldo Cedraz, cujo filho, o advogado Tiago Cedraz, foi citado pelo empreiteiro Ricardo Pessoa como receptor de propinas em troca de informações privilegiadas no TCU, onde o próprio Tiago atuava; e por fim Raimundo Carreiro, investigado no STF por ter sido o relator de processo sobre a usina nuclear Angra 3 (RJ) — o empreiteiro Pessoa afirmou ter destinado R$ 1 milhão em propina a Tiago Cedraz com o objetivo de influir na decisão de Carreiro.

Eduardo Cunha, deputado pelo PMDB do Rio de Janeiro que presidiu a Câmara e abriu o processo de *impeachment* de Dilma Rousseff em dezembro de 2015, foi afastado da presidência e do mandato por decisão do Supremo Tribunal Federal em maio do ano seguinte. Ele foi cassado por seus pares em votação realizada na noite de 12 de setembro de 2016. Cunha era investigado pela Operação Lava-Jato, e a denúncia contra ele foi acatada de forma unânime pelo STF. Tornado réu após acusação de ter cometido crimes de corrupção e lavagem de dinheiro, Cunha perdeu o foro privilegiado.

Alexandre Tombini, servidor de carreira do Banco Central e presidente da instituição entre janeiro de 2011 e junho de 2016, completou a transição para seu sucessor Ilan Goldfajn e depois foi indicado pelo governo brasileiro para ser diretor-executivo do Fundo Monetário Internacional (FMI), em Washington (EUA).

Nelson Barbosa, considerado um dos mais qualificados economistas desenvolvimentistas de sua geração e elogiado, inclusive, por especialistas que discordam completamente de sua visão de mundo, chegou a ocupar o cargo que tanto desejara, de ministro da Fazenda, mas por apenas seis meses. Barbosa já estava de volta à Fundação Getulio Vargas quando foi convocado para ser uma das testemunhas de defesa de Dilma no julgamento realizado no Senado em agosto de 2016. Ele também estava ao lado dela quando Dilma fez seu primeiro pronunciamento como ex-presidente, ainda dentro do Palácio da Alvorada, na tarde do dia 31 de agosto.

Dilma Rousseff, reeleita presidente da República em outubro de 2014 com pouco mais de 54,5 milhões de votos, foi afastada do mandato em maio de 2016 e sofreu o *impeachment* pouco mais de três meses depois. Ela deixou Brasília em 6 de setembro e passou a dividir domicílio entre as cidades de Porto Alegre e Rio de Janeiro.

Guido Mantega, o segundo mais longevo ministro da Fazenda desde que o cargo foi criado por dom João VI em 1808, ao ficar oito anos, nove meses e quatro dias no comando do ministério, voltou a São Paulo em janeiro de 2015. No ano seguinte ele se viu envolvido na Operação Zelotes da Polícia Federal e chegou a prestar depoimento após condução coercitiva para esclarecer supostos favorecimentos de empresas por medidas tributárias concedidas pelo governo. Mantega continua com o projeto de escrever um livro combinando teoria e prática econômica a partir de suas memórias do tempo na Fazenda, em especial quando liderou o combate à crise mundial de 2008.

O economista Márcio Holland de Brito, que fora secretário de Política Econômica (SPE) durante todo o primeiro mandato de Dilma, deixou o governo em janeiro de 2015 e voltou a dar aulas na FGV em São Paulo. Em agosto de 2016, ele lançou o livro *Economia do Ajuste Fiscal: Por que o Brasil Quebrou?*, com prefácio de Antônio Delfim Netto.

O arquiteto Jorge Hereda, que fora presidente da Caixa Econômica Federal por todo o primeiro mandato de Dilma, deixou Brasília e voltou para sua cidade natal, Salvador (BA), no início de 2015 para assumir a secretaria de desenvolvimento econômico do governador petista Rui Costa.

Arno Augustin, economista gaúcho que comandou o Tesouro Nacional por mais tempo do que ninguém ao ficar sete anos e sete

Pragmatismo x ideologia

Em seminário realizado em 21 de maio de 2015 pela DS na sede do Partido dos Trabalhadores na capital paulista, Augustin reapareceu publicamente. Com camisa azul e mangas dobradas até os cotovelos, ele abriu o seminário "A mudança necessária", transmitido também pela internet no *site* da DS. O objetivo, segundo suas palavras logo na abertura do encontro, era promover uma reflexão sobre o Brasil. Como organizador do encontro, coube a ele determinar os pontos para discussão.

> Nos oito anos até 2014, o Brasil veio num ciclo de crescimento forte a partir de uma política econômica claramente desenvolvimentista. No primeiro mandato do presidente Lula nós tivemos ainda uma política de transição, e a partir do final do primeiro mandato e no segundo mandato em especial, e no primeiro mandato da presidente Dilma, nós tivemos uma política econômica clara, aderente àquilo que o partido sempre defendeu e àquilo que pensa a maior parte dos desenvolvimentistas (também).[146]

Com suas palavras, Augustin deixou claro que a política econômica brasileira passou a ser tocada sob uma perspectiva ideológica a partir do fim do primeiro mandato do ex-presidente Lula, e que esse direcionamento se manteve por todo o segundo mandato de Lula e por todo o primeiro mandato de Dilma.

---

[146] Seminário "A mudança necessária", realizado em São Paulo, na sede do PT, em 21 de maio de 2015.

HISTÓRIA AGORA

Foi no fim do primeiro mandato de Lula que a economista Dilma Rousseff assumiu o comando da Casa Civil (outubro de 2005) e o economista Guido Mantega se tornou o ministro da Fazenda (março de 2006). Já no segundo mandato de Lula, logo em junho de 2007, foi a vez de Arno Augustin assumir a Secretaria do Tesouro Nacional. Até 31 de dezembro de 2014, Guido Mantega e Arno Augustin permaneceram exatamente nos mesmos postos e tiveram, sempre, carta branca para atuar. Sob a presidência de Dilma, o controle sobre a política econômica ficou ainda mais evidente: pontos dissonantes como Henrique Meirelles (que comandara o Banco Central de 2003 a 2010) e Antônio Palocci (que fora ministro da Fazenda de 2003 a 2006 e depois da Casa Civil no primeiro semestre de 2011) já não faziam parte do governo federal.

O consenso ideológico desenvolvimentista, como chamou Augustin, "aderente àquilo que o partido sempre defendeu", ocorreu, portanto, de 2006 a 2014, tendo seu ponto máximo entre o fim de 2011 e as eleições presidenciais de 2014.

Quando promoveu o seminário "A mudança necessária", no fim de maio de 2015, Augustin já tinha vivido quase seis meses sob uma nova política econômica — uma política que não seguia a ideologia aderente à linha desenvolvimentista da Democracia Socialista. Ao contrário, o novo chefe da economia, o ministro da Fazenda Joaquim Levy fora também secretário do Tesouro, tal qual Augustin, mas no período entre janeiro de 2003 e dezembro de 2006, primeiro mandato de Lula. Justamente o período que Augustin chamava de "transição" em sua análise.

O que incomodava Augustin e a DS não era apenas o retorno a uma política econômica contrária à ideologia desenvolvimentista aderente ao partido, mas o fato de Levy ter sido escolhido por Dilma para comandar a economia. "Eu entendo que se nós fizermos uma análise da economia em 2014, vamos encontrar uma situação bem

PERIGOSAS PEDALADAS

melhor do que aquela que o próprio governo descreve hoje", disse Augustin. Em seguida, complementou:

> O fato é que passou-se (sic) a ter uma política bem diferente desde janeiro deste ano. A partir de um diagnóstico equivocado, errado, adotou-se um conjunto de medidas que entendo não são das melhores. Saímos de um ciclo virtuoso para um ciclo vicioso. O conjunto das medidas são recessivas e tendem a fazer com que a situação fiscal do Brasil piore em 2015 e não melhore. À medida que se passa a ter crescimento muito baixo, provavelmente uma queda do PIB em 2015, uma volta possível de desemprego, uma renda dos trabalhadores menor, a tendência é que a receita seja cada vez menor. A receita tem elasticidade grande. O receituário que está em curso, de reduzir a ação do Estado, na área fiscal com corte de investimento, e na área monetária com ciclo de elevação da taxa de juros no Brasil, uma situação na qual o Poder Público não vai trabalhar com recursos que iria manter o crescimento com o BNDES. Esse conjunto de medidas faz com que o crescimento em 2015 e no futuro esteja bastante ameaçado. A política das empresas estatais, como redução dos investimentos na Petrobras e Eletrobras, é também significativa. Todos esses efeitos juntos tendem a levar a dificuldade muito grande na arrecadação. O efeito da própria política governamental sobre o crescimento tende a ser sobre as receitas. Esse conjunto de medidas não tem justificativa fiscal, na minha visão.[147]

Para encerrar sua fala de vinte e quatro minutos minutos, Augustin voltou a atacar a mudança na política econômica feita após sua saída do Tesouro e cravou que a situação fiscal brasileira era "boa e invejável":

> Não é necessário e não é recomendável uma política de redução do crescimento. Do ponto de vista fiscal isso não se justifica. O Brasil

---

[147] Seminário "A mudança necessária", realizado em São Paulo, na sede do PT, em 21 de maio de 2015.

conseguiu uma situação fiscal boa e invejável. Isso faz com que ele possa e deva atuar de forma anticíclica, para que o Poder Público promova o crescimento, numa política como a que foi feita nos últimos anos, como a que foi feita no primeiro mandato da presidente Dilma, que teve crescimento. Pequeno, mas teve. É melhor ter crescimento pequeno do que ter uma queda do crescimento econômico que ao que tudo indica é o que teremos em 2015.

A luta ideológica sobre os rumos da política econômica federal, que marcara toda a vida política de Augustin do momento em que concluiu o curso de economia na UFRGS e ingressou na DS, no início dos anos 1980, até sua chegada ao comando do Tesouro Nacional, em 2007, estava de volta. De fora do governo, Augustin voltaria a pressionar, ao seu modo, por uma mudança na economia.

Um ano mais tarde, depois do afastamento de Dilma da presidência, a Fundação Perseu Abramo, *think tank* do PT, promoveu seminário em São Paulo para discutir o governo Michel Temer, que acabara de começar de forma interina. Mais uma vez, Augustin partilhou com os presentes, em pouco menos de vinte minutos, sua visão crítica às "reformas neoliberais" desejadas por Temer, numa espécie de continuação econômica daquilo que tinha sido tentado no ano anterior com o ministro Joaquim Levy. Chamado "O Brasil do Golpe: o Plano Temer sob análise", o encontro foi realizado em 15 e 16 de junho no Braston Hotel, próximo à estação República do metrô. Augustin foi o primeiro a falar na mesa da tarde, às 14h10, logo no primeiro dia. Sentado ao lado de Gilmar Mauro, coordenador do Movimento dos Trabalhadores Sem Terra (MST), e de Giorgio Romano, coordenador de Relações Internacionais da Universidade Federal do ABC, ele disparou: "Precisamos reagir contra essa ofensiva neoliberal, usando a força da população e dos argumentos. O golpe é, antes de mais nada, uma destruição de tudo isso que foi construído nos últimos doze anos". Segundo ele, o fato de a própria Dilma ter iniciado uma mudança de rota em 2015 foi, na realidade, "um recuo tático decorrente da pressão de setores empresariais".

Pragmatismo econômico

A política econômica, para ser bem-sucedida, precisa ser principalmente pragmática, e não ideológica. É claro que a ideologia é a base para a tomada de decisões. Mas toda ideologia precisa de uma dose elevada de pragmatismo para funcionar. Uma boa política econômica precisa levar em conta precedentes históricos — o que deu errado uma vez provavelmente dará errado de novo. Também precisa levar em conta o contexto geral do país em determinado momento: a Inglaterra do século XIX, por exemplo, passou a defender a abertura comercial e financeira dos outros países quando já tinha dominado praticamente todas as cadeias produtivas industriais e não antes disso. Havia ideologia nessa política econômica inglesa, mas ela era eminentemente pragmática.

A relação entre a ideologia e o pragmatismo foi estudada de perto pelos economistas Stephen S. Cohen e J. Bradford DeLong, ambos professores na Universidade de Berkeley (EUA), em importante livro lançado no início de 2016. Eles fizeram um levantamento histórico de seu país, os Estados Unidos, avaliando sua política econômica desde o período de independência da Inglaterra no fim do século XVIII. Compreender essa evolução na maior economia do mundo é importante para posicionar a história recente do Brasil — e como chegamos até aqui.

A vida política e partidária dos Estados Unidos como nação independente começou em 1790, no início do mandato do primeiro presidente da República, George Washington, e logo após a ratificação da Constituição. Naquele ano, o primeiro secretário do Tesouro americano, Alexander Hamilton, apresentou ao Congresso seu ambicioso plano de criar um banco federal e nacional, efetivamente um banco central. A ideia contrariou o primeiro secretário de Estado, Thomas Jefferson, e também James Madison, que fora o pai intelectual da Constituição americana (formulada três anos antes) e que naquele ano comandava o Congresso. Jefferson e Madison argumentavam que a Constituição não permitia ao governo federal constituir um banco. A guerra entre os dois campos de pensamento tomou o Congresso e os jornais. Hamilton saiu vitorioso quando Washington acatou seus argumentos — um país grande, com ambições territoriais, comerciais e econômicas, precisaria de uma autoridade monetária única, capaz de concentrar a quantidade de moeda em circulação e suprir a demanda por crédito.

No ano seguinte, Hamilton foi além e passou a defender uma forte elevação de tarifas sobre produtos importados, de forma a desenvolver nos Estados Unidos as mesmas indústrias de manufaturas que existiam na Inglaterra. Seu plano era superar a Inglaterra, e isso deveria ser feito com a substituição de importações. Ele avaliou que para a Inglaterra a defesa do liberalismo econômico fazia sentido, uma vez que ela já tinha dominado uma série de indústrias, mas para um país que precisava se desenvolver, o caminho teria de ser outro. Por isso sua defesa de tarifas muito elevadas, de forma a forçar que os próprios americanos passassem a criar e produzir internamente as máquinas e as manufaturas que até então eles compravam do exterior. Mais uma vez, Jefferson e Madison, originários do estado sulista e agrário da Virgínia, se opuseram ferozmente aos planos de Hamilton, representante do estado mercantilista de Nova York. Novamente, a visão de Hamilton prevaleceu.

Até aí, as vitórias de Hamilton ocorriam por sua força de argumentação com o presidente Washington e setores importantes do Congresso e da imprensa nascente. Era uma visão de mundo, uma ideologia. Poderia dar certo ou errado, como qualquer pregação ideológica ainda sem teste prático. O pragmatismo em si se estabeleceu

PERIGOSAS PEDALADAS

anos depois, quando Jefferson e Madison assumiram a presidência da República e tiveram poderes, portanto, para alterar tudo. Eles dominaram a política americana por dezesseis anos, e por terem ideologia distinta daquela de Hamilton, poderiam mexer em tudo.

No caso da proteção tarifária, nada mudou: os Estados Unidos continuaram praticando elevados impostos de importação. Pragmaticamente, ambos mantiveram a política antes criticada. Madison, no entanto, acabou com o primeiro banco central dos Estados Unidos, criado por Hamilton e que existiu por vinte anos até 1811. Sua percepção econômica estava em sintonia com a visão geral que se tinha do papel-moeda também nos países mais avançados. Naquele mesmo ano, o inglês David Ricardo, considerado um dos primeiros economistas da história, escreveria um tratado em defesa do chamado "padrão ouro", isto é, que o papel-moeda deveria ser emitido com lastro no metal. A ideologia predominante naquele momento e que continuaria por mais de um século era de crítica à chamada "moeda fiduciária", cujo lastro não está na quantidade de ouro em patrimônio de um país ou de uma instituição financeira.[148] O banco central foi, portanto, extinto por Madison.

Mas diante dos problemas para administração da moeda e, principalmente, da relação comercial entre os estados que faziam parte do novo país independente, Madison tomou a decisão pragmática de fundar o segundo banco central ainda durante seu mandato, em 1816, mesmo sendo contrário ideologicamente à medida.

Este novo banco seria décadas depois também fechado, mais uma vez por razões ideológicas, desta vez pelo então presidente Andrew Jackson, em 1836. Fundador do atual partido Democrata

---

[148] Quase setenta anos depois, o debate ocorreria também no Brasil quando da transição entre a monarquia e a República, em 1889. O último ministro da Fazenda do Império, Visconde de Ouro Preto, era defensor do "padrão ouro" e defendia reforma bancária que seguia esses preceitos, enquanto Rui Barbosa, o primeiro ministro da Fazenda da República, tinha concepção distinta. Pouco depois estouraria a crise do Encilhamento (1891), eternizada no romance do Visconde de Taunay.

HISTÓRIA AGORA

e altamente popular junto às classes mais baixas da população, Jackson atacava a concepção moderna de uma economia baseada em consumo, crédito e em preceitos mercantilistas. O segundo banco dos Estados Unidos, controlado pelo proeminente financista da Filadélfia, Nicholas Biddle, passou por pesados ataques políticos quando a política monetária conservadora de Biddle era contrária aos interesses do governo, que estimulava a expansão territorial para o Oeste, o que exigia mais dinheiro em circulação. Representando os segmentos ruralistas e populistas e adepto da visão de que o banco atendia aos interesses dos Estados mercantilistas do Norte, Jackson cancelou a licença do banco e o extinguiu. Mas mesmo sua ideologia tinha limites: ele acabou com o banco central, mas manteve os elevados impostos de importação para proteger uma nascente e diversificada indústria no país. Neste sentido, as políticas originais de Alexander Hamilton continuavam intactas.

Depois de setenta e sete anos, os Estados Unidos, enfim, recriaram o Banco Central. A decisão coube ao presidente Woodrow Wilson, que pertencia ao mesmo partido Democrata fundado pelo homem que extinguira a instituição. Em 1913, foi criado o Federal Reserve Bank, o Fed. O pragmatismo fica claro também quando se coloca em perspectiva a história imediatamente anterior à decisão de Wilson. Nas eleições presidenciais de 1896, 1900 e 1908, o partido Democrata tinha lançado como candidato William Jennings Bryan, o mais famoso crítico de bancos centrais nos Estados Unidos. A ideologia era tão forte e arraigada na sociedade americana naquele momento, que até a Associação de Bancos Americanos se opunha à recriação de um banco central no país. A decisão de Wilson não fora fácil e não passou sem críticas pesadas de seu próprio partido.

O pragmatismo voltou a ficar evidente duas décadas depois, em 1933, com a posse do presidente Franklin Delano Roosevelt. Com ele, o *New Deal* e uma série de iniciativas federais foram colocadas em prática, uma a uma, para superar a Grande Depressão que se

PERIGOSAS PEDALADAS

seguiu ao *crash* da Bolsa de Valores de Nova York em outubro de 1929. Da regulação bancária e financeira ao estabelecimento do apoio federal às hipotecas no setor habitacional, passando pela introdução da previdência social e pelo programa de obras públicas, o *New Deal* foi, segundo Cohen e DeLong, uma abordagem pragmática a uma situação de crise drástica. O pragmatismo se manteve quando Dwight Eisenhower, o primeiro republicano a assumir a presidência americana após vinte anos de domínio democrata, manteve o *New Deal*. Eisenhower, que fora reitor da Universidade Columbia, também ampliou políticas para desenvolver as autoestradas por todo o território americano e concedeu amplo apoio ao programa aeroespacial, com desenvolvimento de tecnologias avançadas. Nenhum de seus sucessores alterou profundamente a política econômica. O que os democratas John Kennedy e Lyndon Johnson e os republicanos Richard Nixon e Gerald Ford fizeram foram ajustes pragmáticos na administração econômica do governo federal. De modo geral, apesar de diferenças ideológicas entre os presidentes e os integrantes de seus governos, a política econômica americana permaneceu com a mesma "cara" ao longo de todo o período entre 1933 e 1980.

Segundo os professores da Universidade de Berkeley, os Estados Unidos deixaram o pragmatismo de lado a partir dos anos 1980, quando a política econômica passou a ser ditada principalmente por razões ideológicas. Também na mesma época o eixo de crescimento global passou a ser cada vez mais asiático — primeiro com o Japão e depois com a China, principalmente. No caso chinês, o forte e continuado crescimento econômico entre o fim dos anos 1990 e o início da década de 2010, foi sustentado por uma percepção extremamente pragmática dos formuladores econômicos do Partido Comunista Chinês, a começar pelas reformas conduzidas por Deng Xiaoping em 1978, dois anos depois da morte de Mao Tsé-Tung, que comandara o gigante asiático com mão pesada por quase trinta anos após a revolução comunista de 1949.

Os chineses vêm colocando em prática uma série de medidas econômicas diretamente relacionadas àquelas do economista e jornalista alemão Fredrich List, que viajou aos Estados Unidos no começo do século XIX e verificou com os próprios olhos o sucesso da política pragmática de Hamilton. Quando voltou para a Alemanha ele esteve por trás da política bem-sucedida de unificação tarifária e econômica no país. Décadas depois, suas ideias seriam encampadas por Otto Von Bismarck, considerado o pai da Alemanha forte e um dos maiores responsáveis por fazer os alemães terminarem aquele mesmo século XIX como uma das maiores potências do globo. Depois de estudar Hamilton, o alemão List percebeu que os países depois que se desenvolviam passavam a defender ideias completamente distintas para outras nações, como quem "chuta a escada depois de subir", como forma de evitar que outros países atingissem o mesmo grau de sucesso e, assim, virassem competidores sérios. Foi assim com a Inglaterra, que cresceu protecionista e depois passou a defender o liberalismo, e mais tarde acabaria sendo o mesmo com os Estados Unidos.

> Enquanto as ideias de Adam Smith (autor de *A Riqueza das Nações*) sempre dominaram os livro-textos, as ideias de Alexander Hamilton provaram ser mais influentes na formulação das estratégias de desenvolvimento econômico de diversos países depois dos Estados Unidos, sendo os casos mais proeminentes os de Alemanha, Japão, Coreia do Sul e, agora, a China.[149]

E o Brasil?

A China e os Estados Unidos são, hoje, os dois principais parceiros comerciais do Brasil. O forte crescimento chinês, em especial

---

[149] COHEN, Stephen e DELONG, J. Bradford. *Concrete Economics.* Harvard Business School Press, 2016. p. 48.

PERIGOSAS PEDALADAS

durante o período entre 1999 e 2012, beneficiou o Brasil, mas a falta de preparação para uma nova fase chinesa pegou a economia brasileira em cheio.

A primeira vez que a falta de preparação econômica ocorreu, na história recente brasileira, foi durante a crise do início dos anos 1980, quando o duro aumento das taxas de juros pelo Fed, nos Estados Unidos, fez saltar os custos de rolagem da dívida externa contraída pelo Brasil na década anterior. A grande dependência que se criou com o modelo de crescimento baseado em dívida externa e a falta de preparação para um cenário diferente colocou o Brasil diante de um terremoto que tomou mais de uma década para ser debelado.

A segunda vez que isso ocorreu foi durante o primeiro mandato de Fernando Henrique Cardoso, quando a política inicial do Plano Real, que consistia, entre outros pontos, na manutenção da taxa básica de juros em patamar elevado como forma de atração principal de dólares que pudessem manter a cotação da nova moeda, o real, valorizada. Com o real forte, o governo conseguiu sustentar taxas de inflação cada vez menores, mas acentuando fortemente a desindustrialização no meio do caminho. O saldo comercial construído na fase pré-Real foi rapidamente transformado em déficit, por causa do aumento exponencial das importações, e um grande rombo na conta corrente brasileira foi criado. Economistas como José Roberto Mendonça de Barros fizeram essa crítica enquanto esses problemas ocorriam, mas o governo insistiu na estratégia até o limite do possível — somente após o fim das eleições presidenciais de 1998, quando FHC se reelegeu, e depois que praticamente todos os dólares das reservas internacionais foram vendidos como esforço para segurar a cotação do real é que o governo começou a discutir a desvalorização da moeda. Ela ocorreu bruscamente, em janeiro de 1999, iniciando um período de crise que, por outro lado, abriu espaço para uma nova rodada de reformas institucionais (das quais a Lei de Responsabilidade Fiscal foi uma das principais crias).

HISTÓRIA AGORA

A terceira vez que uma falta de preparação para mudanças no cenário interno e externo causou problemas sérios ocorreu no período iniciado em 2012, no segundo ano de mandato de Dilma Rousseff. O sucesso da política de combate à crise mundial, entre 2008 e 2009, que combinou doses da ideologia desenvolvimentista com um pragmatismo aguçado, fez com que os atores governamentais acreditassem que uma repetição daquela estratégia, em tamanho ainda maior, a partir de 2012, pudesse gerar resultados idênticos aos do passado. A conta de luz foi sustentada pelo Tesouro Nacional por dois anos, e o reajuste aos consumidores chegou apenas após as eleições presidenciais de 2014. Também o excesso de estímulos ao consumo das famílias, com desonerações fiscais, facilitado pelo controle artificial da inflação (com gasolina e conta de luz), ocorreu num período em que já havia claros sinais de sobrecarga da estratégia e quando a China efetivamente colocou em prática sua nova política econômica, reduzindo a compra de grãos e minério de ferro do país, que perdera a chance de diversificar sua pauta produtiva e exportadora para compensar.

Os embates ideológicos entre as diferentes correntes de pensamento econômico no Brasil nas últimas três décadas certamente tornaram o país mais forte. No entanto, foi nos momentos mais pragmáticos que a economia demonstrou melhora e estabilidade mais claras. Desde o início do século XX, quando as disputas ideológicas se davam entre Eugênio Gudin e Roberto Simonsen, que há, no Brasil, uma divisão razoavelmente clara entre os liberais ortodoxos de um lado; e os desenvolvimentistas heterodoxos, de outro. Nas últimas décadas, os liberais vieram de escolas como a PUC e a FGV do Rio de Janeiro, enquanto que os desenvolvimentistas se concentram na Unicamp, na FGV de São Paulo e na UFRJ. A base ideológica liberal permitiu a série de respostas pragmáticas às crises fiscal e monetária do fim dos anos 1990. Por outro lado, a ideologia desenvolvimentista foi o pano de fundo para o pragmatismo que se viu na reação bem-sucedida à crise econômica mundial entre 2008 e 2010. Quando, por outro lado, a ideologia superou o pragmatismo, os resultados não foram positivos.

O nacional desenvolvimentismo original, presente na América Latina por meio do pensamento do argentino Raul Prebisch e do brasileiro Celso Furtado, tinha no protecionismo uma de suas principais bases de fundamento. Com barreiras comerciais planejadas e instituídas pelo estado, o governo poderia induzir a substituição de importações e, assim, estimular o surgimento da indústria nacional. Ao mesmo tempo, as tarifas sobre os importados engordavam os cofres públicos, criando condições para políticas de investimento. Essa era a teoria. Na prática, o Brasil já trabalhava com políticas parecidas com essas desde 1844, quando o imperador dom Pedro II sancionou as chamadas tarifas Alves Branco, quando o país superou os acordos que privilegiavam as importações da Inglaterra e passou a taxar pesadamente os produtos que vinham do exterior. Embora a principal determinante sobre essa política alfandegária fosse fiscal, e não de industrialização, algum efeito foi verificado, em especial quando houve o envolvimento de progressistas como o banqueiro Barão de Mauá e o ministro da Fazenda Visconde de Souza Franco. Ao final, o Brasil teve entre 1844 e a Primeira Guerra Mundial (1914-1918), uma das políticas mais protecionistas do mundo, com alíquota média de 30% a 40% do imposto sobre importados, nível semelhante ao dos Estados Unidos na mesma época. Durante o *boom* do café de 1885 a 1895, no período que combinou a abolição da escravidão, o fim do império e as políticas expansionistas de Rui Barbosa, houve forte desenvolvimento da indústria primária, em especial do ramo têxtil, graças a um mercado de massas que começou a se formar com a chegada de imigrantes, dos ex-escravos e da expansão do papel-moeda.[150] Apesar dos graves erros cometidos por Rui Barbosa

---

[150] SCHULZ, John. *A Crise Financeira da Abolição*. Editora Edusp, 2012. 2ª edição, p. 26.

e seu sucessor no Ministério da Fazenda, o Barão de Lucena, que desembocaram na crise financeira do Encilhamento (1891), mesmo o duro aperto aplicado pelo ministro Joaquim Murtinho no começo do século XX não foi capaz de arrefecer o crescimento industrial.

De modo geral, o nacional desenvolvimentismo — décadas depois organizado em estratégia econômica por Prebisch e Furtado — terminou sendo a ideologia predominante entre o período iniciado com a ascensão de Getúlio Vargas ao poder (1930), e o declínio da ditadura militar, a partir de 1981. O pensamento neoliberal, que tem por base a abertura comercial, a liberalização da taxa de câmbio e a transposição de atividades do estado para o setor privado, por meio de concessões de serviços públicos e a privatização de empresas estatais, foi a ideologia dominante no período seguinte.

Mais recentemente, o governo federal brasileiro experimentou doses de cada uma dessas ideologias novamente, ainda que com temperos modernos. De acordo com os economistas Luiz Carlos Bresser-Pereira, Nelson Marconi e José Luís Oreiro, o período entre 1999 e 2006, isto é, durante todo o segundo mandato de FHC e ao longo do primeiro mandato de Lula, vigorou o modelo do "tripé macroeconômico", baseado na ideologia neoliberal, quando a taxa de câmbio é livre e a cotação do dólar é dada principalmente pelo mercado e não mais pelo controle do governo (como ocorrera durante os primeiros anos do Plano Real); o governo persegue metas de inflação e uma economia de recursos primários para o pagamento dos juros da dívida pública. Depois, entre 2007 e 2011, o governo passou a adotar uma espécie de "tripé flexibilizado" ou "desenvolvimentismo inconsistente", em que a taxa de câmbio passou a ser mais controlada pelo governo; a partir de intervenções no mercado, a meta de inflação deixou de ser reduzida e passou a ser fixa, e a política fiscal começou a responder a ciclos econômicos. Por fim, entre 2011 e 2014, o governo Dilma Rousseff perseguiu a famigerada "nova matriz macroeconômica", cuja base protecionista se assemelhou aos

PERIGOSAS PEDALADAS

antigos escritos de Celso Furtado. Em 2015, Dilma se esforçou, com a nomeação de Joaquim Levy para o Ministério da Fazenda, para um retorno a um modelo próximo ao do "tripé macroeconômico". O afastamento de Dilma não alterou a percepção geral do governo de que a ideologia dos anos 1990 e dos primeiros anos do século XXI de que algo semelhante ao antigo "tripé" deve retornar, uma vez que Henrique Meirelles, um dos padrinhos da política e presidente do Banco Central entre 2003 e 2010, se tornou o ministro da Fazenda do novo presidente. Será este o melhor caminho?

O Brasil do futuro

A crise causada pelas pedaladas fiscais abriu as portas para discussões importantes, como a relação entre o Tesouro Nacional e o Banco Central. "O debate do *impeachment* foi focado na política, em vez das questões econômicas e institucionais. Mas para evitar uma repetição desses problemas fiscais é crucial repensar as instituições brasileiras, notavelmente o relacionamento entre o Banco Central e o governo", escreveu a professora de Direito da USP, Camila Villard Duran, associada da Woodrow Wilson School of Public and International Affairs, na Universidade de Princeton (EUA). Em artigo em inglês distribuído no mundo inteiro pelos canais do Project Syndicate, a especialista dizia que a discussão sobre as pedaladas era uma "oportunidade para o Brasil reestruturar suas principais instituições econômicas", combinando "a criação de novos instrumentos monetários" com um reexame da relação entre o Tesouro e o BC.[151]

---

[151] "The task ahead for Brazil", por Camila Villard Duran, 19/04/2016, Project Syndicate. *https:// www.project-syndicate.org/commentary/brazil-economic-institutions-reform-by-camila-villard- -duran-2016-04*. O assunto também é abordado em detalhes pelo economista Felipe Salto, no capítulo "Os efeitos fiscais das políticas do Banco Central", *in* Salto e Mansueto Almeida (org.) *Finanças Públicas*. Editora Record, 2016. pp. 203-218.

HISTÓRIA **AGORA**

Além da questão institucional na área econômica e fiscal, também o forte aumento da dívida pública verificado desde 2014 passou a ser encarado com urgência. Em seminário realizado pela Câmara de Comércio Brasil-Estados Unidos no Harvard Club, em Nova York, na manhã de 18 de abril, o economista Carlos Kawall, ex-secretário do Tesouro Nacional, afirmou que o quadro brasileiro "está semelhante ao de Portugal e Espanha" e que sem uma reforma fiscal profunda "nós terminaremos tendo uma situação semelhante à da Grécia".

O salto da dívida pública bruta, de 53% do PIB ao fim de 2013, para níveis próximos a 70% do PIB em meados de 2016, fez ligar o sinal de alerta de instituições como o FMI. Segundo estimativas do fundo, a dívida brasileira pode chegar a 91% do PIB no fim da década se nada for feito. O Verde Asset Management, comandado por Luís Stuhlberger, considerado o maior gestor de recursos do Brasil, projeta que a dívida pública bruta do país atingirá 100% do PIB em 2024, se aproximando de 110% dois anos depois.[152] Toda a produção econômica do país em um ano não será capaz de pagar a dívida pública.

A arrecadação do setor público despencou desde 2014, em parte pelas desonerações fiscais concedidas anteriormente e em parte pela forte recessão iniciada naquele ano. A crise abre espaço para um debate real sobre o complexo e injusto sistema tributário nacional. Os economistas Sérgio Wulff Gobetti e Rodrigo Octávio Orair, vencedores do prêmio de melhor monografia em finanças públicas do Tesouro Nacional em 2015, apontaram um caminho para se começar a diminuir a desigualdade e, também, aumentar a arrecadação do setor público: a retomada da tributação com Imposto de Renda (IR) sobre a distribuição de lucros e dividendos das empresas, extinta no fim de 1995 pela Lei 9.249. Entre os trinta e quatro países da

---

[152] "Haverá dominância fiscal?", Verde Asset Management, julho 2016. *http://www.verdeasset. com.br/havera-dominancia-fiscal/.*

PERIGOSAS PEDALADAS

Organização para a Cooperação e o Desenvolvimento Econômico (OCDE), apenas a Estônia isenta a tributação sobre dividendos pagos pelas empresas. Caso reinstituísse a cobrança do IR, argumentaram Gobetti e Orair, o governo brasileiro não só passaria a fazer como os demais países da OCDE, mas também melhoraria a situação de Estados e Municípios, uma vez que 23,5% de toda a arrecadação com o imposto de renda é repartida pelo governo federal com governadores e prefeitos por meio dos fundos de participação. Essa mesma lei de 1995 criou a figura dos "juros sobre capital próprio", um instrumento curioso que permite às empresas reduzir de 34% para 15% o pagamento de tributos, caso o dividendo fosse pago aos acionistas.[153] Essa lei foi formulada pelo então secretário da Receita Federal, Everardo Maciel, e sancionada por FHC, assinando junto de Pedro Parente (que em junho de 2016 assumiu a presidência da Petrobras). Segundo estimativas de Gobetti e Orair, a mudança da lei de 1995, fazendo retornar ao padrão tributário anterior (e próximo, portanto, do que é adotado pelos países da OCDE), poderia melhorar os indicadores de desigualdade brasileira e ainda trazer aos cofres públicos uma soma equivalente a contribuições como a CPMF, extinta em 2007 e cuja recriação sempre volta ao debate nacional em tempos de baixa arrecadação.

O *impeachment* de Dilma, sustentado no descumprimento da Lei de Responsabilidade Fiscal verificado pelo Tribunal de Contas da União, fez com que a sociedade se perguntasse se também os governadores não deveriam sofrer sanções ou mesmo afastamento, caso os tribunais de contas estaduais comprovassem descumprimento a artigos da mesma LRF. Essa, aliás, é uma crítica de especialistas em contas públicas, em especial de José Roberto Afonso, que como "pai

---

[153] "Progressividade tributária: a agenda esquecida", por Sérgio Gobetti e Rodrigo Orair, 2015. *http://www.esaf.fazenda.gov.br/assuntos/premios/premios-1/premios-2015/xx-premio-tesouro- -nacional-2015-pagina-principal/monografias-premiadas-xx-premio-tesouro-nacional-2015/ tema-3-sergio-gobetti-e-rodrigo-orair.*

da LRF", sempre apontou para o fato de o Conselho de Gestão Fiscal, previsto na lei, nunca ter saído do papel. A ideia original por trás desse comitê independente era blindar a auditoria e a fiscalização das contas públicas em todos os níveis. Blindar é preciso, porque, tal como ocorre com boa parte dos ministros do TCU, os tribunais de contas estaduais são formados majoritariamente por indicações políticas e, por consequência, historicamente têm demonstrado pouco apetite para verificar o cumprimento da LRF pelos governadores.

O economista pernambucano Pedro Jucá Maciel, pós-doutor em finanças públicas pela Universidade Stanford (EUA) e analista de finanças e controle do Tesouro Nacional desde 2003, apurou que mesmo quando tiveram a chance de ampliar os investimentos, os governadores optaram por ampliar os gastos com os servidores estaduais e seus salários. Foi o que ocorreu depois que o governo Dilma Rousseff permitiu um aumento na capacidade de endividamento externo e interno dos estados entre 2012 e 2014. "A elevação das receitas de operações de crédito em 2012, em 0,4 ponto percentual do PIB não implicou elevação das despesas de investimentos. O que observamos no ano de 2012 é que as despesas de pessoal subiram 0,3 ponto percentual e as de custeio, 0,1 ponto percentual do PIB", escreveu Maciel, que completou: "a maior disponibilidade financeira das operações de crédito permitiu expansão das despesas de pessoal, enquanto os investimentos permaneceram no mesmo nível de 2008, ou menor".[154] A LRF estabelece um limite de 60% da receita corrente líquida para os gastos com funcionalismo. Para driblar a lei, governadores têm alterado a forma como esses gastos são registrados, apresentando despesas menores do que deveriam ser.

Os enormes gastos com juros, feitos pelo setor público brasileiro continuam a drenar o orçamento financeiro da União, e também

---

[154] "O processo recente de deterioração das finanças públicas estaduais e as medidas estruturais necessárias", *in* MACIEL, Pedro Jucá. *Finanças Públicas: da contabilidade criativa ao resgate da credibilidade.* Editora Record, 2016. p. 191.

neste quesito não são animadoras as perspectivas de mudança — uma redução dos juros para patamares mais próximos daqueles praticados no resto do mundo. Já no fim de 2016, o economista Yoshiaki Nakano, mestre e doutor pela Cornell University (EUA) e diretor da Escola de Economia da FGV-SP, registrava o pessimismo dos especialistas com a falta de estratégia clara do novo governo para lidar com a crise fiscal e os gastos públicos com a maior taxa de juros do mundo. Segundo ele, a dura recessão no Brasil pode ter chegado ao "fundo do poço" no primeiro semestre de 2016, mas a tênue melhora da confiança do setor privado depois da substituição de Dilma por Michel Temer poderia desaparecer por causa das decisões do governo de ignorar o drama fiscal ao aceitar aumentos salariais para servidores. Ao dizer que o Brasil "não pode ficar como está", Nakano criticou:

> O mais alarmante neste quadro é que a elite que está no poder parece que não percebeu muito a gravidade da situação fiscal e a necessidade urgente de reformas. Por outro lado, a oposição a esta elite, a esquerda liderada pelo PT, continua numa fé religiosa de que a expansão dos gastos públicos é a solução para a estagnação, incitando as massas a reivindicar mais e mais, como se fosse possível apropriar mais do que 100% do PIB. O modelo atual de política macroeconômica, de taxa de juros elevada, taxa de câmbio apreciada e política fiscal expansionista se esgotou. A reforma fiscal será mãe das demais reformas necessárias.[155]

Por fim, o país precisa encarar um tema delicado para se desenvolver uma estratégia de crescimento sustentado: a tendência de, desde 1979, contar com uma moeda nacional muito valorizada, o que encarece a exportação industrial, especialmente a de alto valor

---

[155] "O Brasil não pode 'ficar como está'", por Yoshiaki Nakano, em *Valor Econômico*, 13/09/2016. *http://www.valor.com.br/opiniao/4707427/o-brasil-nao-pode-ficar-como-esta.*

agregado, e ao mesmo tempo estimula as importações, em particular a de bens de média e alta tecnologia, que vem ocupar o mercado doméstico e tirar espaço do produto nacional, que por vezes nem sequer sai do papel dadas as circunstâncias.

O Brasil passou por veloz desindustrialização nos últimos vinte e cinco anos, especialmente porque tanto Itamar Franco quanto FHC em seu primeiro mandato e Lula durante todos os seus oito anos de governo permitiram e se aproveitaram da estratégia do dólar barato (isto é, do real valorizado) para controlar a inflação. Por outro lado, uma das virtudes do governo Dilma — e que foi colocada nos últimos anos em segundo plano na agenda nacional em razão da grave crise econômica — foi a introdução de regulação sobre o mercado futuro de câmbio[156] e a busca por uma redução da taxa básica de juros, o que diminuiria a entrada de dólares especulativos no país e consequentemente empurraria a cotação do real para cima, como de fato aconteceu. No entanto, a combinação de açodamento — o ímpeto do governo Dilma de lançar pacotes de medidas para diversos setores em um curto espaço de tempo (a "Nova Matriz Macroeconômica") — com a piora do cenário internacional (pelo fim do ciclo das *commodities* em alta) e a dura estiagem no Nordeste em 2012 e 2013 fizeram com que o aumento de preços fosse maior do que o que deveria ser se somente a elevação da taxa de câmbio fosse considerada. A política estava inviabilizada. Mais tarde, em virtude da crise do *impeachment*, o dólar subiria praticamente sem impulso do governo, no início de 2016, chegando a superar R$ 4,20, mas novamente recuaria drasticamente a partir de junho. A tendência histórica brasileira, de uma moeda valorizada e uma taxa de juros muito alta, estava novamente evidente. Testes econométricos dos especialistas Nelson Marconi e Fernando Barbi, da FGV-SP, já demonstraram que a participação da

---

[156] Onde a cotação de fato da moeda é estabelecida, como comprovou a pesquisa do economista Pedro Rossi *in Taxa de Câmbio e Política Cambial no Brasil.* FGV Editora, 2016.

indústria de transformação no PIB realmente se reduz quando a taxa real de câmbio se valoriza, e vice-versa.[157]

Os erros ideológicos e os vícios políticos, de ambos os lados do espectro partidário brasileiro, colocaram um preço alto para o país. Agora, o forte aumento da dívida pública bruta — além do elevado custo para sua rolagem por causa da alta taxa de juros, a complexa relação estabelecida entre o Tesouro Nacional e o Banco Central, a crise nas contas dos Estados e Municípios, a desindustrialização, as limitações da Lei de Responsabilidade Fiscal e o baixo crescimento — coloca no debate público uma nova rodada de busca por respostas para a política econômica do futuro.

O número de desempregados no país atingiu 11,8 milhões de pessoas no fim do primeiro semestre de 2016, representando taxa de desemprego de 11,6%, segundo o IBGE — apenas um ano e meio antes, no fim de 2014, a taxa estava na mínima histórica, em apenas 4,8%. A renda média dos trabalhadores caiu fortemente, e a informalidade voltou a aumentar. As projeções de melhora na economia colocadas por organizações internacionais e por economistas brasileiros a partir de 2017 estão mais baseadas no fato de a base de comparação ser a dupla recessão (de 2015-16) do que por condições próprias e estruturais.

Sétima maior economia do mundo, o Brasil faz parte dos BRICS, ao lado de Rússia, Índia, China e África do Sul. Juntos, os países formaram um banco próprio e apostam que podem moldar uma nova ordem global. Além disso, o Brasil é o líder político e econômico da América Latina, voz ativa em fóruns multilaterais como o G-20 e a Organização das Nações Unidas (ONU); sediou recentemente os dois maiores eventos esportivos do mundo (Copa do Mundo e Olimpíada) e serve de base para um dos mais dinâmicos consumos

---

[157] "Taxa de câmbio e composição setorial da produção", por Nelson Marconi e Fernando Barbi, *in* HOLLAND, Márcio e NAKANO, Yoshiaki (org.) *Taxa de câmbio no Brasil.* São Paulo: Editora Campus, 2011. pp. 31 a 74.

HISTÓRIA AGORA

de tecnologia, além de ser um dos líderes no debate mundial sobre aquecimento global.

Em virtude de todo o seu tamanho político, econômico e cultural, o Brasil não pode se furtar a discutir o que quer ser nos próximos anos. Com a palavra final, o antropólogo Darcy Ribeiro:

> O Brasil é a melhor província e o melhor povo do mundo para fazer um país. Mas é muito difícil. É muito fácil fazer uma Austrália. Basta caçar uns ingleses e holandeses, jogar no mato e mandar matar os índios e pedir que repitam a paisagem inglesa. No caso do Brasil, não. É a partir de 6 milhões de índios desfeitos, 12 milhões de negros desafricanizados e a partir de uns poucos milhares de portugueses que se refaz um povo, um gênero novo de gente que nunca existiu. Gente que procura sua vez, tem enormes potencialidades, mas que ainda não encontrou o seu destino. Nosso problema é continuar existindo para os outros e não existir para nós. Fomos criados para produzir açúcar que adoçava a boca do europeu, o ouro que o enriquecia e continuamos produzindo a soja para engordar porco na Alemanha. Enquanto não fizermos o país existir para si, nós seremos um país-problema. Os Estados Unidos sabem mais ou menos o que eles vão ser no ano 2100. E têm uma ideia do que convém a eles que o Brasil seja. Nós não temos essa ideia.[158]

FIM

---

[158] Darcy Ribeiro em entrevista à revista *Veja*, publicada em 18 de janeiro de 1995.

Apêndice / Epílogo

Arno Augustin, Dilma Rousseff, Guido Mantega, Jorge Hereda e Marcus Aucélio foram procurados diversas vezes por telefone, *e-mail* e até nas redes sociais para comentar os assuntos tratados no livro. Eles não se pronunciaram. Os demais protagonistas e personagens secundários da história contada nesta obra falaram com o autor — e agradeço a todos pelo tempo e paciência.

Arno Augustin, em especial, foi procurado por meio de diversos caminhos. Tentei por meio de seu amigo Carlos Paiva, de Porto Alegre, e também de Sônia Rösler, do PT gaúcho. A eles, agradeço o empenho para tentar fazê-lo comentar os temas do livro. Ao final, busquei também Margareth Dornelles para tentar chegar a Augustin, mas novamente não foi possível. Depois de um ano e sete meses de tentativas quase mensais, Augustin pediu, por meio de Margareth, que eu encerrasse meus pedidos.

Talvez alguns desses personagens mudem de opinião no futuro próximo, conforme a batalha historiográfica avança e ao mesmo tempo são cicatrizadas as feridas de um processo traumático que terminou com o *impeachment*.

HISTÓRIA AGORA

Ao longo dos anos diversas entrevistas foram concedidas por todos eles, em especial Augustin, Dilma e Mantega. Suas versões e opiniões em entrevistas, pronunciamentos, documentos e peças formais de defesa durante todo o período foram registradas aqui nesta obra.

Para além de todo o registro feito no livro, trazemos abaixo uma das últimas entrevistas exclusivas concedidas por Augustin. Diferente de palestras ou pronunciamentos, as entrevistas permitem o exercício do contraditório e, portanto, apresentam quadros sempre mais completos. A entrevista em questão foi concedida por ele ao autor deste livro e a Adriana Fernandes no início da tarde de 25 de agosto de 2014, quando ele ainda era o secretário do Tesouro Nacional. Naquele momento, as reportagens sobre o caso dos R$ 4 bilhões, a câmara de arbitragem na AGU aberta a pedido da Caixa e os diversos problemas fiscais provocados pelo Tesouro já tinham sido revelados, assim como a abertura de investigação pelo Tribunal de Contas da União. Esses são todos temas tratados na entrevista, além da campanha presidencial. Por outro lado, a entrevista tem limitações: nenhum assunto revelado após aquela data, evidentemente, pôde ser tratado ali.

Mesmo assim, consideramos importante o registro. Parte da entrevista foi publicada naquele dia no *Broadcast*, o serviço de tempo real da Agência Estado, e no dia seguinte na edição impressa do jornal *O Estado de S. Paulo*.

Agora, a versão original, sem cortes, pode ser lida a seguir:

Há controvérsia jurídica sobre os contratos entre o Tesouro e a Caixa?

Arno Augustin: A Lei de Responsabilidade Fiscal estabelece os limites orçamentários e financeiros e o governo cumpre isso. Eu desconheço qualquer controvérsia jurídica sobre esses contratos que pudessem ser caracterizados como operações de crédito.

304

Mas isso está sob análise do BC, da PGFN e da AGU.

Augustin: Desconheço e reitero: não há dúvida jurídica sobre isso em qualquer órgão do governo federal. Esse tipo de contrato tem esse formato há muitos anos. Nenhuma área jurídica viu dificuldade. O que a Caixa solicitou à AGU foi sobre critérios.

Quais critérios a Caixa questionou?

Augustin: A Caixa diz expressamente que considera legal. Essa é a opinião do jurídico da Caixa. O contrato é de prestação de serviços. Esses contratos são usuais, de vários ministérios e passam pelo jurídico de todos eles e de todos os bancos. Há vários governos que os contratos têm a mesma sistemática. Não há nenhuma relação disso com operação de crédito. Há quinze, vinte anos é assim.

Por que só agora a Caixa levou o problema para a AGU? Se ficar constatado que é uma operação de crédito, isso fere a LRF?

Augustin: A dúvida não é sobre a legalidade. O parecer da Caixa é tranquilo sobre isso. No papel que a Caixa mandou para a AGU é muito clara a opinião de que é legal e não é operação de crédito.

O BC estuda alterar o registro fiscal desses créditos.

Augustin: A estatística que nós e o BC seguimos é padrão internacional, com metodologia expressa em manual. Eu desconheço que alguém esteja pensando em alterar. É um acordo internacional.

O sr. tem conversado com o presidente Alexandre Tombini sobre isso?

Augustin: Não, porque o tipo de estatística que nós temos é internacional. É predefinida e seguida por nós e o BC. Eu desconheço que alguém esteja pensando em alterar um parâmetro que é internacional.

HISTÓRIA AGORA

O balanço da Caixa registrou saldo de recursos não pagos de R\$ 3,9 bilhões no dia 30 de junho e que foi zerado no dia seguinte.

Augustin: A existência de ativos e passivos é absolutamente usual e tem que ser assim.

Os empresários reclamam que estão recebendo com atraso pagamentos de obras do PAC e também do Minha Casa, Minha Vida. A que o sr. atribui esses atrasos?

Augustin: Não tem nenhuma semelhança técnica. Obras e serviços são pagos pós-medição. Os ministérios com a Caixa fazem essa análise. Não há nenhum atraso entre o Tesouro e a Caixa para o Minha Casa. Se a Caixa eventualmente demora ou não, eu não sei. Não tem nada a ver conosco.

Quer dizer que a Caixa pode estar atrasando e isso não tem nada a ver com o Tesouro?

Augustin: Não sei se existem essas circunstâncias.

São relatos de empresários.

Augustin: Vocês foram ver se a medição foi feita, o que estabelece o contrato? Vocês têm um exemplo em contrato que diga que era para pagar no dia tal e não foi pago?

O sr. acha que os empresários estão mentindo?

Augustin: Eu não acho nada, porque não conversei com o empresário. Me deem um exemplo que estava no contrato e foi feita a medição. Não temos nenhum exemplo concreto para comentar. A sistemática é do decreto e fazemos o pagamento de acordo com o limite e os prazos previstos. Quando se tem centenas e milhares de contratos com prazos de pagamento, evidente que vai ter um ministério que é mais rápido em fazer as suas medições e outro não.

Os analistas estranham, sobretudo, a queda das despesas da Previdência Social. Por quê?

Augustin: Talvez essas pessoas não tenham feito uma análise aprofundada. Têm segmentado uma opinião superficial. A Previdência é um dos itens com redução do déficit ao longo dos anos. Tanto a receita como a despesa tem uma tendência favorável. Qualquer análise aprofundada vai concluir isso. Não sei a que fenômeno estão se referindo.

Por que as despesas da Previdência estão tão mais baixas neste ano, se houve reajuste dos benefícios e tem mais gente recebendo?

Augustin: A despesa é um dos fatores de sucesso. Tem a ver com controles internos do governo.

No final de 2013 o governo revisou a previsão déficit, de R$ 36,5 bilhões para R$ 42 bilhões. Ainda assim, o déficit foi de R$ 49,9 bilhões. A previsão de R$ 40,1 bilhões este ano não é muito baixa?

Augustin: No déficit do INSS tem de ser considerado que em dezembro há superávit, porque pagamos o décimo terceiro antecipadamente. Nossa melhor projeção é essa que está no decreto de julho, de R$ 40,1 bilhões. O déficit do ano passado foi um pouco maior, porque o valor da compensação das desonerações (folha de pagamento) foi menor do que o previsto. Para efeito de resultado do primário é neutro, porque uma das receitas da Previdência é a compensação.

O Ministério Público, junto ao TCU, entrou com requerimento na semana passada para que o Tesouro e o BC sejam inspecionados por causa das "pedaladas fiscais". O que o senhor acha disso?

Augustin: É o serviço do TCU fazer essa análise cotidianamente, nenhuma excepcionalidade nisso. Quando aprovam nossas contas é porque fazem inspeções especiais aqui. Toda vez que há evento

HISTÓRIA AGORA

em jornal, o analista vai lá e olha aquele evento. Eles fazem isso cotidianamente. Já analisaram o nosso serviço. É raro um momento em que não há inspeção do TCU. É o serviço deles.

O Tesouro não atrasou e não está atrasando o repasse de nenhuma despesa?
Augustin: O Tesouro está cumprindo rigorosamente a legislação, a LRF e o decreto de programação orçamentária e financeira.

Não tem atraso?
Augustin: Não.

Nenhum centavo atrasado?
Augustin: Não, nenhum. Em termos do decreto, nenhum. Outra coisa é se algum ministério, por qualquer razão, tenha atrasado, mas nos termos do decreto, não.

O que o senhor acha da expressão "pedalada fiscal"?
Augustin: Vi essa expressão pela primeira vez numa reportagem de vocês. Se puder me explicar o que estamos falando, fica mais claro.

Os economistas dizem que se trata de uma postergação de pagamentos para melhorar pontualmente as despesas do governo federal.
Augustin: Bem, vamos lá. Por definição, primário é o que foi pago. Então qualquer técnico que diga isso desconhece o que é primário. Primário é o que é pago. É um conceito econômico.

Mas se atrasa o pagamento, o primário só se realiza quando você finalmente paga.
Augustin: Exato. Atrasar um pagamento é uma discussão sobre competência e caixa. É o mesmo que alguém dizer que deveria

308

estar na receita um tributo que alguém não pagou. Isso não faz o menor sentido. Porque o primário é um conceito econômico. A receita que um determinado contribuinte não pagou não pode estar no primário, porque o efeito econômico dela não ocorreu. A discussão de primário não tem a ver com competência, mas com fluxo. Tem a ver com o efeito econômico desse fluxo. Se existe receita de competência do período "A" e ela não foi paga pelo setor público, o efeito econômico não é afetado por isso. Se alguém diz que tem atraso no pagamento do setor público, não está falando do resultado primário do setor público. As pessoas misturam o conceito de primário com a competência.

O senhor está falando do PSDB?
Augustin: Estou falando dos técnicos que eu tenho lido nos jornais. Eram governo naquela época. Vejam os dados.

O sr. acha que essas análises de pedaladas têm foco político?
Augustin: Os nomes dos analistas... aliás, nunca vejo essa relação no jornal. São pessoas que estavam no governo quando isso foi feito e eles conhecem perfeitamente o critério de primário. O que precisamos olhar é a sustentabilidade de médio e longo prazos.

A campanha eleitoral é calcada em críticas à política fiscal, área que o senhor comanda há mais de sete anos. Como o senhor vê isso?
Augustin: O debate político é uma coisa normal. Mas o ex-presidente do BC Armínio Fraga talvez não conheça a realidade fiscal atual. Na época dele tínhamos um conjunto de ações que faziam com que o Brasil tivesse uma situação bem diferente da de hoje. A dívida líquida como proporção do PIB era superior a 60%. Hoje é inferior a 35%. Ele talvez não tenha se atualizado. Se ele tiver um pouco mais de cuidado na análise vai perceber que a situação fiscal hoje é bem diferente da época dele. As reservas são bem maiores, a

HISTÓRIA AGORA

relação dívida/PIB é muito menor, a dívida dos Estados e Municípios cai significativamente. Era de 20,1% do PIB em 2002 e chegou a 10,6% em junho de 2014. É evidente que a situação fiscal hoje é muito melhor. Talvez alguém ache que naquela época era melhor... talvez ele esteja enxergando com aquela lógica. O Brasil melhorou muito de 2002 para cá em termos fiscais.

A oposição vê piora nos últimos dois anos.

Augustin: Os números não mostram isso. Todos os números vão em outro sentido. O esforço fiscal é um dos indicadores, e ele tem que ser colocado dentro do contexto. Quando tem momento de crise internacional e um crescimento menor da economia, optamos por um resultado fiscal anticíclico. Foi uma opção correta de política econômica, e fizemos porque hoje podemos. Está se dizendo que a situação fiscal deveria desconsiderar o efeito econômico? Ao mesmo tempo eu vejo manifestações sobre critérios de correção do Bolsa Família, sobre a tabela do IR... que são absolutamente incompatíveis com o discurso.

O senhor se refere às promessas do candidato Aécio Neves?

Augustin: Estou falando que é difícil compreender que alguém fale que a situação fiscal é pior e ao mesmo tempo diga que vai aumentar o gasto. O que o governo está dizendo é que a situação fiscal é melhor. Para nós, toda a política de despesa é absolutamente coerente. Se algum outro agrupamento acha que a situação fiscal é pior, não deveria estar falando em aumentar os gastos. Ou essa proposta é incoerente.

A meta fiscal deste ano está mantida?

Augustin: Estamos trabalhando com a meta estabelecida no decreto e no relatório, que é compatível com a despesa e a receita estimadas. O Refis é um dado importante.

O que esperar de 2015?

Augustin: No fiscal vamos continuar com situação de consolidação fiscal, para melhorar os números, com trajetória declinante da dívida/PIB, como estamos fazendo.

Posfácio

Por Celso Rocha de Barros*

Em algum ponto em 2011, 2012, Dilma Rousseff deveria ter feito um ajuste econômico para desmontar as políticas que haviam protegido o Brasil dos piores efeitos da crise econômica de 2008. Seu governo teria sido um governo de ajuste após oito anos de liderança carismática, mais ou menos como foi o de George H. Bush logo após os dois mandatos de Reagan. Ajustes nunca foram populares. Bush Sr. não conseguiu se reeleger, e havia uma chance razoável de Dilma ter o mesmo destino se tivesse governado melhor.

Note-se, entretanto, que Dilma começaria o ajuste em uma posição de força. No início de seu mandato, seus índices de aprovação eram espetaculares. Dilma herdou o apoio que Lula tinha entre os pobres. E seu perfil mais tecnocrático a tornava mais atraente do que Lula para os eleitores de classe média.

Partindo daí, poderia ter tentado dividir a conta do ajuste de forma equânime, dividindo a conta do ajuste com os brasileiros mais ricos. Poderia ter comprado, por exemplo, a briga por impostos mais progressivos do que os que temos hoje, evidentemente injustos. Não

HISTÓRIA AGORA

havia ajuste possível que não afetasse os mais pobres. Mas a conta poderia ter sido melhor dividida.

Em vez disso, o governo petista optou por lançar mão de uma política econômica fiscalmente irresponsável. Só agora começam a sair os primeiros estudos detalhados sobre os efeitos da Nova Matriz Econômica (NME) na desaceleração brasileira. Não é muito fácil distinguir o que foi causado pela NME, o que foi efeito do cenário internacional, e o que resultou de problemas de longo prazo na economia brasileira.

Duas coisas, porém, são indiscutíveis: (a) a NME claramente fracassou: dado seu enorme custo fiscal, o simples fato de não termos experimentado uma aceleração do crescimento já a condena inapelavelmente. E (b) a conta das desonerações é muito alta, e exige um ajuste mais doloroso do que o que teria sido feito em 2011 e 2012.

A decisão de adiar o ajuste foi uma aposta. Dilma provavelmente esperava fazê-lo depois das eleições de 2014, em um cenário em que o pior da crise internacional já tivesse passado e depois que a NME já tivesse tido ao menos alguns efeitos positivos.

Não houve efeito positivo permanente nenhum, os preços das *commodities* caíram em 2014, e o adiamento do ajuste fez com que ele coincidisse com a Lava-Jato. É assim que se faz uma tempestade perfeita.

O ajuste, a queda dos preços das *commodities* e a Lava-Jato, sozinhos, certamente teriam custos econômicos consideráveis. Que a Lava-Jato tenha coincidido com a queda do preço das *commodities* foi azar. Não se faz uma tempestade perfeita sem uma dose de azar.

Mas o adiamento do ajuste até a hora da tempestade perfeita não foi azar, foi uma aposta: ao adiar o ajuste, Dilma sabia que ele poderia ter que ser feito em uma conjuntura pior do que a de 2012. É provável que não imaginasse o quão pior seria. Apostou, perdeu, caiu.

PERIGOSAS PEDALADAS

*

Seria muito difícil, para qualquer presidente, não cair em ano de Lava-Jato, ajuste econômico e queda das *commodities*. Para um presidente do PT, as chances eram ainda piores. O ajuste inevitavelmente afetaria negativamente as bases populares do lulismo, bem como os setores sindicalizados que organizam boa parte da vida interna do PT.

Além disso, a situação dentro do PT em 2015-2016 era crítica. Boa parte da liderança sabia que seria pega na Lava-Jato. E grande parte da base de militantes ficou especialmente irritada com o estelionato eleitoral de 2014: afinal, eles acreditaram mesmo que haveria uma guinada à esquerda no segundo governo Dilma. Uma das tragédias na história recente do Partido dos Trabalhadores foi o fracasso dos intelectuais e quadros do partido em oferecer aos militantes uma análise realista da situação.

Os líderes enrolados na Lava-Jato tentaram uma virada à esquerda como distração. A militância apoiou a manobra sinceramente.

Como resultado, desde o meio da guerra do *impeachment*, o PT já se comportava como se tivesse ido para a oposição: abandonou qualquer apoio ao ajuste de Levy e Barbosa, criticou as alianças e defendeu reaproximação com os movimentos sociais. Cada uma dessas posições, em si, pode ser defendida. Mas, em 2016, foi o abandono de qualquer pretensão de ser governo.

Conforme as denúncias foram aparecendo, ficou claro que a Lava-Jato não atingiria só o PT. O cartel das empreiteiras financiava todos os lados do conflito político brasileiro, e cada vez mais o fantasma das megadelações assombrava o sistema político. Só na delação da Odebrecht especula-se que haverá mais de uma centena de parlamentares, uma proporção razoável dos senadores, um número razoável de governadores e membros destacados do Judiciário. Passamos a viver no que a jornalista Renata Lo Prete chamou de "Império da

HISTÓRIA AGORA

Lava-Jato". Não era mais possível saber nem aproximadamente quem restaria de pé no final da briga. Ou no final do dia.

Todo cálculo político nos últimos dois anos foi um cálculo sobre a Lava-Jato. Dilma também fez sua aposta. Deixou o ministro José Eduardo Cardozo em seu posto, enquanto petistas e antipetistas exigiam sua substituição por alguém que colocasse um freio nas investigações. É possível que Dilma tenha feito isso por convicção ética, mas também era óbvio que esperava obter vantagens estratégicas. Se a Lava-Jato fosse até o fim, poderia ajudá-la a furar o cerco que Eduardo Cunha e seus aliados lhe impuseram no segundo mandato. Havia alguma chance de uma Lava-Jato séria não pegar Eduardo Cunha?

Apostou, perdeu, caiu.

*

O sistema político não se entregou sem reagir. Setores do PT eram cada vez mais agressivos contra Cardozo. Em 11 de março de 2016, o colunista Ricardo Noblat escreveu em sua conta no Twitter: "Políticos precisam derubar logo Dilma antes q sejam atingidos ainda + pela Lava-Jato e outras operações" (*sic*).

Note-se que Noblat não disse que Dilma não queria proteger os acusados; só disse que não conseguia fazê-lo. Cada um terá sua opinião sobre isso, certamente formada, em parte, sob influência de suas preferências partidárias. De qualquer forma, nas últimas semanas de seu governo, Dilma cedeu ao PT e entregou o Ministério da Justiça a um ministro que deu sinais de que frearia a Lava-Jato. Parlamentares petistas já discutiam projetos de lei que trariam dificuldades para os investigadores.

Não houve tempo para nada disso. A incapacidade do governo de reagir ao cerco de 2015 (um espetáculo deprimente até para o padrão brasileiro) e a resistência do PT ao ajuste já haviam desencadeado a debandada para o lado de Temer. Após o rompimento do PMDB com o governo, quase todos os movimentos da guerra do *impeachment* foram teatro: a maioria da classe política já havia decidido que o melhor era abandonar o governo petista.

O mínimo que se pode dizer, entretanto, é que depois do *impeachment* os sinais de um "acordão" em gestação se tornaram mais claros. Já depois do afastamento de Dilma pela Câmara dos Deputados, Romero Jucá, presidente do PMDB, escolhido por Temer para conduzir a negociação do *impeachment* e para assumir seu Ministério do Planejamento, foi pego dizendo que afastar Dilma era necessário para "estancar a sangria" da Lava-Jato. O primeiro nome em quem Temer pensou para o Ministério da Justiça havia assinado um abaixo-assinado contra a Lava-Jato, e seu primeiro Ministro da Transparência (pois é) tampouco era um grande fã da operação.

Enquanto escrevo, os parlamentares brasileiros planejam uma anistia para o crime de caixa 2. O plano é evidente: se os delatores da Lava-Jato delatarem apenas as doações, sem citar em troca de que favores foram feitas, bastarão alguns ajustes na Lei da Ficha Limpa para que a mágica esteja feita: o sistema político terá sobrevivido à maior investigação de corrupção da história brasileira com muito menos arranhões do que se esperava.

Há, enfim, uma acomodação em curso no sistema político, que, no momento em que este texto é escrito, não sabemos como vai acabar. Mas está claro que havia atores políticos de peso que contavam com o *impeachment* para facilitar a manobra.

*

O governo Temer tem exatamente a mesma prioridade do governo Dilma: não cair. Mas parece muito mais capaz de fazer o necessário para ser bem-sucedido.

HISTÓRIA AGORA

Em primeiro lugar, por não ter base eleitoral nos sindicatos ou nos eleitores mais pobres, o PMDB deve ter mais desenvoltura para fazer o ajuste econômico do que o PT jamais teve.

Um dos grandes lances do processo de *impeachment* foi a publicação do manifesto "Uma Ponte para o Futuro", em que o PMDB assinou sua adesão ao programa de reformas liberais e roubou do PSDB a liderança da centro-direita brasileira. O PMDB foi além de qualquer coisa que o PSDB havia prometido na campanha eleitoral; e podia fazer isso justamente por não ter que vencer eleição nenhuma. Conforme previsão constitucional, havia uma manobra parlamentar que lhe daria a presidência com os votos de Dilma: o *impeachment*.

Se Temer conseguir fazer as reformas e recolocar a economia nos eixos, terá o apoio entusiasmado da elite econômica. Não é claro que terá apoio popular, porque as reformas são todas duras e difíceis, mas mesmo aí algum efeito de comparação após dois anos de paralisia pode jogar a seu favor.

Em segundo lugar, o PMDB parece muito mais disposto a frear a Lava-Jato e dar ao sistema político o que ele quer. Os peemedebistas estão tão envolvidos quanto o PT nos escândalos da Lava-Jato. Mas, após o *impeachment*, esperam contar com a gratidão e a condescendência dos antipetistas enquanto tentam amenizar o impacto da operação. Ainda é cedo para saber se sua esperança é bem fundada.

Essas duas tarefas são intimamente relacionadas. Se o novo governo conseguir assegurar a recuperação econômica, tem boas chances de jogar as denúncias de corrupção para a página 2 dos jornais. E se conseguir prometer, com credibilidade, que vai tornar a vida dos congressistas delatados mais fácil, certamente terá mais chance de aprovar o que quiser no Congresso.

A propósito, se houver um "acordão", é bem possível que inclua ao menos parte do PT (não necessariamente a melhor). Afinal, figuras de peso no partido pediram a cabeça de Cardozo com o objetivo explícito de intervir na Lava-Jato. Se Temer conseguir o acordo, é

PERIGOSAS PEDALADAS

possível que a vontade de se salvar pese mais do que a ideologia (ou o rancor pelo *impeachment*) no cálculo de muita gente.

A crise do *impeachment* fez com que a situação econômica se tornasse ainda pior do que era quando Joaquim Levy se tornou ministro da Fazenda. Mas, como vimos, Temer tem melhores condições do que Dilma jamais teve para fazer o ajuste. Há chances razoáveis de que a recuperação econômica aconteça. Mas é possível que nos próximos anos tenhamos que escolher algumas vezes entre apoiar o governo que está implementando o ajuste e apoiar o combate à corrupção.

Não, não é uma escolha que deveríamos ter que fazer.

*

Mas é na política que a guerra de 2015-2016 parece ter causado mais danos. A disputa entre PT e PSDB foi a época de ouro de nossa política, e nos trouxe a estabilização econômica, a redução da pobreza, e, por meio do jogo de denúncias e contradenúncias dos últimos vinte anos, operações como a Lava-Jato. Devemos muito mais à disputa PT *vs.* PSDB do que gostamos de admitir. Algo como isso sobreviverá à guerra de 2015-2016? Os corruptos parecem muito melhor posicionados para sobreviver do que os partidos que os abrigaram até agora.

Não há como saber, tampouco, se esquerda e direita saberão tirar as melhores lições da crise política de 2015-16. Quando o Senado votou pelo *impeachment* de Dilma, dispensou a direita de ganhar eleições para voltar ao poder; e dispensou a esquerda de conduzir o ajuste econômico que corrigiria os erros de sua gestão. Cada um terá sua opinião sobre o *impeachment,* mas é difícil discordar de que a direita precisa encontrar algo a oferecer aos mais pobres que lhe permita vencer no voto; e que a esquerda precisa, urgentemente, fazer as pazes com os princípios da boa gestão econômica. A saída

HISTÓRIA AGORA

pelo *impeachment* pode ter, aos olhos do leitor, diversas vantagens, mas claramente adiou esses aprendizados.

O risco maior é que os últimos dois anos tenham gasto a energia cívica da sociedade brasileira com disputas que eram mais som e fúria do que embates sobre alternativas reais. Nos próximos meses discutiremos aspectos cruciais da relação entre estado e economia no Brasil, discutiremos o tamanho do estado de bem-estar social, e será necessário permanecer vigilante contra os esforços para frear o combate à corrupção.

Será muito ruim se a esta altura só tiver sobrado de pé quem entrou na briga por dinheiro.

---

* Celso Rocha de Barros é doutor em Sociologia pela Universidade de Oxford (Inglaterra) e analista do Banco Central.

Agradecimentos

Eu não teria chegado até aqui se não tivesse como base de formação Maria Inês Nassif, Denise Neumann, Robinson Borges, Paulo Totti, José Salvador Faro e Luiz Weber. Obrigado.

Agradeço, de coração, a parceria de Adriana Fernandes, com quem formei dupla em boa parte das reportagens originais e quem sempre me estimulou nesta empreitada. Sem ela e as contribuições inestimáveis dos colegas da sucursal de Brasília do *Estadão*, o pontapé inicial para este projeto não teria acontecido. Em especial gostaria de destacar as parcerias em diferentes momentos com Anne Warth, Murilo Rodrigues Alves e Fábio Fabrini, que ocorreram em momentos-chave. Este livro não teria sido possível sem que, no começo dessa história toda, não tivesse tido o apoio editorial e intelectual de Luiz Weber, Cida Damasco, Irany Tereza, Ricardo Grinbaum, Marcelo de Moraes e Ricardo Gandour. Quando se tateia no escuro os riscos são maiores. A confiança e o apoio deles foram vitais. O entusiasmo de Andreza Matais, Leonêncio Nossa, Iuri Dantas, Marcelo Parreira e Laura Diniz foi gigante. Ao final da história, Marcelo Beraba deu uma injeção de confiança que ele não suspeita ter sido tão grande como foi. Muito obrigado.

Ao editor da Geração Editorial, Luiz Fernando Emediato, agradeço por acreditar no projeto e apostar decisivamente nele. Esta é uma batalha ainda quente: diferente de livros sobre o passado, quando a maior parte dos personagens já faleceu, este é um projeto de um passado muito recente, o que implica um nível de pressão e de paixão política muito elevados, de todos os lados. Obrigado por me ajudar a segurar este rojão.

Meu irmão Luis Villaverde e os amigos e amigas da infância (Daniel Omaki e companhia), dos tempos do Jornalismo na PUC-SP (Bruna Bittencourt, Júlia Bolliger e companhia), nas redações em Brasília e em São Paulo, como Sérgio Lamucci, Alana Rizzo, Rubens Valente, Luciano Máximo, Eduardo Bresciani, Ubiratan Brasil, Luiz Henrique Mendes, Eduardo Dusek, Luis Nassif, Daniel Rittner, Samantha Maia, Ribamar Oliveira, Maria Cristina Fernandes, Leonardo Villar, Nestor Rabello, Beatriz Ferrari, João Domingos, Sérgio Leo, Alon Feuerwerker, Dida Sampaio, Beatriz Bulla, Talita Fernandes, Lisandra Paraguassu, Felipe Recondo, Luís Barrucho, Paulo Gama, Ed Ferreira, Orlando Brito, Giovana Teles, Eduardo Belo, Marta Watanabe, Sandra Manfrini, Ayr Aliski, Luci Ribeiro, Marta Bonaldo, Fabiano Lana, Monica Waldvogel, Luísa Roig Martins, Laura Maia, Denise Arakaki, José Paulo Kupfer, Vera Rosa, Tânia Monteiro, Celso Ming, Alexa Salomão, Gabriela Valente, Edna Simão, Daniel Trielli, Ligia Formenti, Lu Aiko Otta, Fábio Cypriano, Rafael Moraes Moura, Renata Agostini, Roberto Lameirinhas, Carlos Motta, Celso Cassiano, Idelber Avelar, Hamilton Octávio de Souza, Cyro Franklin, José Arbex, André Borges, Daniel Carvalho, Nivaldo Souza, Caio Junqueira, Cesar Sacheto, Roberto Godoy, Camila Abud, Alexandre Inagaki, Daniel Lopes, Luciana Rosa, Fabio Graner, Sergio Gobetti, Eduardo Rodrigues, Daniela Martins, Lucas Marchesini, Renata Barbosa (em memória), Célia de Gôuveia Franco, Pedro Cafardo,

PERIGOSAS PEDALADAS

Renato Andrade, João Borges, Cristiana Lôbo, Eliane Cantanhêde, Claudia Safatle, Natuza Nery, Cristiano Romero e outros (vocês sabem quem são): estaremos sempre juntos. Às amizades que pude construir nos tempos em Nova York, por conta da bolsa "Jornalista de Visão" do Instituto Ling, como Alexandre Gonçalves, Christopher Sabatini, Daniel Barros, Lúcia Guimarães, Juliana Sayuri e Marcos Troyjo, agradeço pelas sugestões e dicas inestimáveis sobre essa empreitada. Às famílias Villaverde, Almeida, Crivellari, Pombo e também a Ariana Frances e Betinho Vieira (e os pequenos Valentina e Ulisses), Kurt e Leila Weissling, meu abraço carinhoso para sempre.

Minha mãe era médica, pediatra, e foram enormes os seus ensinamentos de vida como menina que nasceu no Cacuia, na zona norte do Rio, filha de espanhóis que deixaram a Galícia depois da fome decorrente do isolamento de seu país após duas guerras, uma civil e outra mundial. Ela partiu cedo demais, mas deixou em mim algo que sempre carregarei: não há obstáculo que seja intransponível; basta ter paciência.

João Villaverde

14 de setembro, 2016

Índice onomástico

A

Abreu, Kátia 258, 259
Abritta, Rafaelo 218
Abud, Camila 322
Adams, Luís Inácio Lucena 27, 134-136, 139, 141-144, 150, 158, 175, 176, 189, 195, 208, 215, 218-223, 225, 238, 255, 267, 273, 275, 278
Afonso, José Roberto 6, 83, 157, 164, 178, 297
Agostini, Renata 322
Aguiar, Júlio Cesar de 138
Aguiar, Marcelo 106
Aith, Marcio 274
Alencar, Ricardo Soriano de 128
Aliski, Ayr 322
Almeida, João 5
Almeida, Júlio Sérgio Gomes de 52, 103
Almeida, Mansueto 83, 103, 147, 148, 153, 157, 277, 278, 295
Almeida, Nelita Villaverde Cabal de 5
Alvarez, Regina 154
Alves, Garibaldi 110-113, 121
Alves, Henrique Eduardo 244
Alves, Murilo Rodrigues 84, 139, 321
Amaral, Delcídio do 226, 232

Amélia, Ana 259
Amora, Dimmi 184
Amorim, Marcelo Pereira de 242
Anastasia, Antônio 247
Andrade, Renato 323
Aragão, Eugênio 232
Arakaki, Denise 322
Araújo, Carlos 37, 39, 256
Araújo, Cláudia Vara San Juan 241
Arbex, José 322
Aucélio, Marcus Pereira 22, 23, 26, 27, 115, 133, 167, 180, 241, 242, 273, 274, 303
Augustin, Arno 10, 11, 18, 22, 26, 27, 31-33, 38-40, 43, 44, 47, 48, 51, 52, 56, 67, 68, 70-76, 80, 87, 90-92, 97-100, 102, 108--123, 125, 128, 130, 132, 141-143, 149, 150, 154, 156-158, 161, 162, 166, 167, 169, 170, 180-184, 193, 217, 241, 242, 259, 260, 266, 268, 273-275, 280-284, 303-311
Avelar, Idelber 322

B

Bacha, Edmar 36
Bahia, Carolina 76

PERIGOSAS PEDALADAS

Barbi, Fernando 300, 301
Barbosa e Esther 239
Barbosa, Joaquim 152
Barbosa, Nelson 47, 66, 100, 109, 120, 170, 208, 218, 220-222, 239, 242, 248, 255, 267, 268, 275, 279, 315
Barbosa, Renata (em memória) 322
Barbosa, Rui 186, 187, 287, 293
Barboza, Marden de Melo 128
Barros, Celso Rocha de 15, 19, 49, 50, 54, 313, 320
Barros, Daniel 323
Barros, Guilherme 74, 118
Barros, José Roberto Mendonça de 291
Barrucho, Luís 322
Batista, Eike 64, 152
Beck, Martha 154, 177, 256
Belchior, Miriam 109, 130, 197
Belluzzo, Luiz Gonzaga 43, 52, 103, 245, 248, 254
Belo, Eduardo 322
Bendine, Aldemir 242
Beraba, Marcelo 322
Bergamasco, Débora 232
Bertuci, Vaneza 184
Bezerra, Lindemberg de Lima 167
Biasoto, Geraldo 53
Bicudo, Hélio 224, 228, 276
Biddle, Nicholas 288
Bittencourt, Bruna 322
Bolliger, Júlia 322
Bonaldo, Marta 322
Borges, André 189, 322
Borges, João 323
Borges, Robinson 321
Braga, Políbio 39
Branco, Alves (tarifas) 293
Branco, Gil Castelo 83, 153, 263
Brasil, Ubiratan 322
Bresciani, Eduardo 322
Bresser-Pereira, Luiz Carlos 294
Brito, Márcio Holland de 170, 280
Brito, Orlando 322
Brizola, Leonel 22, 37, 39, 40
Bromonshenkel, Eduardo Pereira 126
Bronzatto, Thiago 266

Brossard, Paulo 230, 247
Bryan, William Jennings 288
Buarque, Chico 256
Bugarin, Paulo 220
Bulla, Beatriz 215, 322
Bush, George H. 313
Bush, George W. 41, 42, 106
Bustamante, Thomas da Rosa 247

C

Cabrini, Roberto 251
Cachoeira, Carlos 99
Caetano, Flávio 224
Cafardo, Pedro 322
Caffarelli, Paulo 124
Caldas, Maria Fernandes 128
Calheiros, Renan 225, 251, 254, 257, 263
Camargo, Fernando Silveira 152, 153, 175
Camargo, Líscio 115
Campello, Tereza 184, 242
Campos, Eduardo 140, 149, 150
Cantanhêde, Eliane 323
Caram, Bernardo 270
Cardoso, Fernando Henrique (FHC) 40, 43-45, 69, 106, 144, 164, 165, 184, 195,196, 199, 202, 207, 208, 215, 217, 228, 237, 245, 246, 291, 294, 297, 300
Cardozo, José Eduardo 215, 218, 219, 221, 222, 238, 239, 242-244, 247, 248, 250-256, 262, 275, 316, 318
Carneiro, Mariana 139
Carreiro, Raimundo 279
Cartola (Angenor de Oliveira, cantor, compositor, poeta e violonista, falecido em 30/11/80) 33
Carvalho Júnior, Antônio Carlos Costa D'Ávila (Antônio D'Ávila) 152, 153, 161-172, 174, 177, 181, 189, 192, 194, 252, 253, 263, 264, 275, 277
Carvalho, Adriana Queiroz de 23
Carvalho, Daniel 196, 247, 322
Cassiano, Celso 322
Castro, Paulo Rabello de 106
Cavalcanti, Francisco de Queiroz Bezerra 233
Cedraz, Aroldo 219, 279

HISTÓRIA AGORA

Cedraz, Tiago 279
Chade, Jamil 39
Chávez e Kirchner 43
Chávez, Hugo 42
Clinton, Bill 42
Coelho, Márcio Leão 161
Cohen, Stephen S. 63, 285, 290
Cohim, Marco Aurélio 209
Collares, Alceu 39
Collor, Fernando 15, 51, 151, 195, 226, 228, 230, 233, 247-249, 255, 259
Conti, José Maurício 265
Corrêa, Rafael 43
Costa, Lúcio 151
Costa, Rui 280
Coutinho, Luciano 27, 39, 43, 70, 242
Covas, Mário 245
Cozer, Cristiano de Oliveira Lopes 136
Crandall, Russell C. 35, 41
Credendio, José Ernesto 55
Crivellari 323
Cruz, Cláudia 227
Cruz, Olímpio 266
Cunha, Eduardo 14, 176, 218, 223, 225-228, 244, 248, 250, 258, 260, 261, 268, 279, 316
Cypriano, Fábio 322

D

D'Amorim, Sheila 106, 118
Damasco, Cida 321
Dantas, Bruno 221
Dantas, Iuri 321
De Bolle, Mônica 263
Decat, Erich 220
DeLong, J. Bradford 63, 285, 290
Deodoro, Marechal (1º presidente da República) 188
Dias, Manoel 242
Dilma e Collor 249
Diniz, Laura 321
Dirceu, José 48, 49, 50
Doca, Geralda 112
Dom João VI 104, 170, 280
Domingos, João 322
Domingues, Ivan 127
Dória, João 216

Dornelles, Margareth 303
Duran, Camila Villard 295
Dusek, Eduardo 322
Dutra, Olívio 38, 39, 40, 43
Dweck, Esther 239

E

Eichler, Vivian 32
Eisenhower, Dwight 289
Emediato, Luiz Fernando 322
Endo, Ricardo 127
Engels, Friedrich 33
Esteves, André 226

F

Fabrini, Fábio 154, 189, 220, 321
Fadul, Sérgio 256
Faria, Fernando 141
Faria, Fernando Luiz Albuquerque 133
Farias, Lindbergh 254
Faro, José Salvador 321
Faulkner, William 31
Fernandes, Adriana 9, 12, 86, 87, 118, 119, 120, 154, 155, 157, 171, 174, 175, 177, 181, 270, 304, 321
Fernandes, Carlos Antônio 242
Fernandes, Letícia 227
Fernandes, Maria Cristina 322
Fernandes, Talita 322
Ferraço, Ricardo 259
Ferrari, Beatriz 322
Ferraz, Adriana 249
Ferreira, Ed 322
Ferreira, Isaac Sidney Menezes 133, 141, 143, 175, 215, 218, 267
Feuerwerker, Alon 322
Figueiredo, João 36
Filho, Arno Hugo Augustin 32, 176
Filho, José Carlos Medaglia 197
Ford, Gerald 289
Formenti, Lígia 322
Fraga, Armínio 44, 45, 164, 165, 309
Frances, Ariana 323
Franco, Célia de Gôuveia 322
Franco, Itamar 125, 144, 183, 195, 199, 198, 207, 300

PERIGOSAS PEDALADAS

Franco, Visconde de Souza 293
Franklin, Cyro 322
Freire, Roberto 46
Friedman, Milton 44
Furtado, Celso 293-295
Fux, Luiz 221-223

G

Gama, Paulo 322
Gandour, Ricardo 6, 321
Genoino, José 48
Genro, Tarso 32, 39, 52
George Washington (1º presidente dos EUA) 285
George Washington (universidade americana) 278
Geraldo, Zé 227
Getulio Vargas (Fundação) 43, 170, 221, 234, 237, 279
Gobetti e Orair 297
Gobetti, Sérgio Wulff 296, 297, 322
Godoy, Arnaldo Sampaio de Moraes 133, 175
Godoy, Roberto 322
Goldfajn, Ilan 279
Gonçalves, Alexandre 323
Goulart, João 13, 85
Graner, Fábio 74, 118, 322
Greenspan (ref. a Alan Greenspan) 107
Grinbaum, Ricardo 321
Gudin, Eugênio 292
Guimarães, Lúcia 323
Gurgacz, Acir 243, 263

H

Haddad, Fernando 249
Hamilton, Alexander 79, 285, 288, 290
Helena, Heloisa 46
Hereda, Jorge Fontes 113, 122-124, 128-130, 143, 208, 209, 242, 280, 303
Hoffmann, Gleisi 109, 254
Holland, Márcio 170, 280

I

Inagaki, Alexandre 322
Indjov, Momchil 39

J

Jackson Hole (cidade dos EUA, em Wyoming) 55
Jackson, Andrew 287
Jacobs, Andrew 235
Janot, Rodrigo 244, 263
Jefferson, Roberto 48
Jefferson, Thomas 286
Jereissati, Tasso 157
John Hopkins (universidade localizada em Baltimore – Mariland [EUA]) 35
Johnson, Lyndon 289
Jucá, Romero 240, 244, 248, 317
Junqueira, Caio 322

K

Kawall, Carlos 100, 296
Kennedy, John 289
Kirchner, Nestor 42
Kubistchek, Juscelino 72
Kuhn, Paulo Henrique 133
Kupfer, José Paulo 322
Kurt 323

L

Ladeira, Otávio 120, 255, 268-270
Lamacchi, Claudio 256
Lameirinhas, Roberto 322
Lamucci, Sergio 53, 322
Lana, Fabiano 322
Leitão, Miriam 45
Lemos, Laércio Roberto 242
Lênin (ref. a Vladimir Ilitch Lênin) 33
Leo, Sérgio 322
Leopoldo, Ricardo 121
Levy, Joaquim 44, 100, 170, 176, 197, 267--269, 282, 284, 295, 315, 319
Lewandowski, Ricardo 246, 251, 253, 254, 263
Lima, Cássio Cunha 216
Lima, Maria 249
Lisboa, Marcos 44
List, Fredrich 290
Lo Prete, Renata 48, 315
Lobão, Edison 74

Lôbo, Cristiana 323
Lodi, Ricardo 254
Lopes, Altamir 143
Lopes, Daniel 322
Lopes, Elizabeth 216
Lucena, Barão de 294
Lula e Dilma 210
Lula e FHC 196, 217
Lupi, Carlos 22

M

Machado, Sérgio 240
Machado, Tania 249
Maciel, Everardo 297
Maciel, Pedro Jucá 298
Maciel, Túlio 81, 242
Madison, James 286
Madoff, Bernard 107
Magella, Geraldo 106
Maia, Laura 322
Maia, Marta 322
Maia, Rodrigo 245, 264, 277
Maia, Samantha 322
Malan, Pedro 100
Maluf, Paulo 217
Manfrini, Sandra 322
Mansur, Beto 196
Mantega, Guido 18, 22, 27, 43, 44, 47, 49,
     51, 52, 55-58, 70, 71, 73-75, 90, 92, 100,
     102, 109-113, 119, 121-124, 130, 132,
     142-144, 147, 170, 180, 184, 241, 242,
     273, 274, 275, 280, 282, 303, 304
Marcato, Fernando 237, 238
Marchesini, Lucas 112, 322
Marconi, Nelson 294, 300, 301
Marques, Hugo 266
Martins, Daniela 322
Martins, Lasier 247
Martins, Luísa Roig 322
Marx, Ivan 241, 242, 265
Marx, Karl 33
Mata, Lídice da 261
Matais, Andreza 55, 228, 229, 321
Mattos, Marcela 266
Mauá, Barão de 293
Mauro, Gilmar 284

Máximo, Luciano 322
McKinnel, Hank 97
Medeiros, Luiz Antônio de 51
Meirelles, Anthero de Moraes 143
Meirelles, Henrique 44, 47, 120, 165, 255,
     256, 278, 282, 295
Mendes, Gilmar 134, 135
Mendes, Luiz Henrique 322
Mendonça, Antônio Penteado 107
Menezes, Cynara 256
Menezes, Dyelle 210
Mercadante, Aloizio 43, 112
Ming, Celso 322
Mminele, Daniel 101
Modé, Leandro 107
Monteiro, José Múcio 154, 175, 177, 179,
     180, 243
Monteiro, Tânia 195, 322
Montero, Fernando 83
Moraes, Alexandre de 234
Moraes, Marcelo de 92, 119, 321
Moraes, Vinicius de 33
Morales, Evo 43
Moro, Sérgio 79, 222, 232, 244
Motta, Carlos 322
Moura, Rafael Moraes 322
Muniz, Francisco Orlando Costa 132, 133
Muniz, Roberto 247
Murtinho, Joaquim 294

N

Nakano, Yoshiaki 245, 299, 301
Nardes, Augusto 216- 224, 278, 279
Nassif, Luis 322
Nassif, Maria Inês 321
Neder, Vinicius 221
Neiva, Fernando Ferraz Rego 128
Nery, Natuza 118, 184, 323
Neto, Geneton Moraes 21
Netto, Antônio Delfim 36, 245, 246, 280
Neumann, Denise 321
Neves, Aécio 166, 216, 218, 222, 260, 310
Neymar (jogador de futebol) 91
Nixon, Richard 289
Noblat, Ricardo 316
Nóbrega, Mailson da 104

PERIGOSAS PEDALADAS

Nossa, Leonêncio 321
Novaes, Luiz Antônio 153
Nunes, Clara 33

O

Obrador, Lopez 43
Occhi, Gilberto 130, 242
Oiticica, Hélio 33
Oliveira, Cleber 155
Oliveira, Dyogo 66, 170, 242
Oliveira, Joaquim 274
Oliveira, Joaquim Lima de 26
Oliveira, Júlio Marcelo de 151-154, 158, 166, 174, 175, 177, 179, 192, 208, 218, 223, 224, 242, 243, 251, 252, 254, 263, 264, 275, 277
Oliveira, Mareny Guerra de 131
Oliveira, Ribamar 84, 86, 153, 154, 322
Omaki, Daniel 322
Orair, Rodrigo Octávio 296, 297
Oreiro, José Luís 294
Osório, Fábio Medina 266
Otta, Lu Aiko 322
Ouro Preto, Visconde de 287

P

Padilha, Eliseu 219, 220, 228, 266
Paiva, Carlos 303
Palocci, Antonio 44-47, 49-51, 54, 55, 282
Paraguassu, Lisandra 322
Parente, Pedro 297
Parreira, Marcelo 321
Paschoal, Janaína 224, 228, 262, 276
Patu, Gustavo 184
Paul, Gustavo 88
Paula, Adriano Pereira de 242
Pedro II, Dom 293
Pereira, Carlos 234
Peres, Glenio 37
Peres, Leandra 89, 117, 181
Peron, Isadora 216, 218
Perseu Abramo (Fundação) 284
Pessoa, Ricardo 279
Pilla, Raul 231
Pombo, Bárbara 5, 265
Pont, Raul 38

Pontes, Felipe 244
Portugal, Murilo 100
Prado, Geraldo 254, 255, 275
Prebisch, Raul 293, 294
Prestes, Cristine 234
Prestes, Júlio 13

Q

Quadros, Jânio 246
Queiroz, Rafael Mafei Rabelo 230, 231
Quintão, Geraldo Magela da Cruz 125

R

Rabello, Nestor 322
Reagan (ref. a Ronald Reagan, ex-presidente dos EUA) 313
Reale Jr., Miguel 224, 228, 248, 262, 276
Recondo, Felipe 322
Regina, Elis 33
Rêgo, Vital do 267, 279
Rhodes, Bill 35
Ribeiro, Darcy 37, 273, 302
Ribeiro, Luci 322
Ricardo, David 287
Rittner, Daniel 322
Rizzo, Alana 322
Robinho (jogador de futebol) 106
Rocha, Glauber 33
Rodopoulos, Fabiana Magalhães Almeida 81, 91/92
Rodrigues, Eduardo 270, 322
Rodrigues, Fernando 256, 257
Rodrigues, Murilo 84, 139, 321
Rodrigues, Walton Alencar 151
Rolim, Leonardo 110-113, 121
Rolim-Garibaldi 113
Romano, Giorgio 284
Romero, Cristiano 323
Roosevelt, Franklin Delano 288
Rosa, Luciana 322
Rosa, Vera 195, 322
Rösler, Sônia 303
Rossi, Pedro 300
Rousseff, Dilma 6, 9, 11, 13-15, 17-19, 22, 26, 27, 31, 32, 37, 43, 48-50, 55, 56, 58, 59, 63, 73, 75, 89, 100, 101, 108, 113, 118,

122, 130, 140, 151, 155, 166, 170, 182, 186, 188, 199, 207, 211, 212, 219, 220, 224, 229, 230, 239, 241, 247, 250, 254, 258, 263, 264, 266, 274, 277, 279, 280, 282, 292, 294, 298, 303, 313

Rufino, Romeu 149

S

Sabatini, Christopher 323
Sacheto, Cesar 322
Sadi, Andréia 229
Safatle, Claudia 323
Saintive, Marcelo 260, 268
Salomão, Alexa 322
Salto, Felipe 83, 157, 278, 295
Sampaio, Dida 94, 213, 322
Sanches, Sydney 248
Santana, Charles 167-169, 171, 172, 174, 177, 189, 192, 194
Santana, Telê 33
Santos, Klécio 76
Sarney, José 99, 163
Sassine, Vinicius 129
Sathler, André Rehbein 235
Sayuri, Juliana 323
Schulz, John 215, 293
Schumpeter, Joseph 161
Serqueira, Cláudio Dantas 141
Serra, José 39
Serrano, Pedro 235
Silva, Cláudio Teixeira da 23
Silva, Luiz Inácio Lula da 18, 22, 27, 32, 37, 38, 40, 41, 43-52, 55, 64, 65, 90, 109, 117, 134, 144, 165, 179, 183, 195, 196, 198,199, 202, 203, 208-210, 217,224,228, 232, 245, 247, 256, 262, 281, 282, 294, 300, 313
Silva, Marina 53, 140
Silva, Paulo Pereira da 223
Silveira, Antônio Henrique da 128
Silveira, Fabiano 244
Silveira, Jailton da 134, 141
Silveira, Jailton Zanon da 126, 133
Simão, Edna 112, 322
Simonsen, Roberto 292
Smith, Adam 290

Smith, Peter 34
Soller, Fabrício da 134
Souza, Hamilton Octávio de 322
Souza, Nivaldo 322
Stalin, Josef 33
Steinbruch, Benjamin 64
Stuhlberger, Luís 296

T

Taunay, Visconde de 287
Teles, Giovana 322
Temer, Michel 14, 15, 17, 64, 219, 220, 225, 228, 229, 233, 239, 240, 244, 246, 248, 254, 255, 256, 257, 263, 264, 265, 266, 274, 284, 299, 317, 318, 319
Tereza, Irany 321
Toffoli, José Antônio Dias 135
Tolmasquim, Maurício 47, 67,68, 72, 74, 75
Tomazelli, Idiana 221
Tombini, Alexandre Antônio 55, 88, 143, 144, 148, 196, 197, 242, 279, 305
Tonellier, Odir 39
Totti, Paulo 321
Trielli, Daniel 322
Trotsky, Leon 33
Troyjo, Marcos 323
Tsé-Tung, Mao 289

U

Ulisses 323

V

Valente, Gabriela 322
Valente, Rubens 240, 322
Valentina 323
Valle, Paulo 115, 119
Vânia, Lúcia 261
Vargas, Getúlio 13, 14 37, 43, 50, 170, 188, 221, 231, 234, 237, 246, 294
Vásquez, Tabaré 43
Veloso, Liana do Rego Motta 128
Venceslau, Pedro 216, 249
Veríssimo, Renata 92
Vescovi, Ana Paula 255
Vieira, Betinho 323
Vilhena, Oscar 235

PERIGOSAS PEDALADAS

Villar, Leonardo 322
Villaverde, João 6, 11, 53, 71, 74, 84, 92, 118, 119, 120, 121, 139, 153, 154, 157, 171, 175, 177, 181, 185, 189, 191, 193, 195, 196, 212, 218, 219, 220, 222, 229, 246, 323
Villaverde, Luis 322
Villaverde, Nelita 5
Von Bismarck, Otto 290

W

Wagner, Jaques 225, 259, 267, 268
Waldvogel, Monica 6, 322
Warth, Anne 71, 74, 321
Washington, George (1º presidente dos EUA) 285
Washington, George (universidade americana) 278
Watanabe, Marta 322
Weber, Luiz 120, 321
Weissling, Leila 323
Wiecko, Ela 262
Wilson, Woodrow 288, 295
Wiziak, Julio 139
Wolf, Martin 210-212

X

Xiaoping, Deng 289

Z

Zanatta, Mauro 92
Zimmermann, Márcio 47, 66, 67, 68, 72, 75

Sobre a autor

João Villaverde é jornalista, formado pela PUC-SP e com especialização em macroeconomia do desenvolvimento pela FGV-SP. Foi repórter do jornal *Valor Econômico* por cinco anos, dos quais quatro em São Paulo e um em Brasília. Na capital federal passou para o jornal *O Estado de S. Paulo*, onde trabalhou por quatro anos e manteve um blog com análises de temas econômicos. Venceu os prêmios de Melhor Reportagem pela *Agência Estado*, em 2014, e pelo *Estadão*, em 2015, quando também foi finalista do Prêmio Esso de Jornalismo. Passou o primeiro semestre de 2016 como pesquisador visitante na Universidade de Columbia, em Nova York, por conta da bolsa "Jornalista de Visão" conquistada por ele junto ao Instituto Ling. Além dos temas econômicos e políticos, nos onze anos em redações Villaverde cobriu de perto o movimento sindical e também produziu reportagens sobre cinema, entre elas uma que o levou à cidade de Monte Santo, no Sertão da Bahia, onde Glauber Rocha filmou *Deus e o Diabo na Terra do Sol*, e outra à cidade de Turim, no norte da Itália, para tratar do centenário do primeiro *blockbuster* da história do cinema, o longa-metragem *Cabiria*. Esta última reportagem, publicada na capa do Caderno 2 do *Estadão* em 2014, foi citada pelo periódico italiano *La Stampa*. Ele também colabora para a revista *Amálgama* na internet desde 2010.

INFORMAÇÕES SOBRE A
GERAÇÃO EDITORIAL

Para saber mais sobre os títulos e autores
da **GERAÇÃO EDITORIAL**,
visite o *site* www.geracaoeditorial.com.br
e curta as nossas redes sociais.

Além de informações sobre os próximos lançamentos,
você terá acesso a conteúdos exclusivos
e poderá participar de promoções e sorteios.

geracaoeditorial.com.br

/geracaoeditorial

@geracaobooks

@geracaoeditorial

Se quiser receber informações por *e-mail*,
basta se cadastrar diretamente no nosso *site*
ou enviar uma mensagem para
imprensa@geracaoeditorial.com.br

GERAÇÃO EDITORIAL

Rua Gomes Freire, 225 – Lapa
CEP: 05075-010 – São Paulo – SP
Telefax: (+ 55 11) 3256-4444
E-mail: geracaoeditorial@geracaoeditorial.com.br